KB181991

소화관 내시경 치료의 요령

■ 編　集 : 田中 信治·小山 恒男·山野 泰穗
■ 옮긴이 : 이종철·김재준

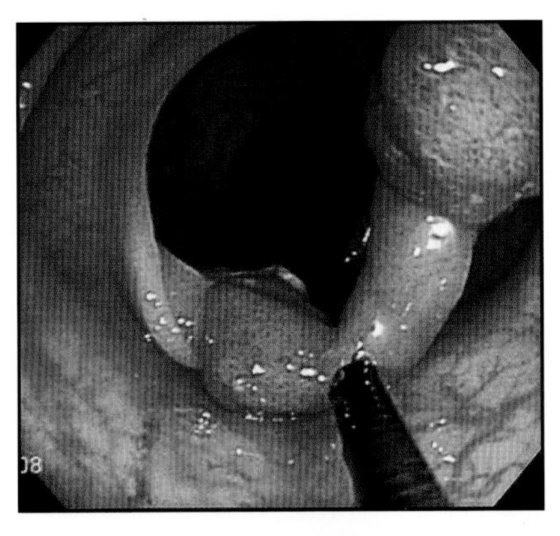
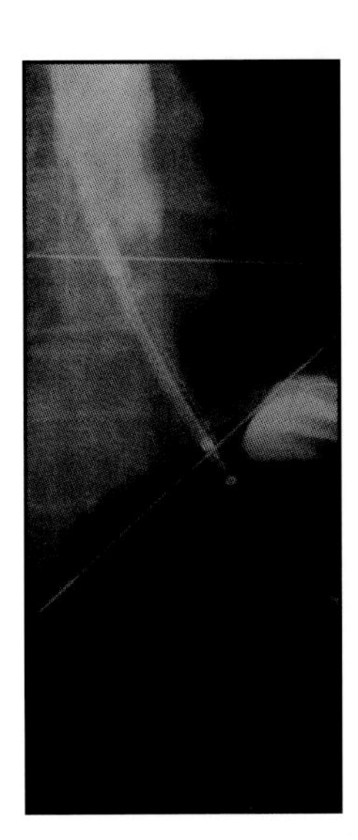
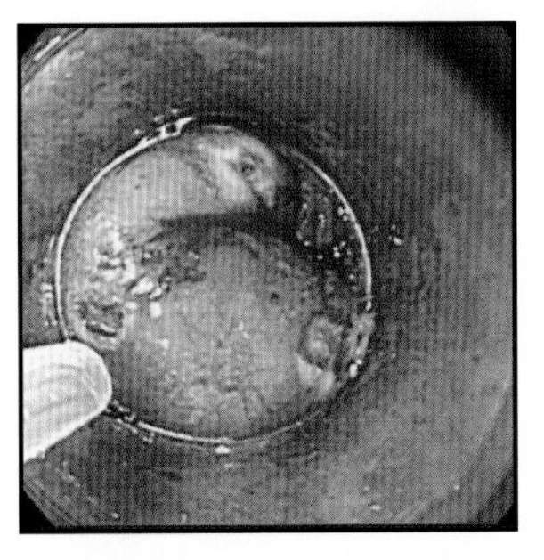
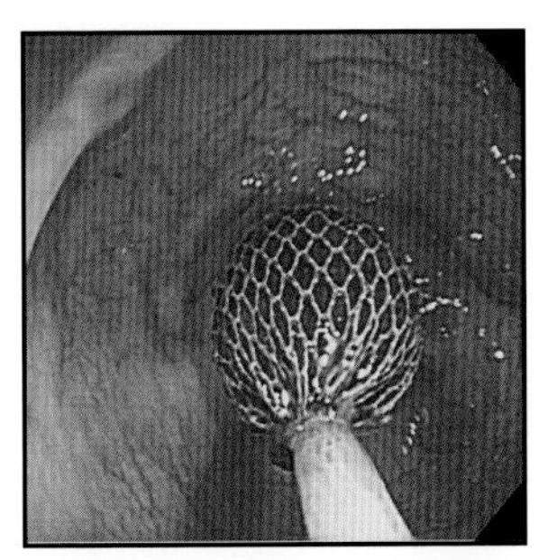
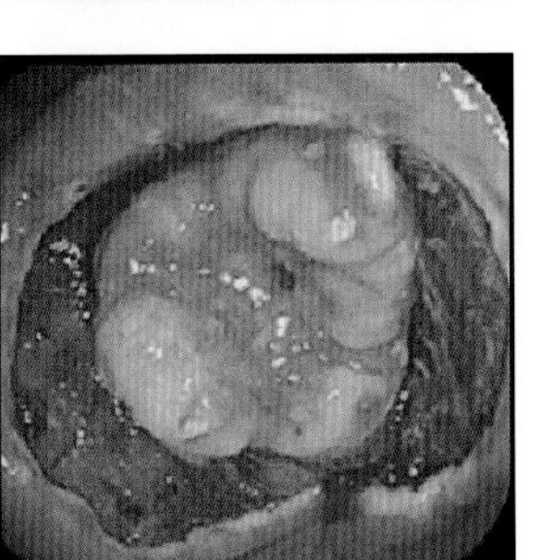
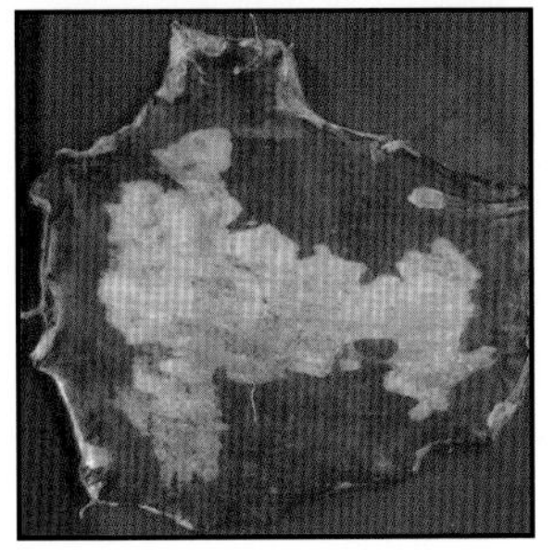
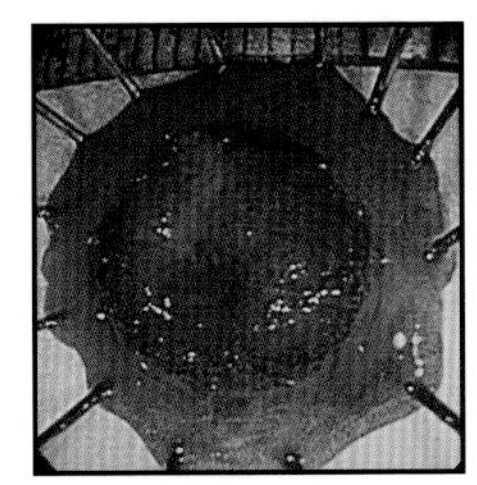

군자출판사

소화관 내시경 치료의 요령
(消化管 內視鏡治療の コツとポイソト)

초판 1쇄 인쇄 | 2004년 8월 10일
초판 1쇄 발행 | 2004년 8월 25일

지 은 이 田中 信治, 小山 恒男, 山野 泰穗
옮 긴 이 이종철, 김재준
발 행 인 장주연
편집디자인 권연정
표지디자인 고경선
발 행 처 군자출판사
등 록 제 4-139호 (1991. 6. 24)

본 사 (110-717) 서울특별시 종로구 인의동 112-1 동원회관 BD 3층
Tel. (02) 762-9194/5 Fax. (02) 764-0209
대구지점 Tel. (053) 428-2748 Fax. (053) 428-2749
부산지점 Tel. (051) 893-8989 Fax. (051) 893-8986

ISBN 89-7089-511-6

정가 40,000원

[집필진]

소화관 내시경 치료의 요령

田中　信治　広島大学光学医療診療部部長/助教授
小山　恒男　佐久総合病院胃腸科部長
山野　泰穂　秋田赤十字病院消化器科（消化器病センター）部長
松下　弘雄　秋田赤十字病院消化器科（消化器病センター）
山中　康生　秋田赤十字病院消化器科（消化器病センター）
前田　　聡　秋田赤十字病院消化器科（消化器病センター）
山本　　学　足立共済病院院長/東京慈恵会医科大学内視鏡科
門馬久美子　東京都立駒込病院内視鏡科医長
吉田　　操　東京都立墨東病院外科/副院長
島田　英雄　東海大学医学部一般消化器外科講師
幕内　博康　東海大学医学部一般消化器外科教授
千野　　修　東海大学医学部一般消化器外科講師
井上　晴洋　昭和大学横浜市北部病院消化器センター助教授
加澤　玉江　昭和大学横浜市北部病院消化器センター
工藤　進英　昭和大学横浜市北部病院消化器センター教授
宮田　佳典　佐久総合病院胃腸科医長
今井　　靖　秋田赤十字病院消化器科（消化器病センター）副部長
永田　信二　広島市立安佐市民病院内科
谷　　雅夫　東京都教職員互助会三楽病院第二外科部長
竹下　公矢　東京医科歯科大学光学医療診療部副部長/助教授
小野　裕之　静岡県立静岡がんセンター内視鏡科部長
友利　彰寿　佐久総合病院胃腸科
島谷　茂樹　佐久総合病院胃腸科
乾　　哲也　静岡県立静岡がんセンター内視鏡科副医長
矢作　直久　東京大学医学部消化器内科
藤城　光弘　東京大学医学部消化器内科
小俣　政男　東京大学医学部消化器内科教授
山本　博徳　自治医科大学消化器内科講師
岡　　志郎　広島大学光学医療診療部
中里　　勝　秋田赤十字病院消化器科（消化器病センター）
津田　純郎　福岡大学筑紫病院消化器科併任講師
野村美樹子　仙台市医療センター消化器内科 内科医長
松永　厚生　仙台市医療センター消化器内科 内科医長
藤田　直孝　仙台市医療センター副院長/消化器内科部長
五十嵐正広　北里大学東病院内科講師
横山　　薫　小田原市立病院内科

[서문]

소화관 내시경 치료의 요령

최근 몇 년 사이에 치료내시경은 눈부시게 발달하였다. 점차 새로운 시술방법이 개발되고 적응증이 확장됨에 따라 새로운 내시경 기기가 그 어느 때보다 적극적으로 개발되고 있다. 치료내시경은 외과적 치료에 비해 간편하고 침습성이 낮아서 고령화 사회에서의 임상적, 사회적 수요는 해마다 늘어나고 있다. 한편, 치료내시경이 발전하고 다양화되면서 치료에 따른 의료사고나 의료분쟁이 피할 수 없는 문제로 대두되었다. 따라서 내시경을 시행하는 의사는 치료내시경에 대한 적응증, 사용기기의 특징, 시술의 원리, 치료효과의 판정, 치료 후의 경과관찰의 방법 등을 충분히 이해하고 합병증에 대한 처치를 포함하여 실제 시술의 요령과 노하우를 제대로 숙지해야 한다.

이처럼 치료내시경이 발달하면서 적용범위가 넓어지고 있는데 그것을 습득하고 안전하게 자신의 것으로 만들기 위해서는 많은 노력과 경험이 필요하다. 서양 의학회에서는 주로 내시경 시술의 습득과 교육에 주력하여, live demonstration을 중요시하는 반면에 일본학회에서는 주로 이론과 데이터를 다루고 있다. 최근 일본학회에서도 video demonstration이 서서히 증가하고 있는 추세지만 내시경을 처음 시작하는 의사들에게 필요한 정보를 충분히 전달하고 있다고 하기에는 아직 이르다.

최근 내시경 진료나 치료에 관한 책이 많이 출판되어서 어떤 책을 구입할지 망설이는 일도 있을 것으로 추측된다. 이런 상황에서 일상 진료 현장에서 내시경을 처음 시작하는 의사들에게 도움이 될 수 있도록 실질적인 내용을 중심으로 "소화관 내시경 치료의 요령"이라는 책을 출간하게 되었다. 이 책은 치료내시경시의 마음가짐과 사고방식, 시술에 대한 세밀한 요령과 노하우, 합병증에 대한 대처 방법, 내시경 기기의 자세한 조작 및 설정 방법 등에 대하여 다룰 것이다. 또 내시경적 점막 절제술(endoscopic mucosal resection; EMR)에 대하여도 가려운 곳을 손으로 긁어주듯이 자세히 설명할 것이다.

이 책은 앞으로 치료내시경을 시작하는 의사들에게 실질적인 도움이 될 것으로 확신하며, 치료내시경의 경험이 있는 의사들과 다른 의료진들에게도 많은 도움을 줄 수 있는 책이라고 자부한다. 이 책이 밤낮으로 내시경 진료에 임하는 경험 많은 선생들에게도 도움이 된다면 더없이 기쁘겠다.

마지막으로 바쁜 와중에도 빠르게 집필해 준 여러 선생들에게 깊은 감사를 드리며, 좋은 책을 낼 수 있는 기회를 준 일본 메디칼 센터 편집자들에게도 감사를 드린다.

2003년 여름

田中 信治

小山 恒男

山野 泰穗

[옮긴이 서문]

소화관 내시경 치료의 요령

최근 의학 각 분야의 눈부신 진보에 발맞추어 소화기학 역시 급속하게 발전하고 있으나 교과서를 통한 지식 습득만으로는 한계가 있다. 특히 치료내시경 분야는 내시경 및 여러 관련 기구의 진보에 따라 하루가 다르게 발전하고 있으므로 최신 치료방법을 익히기가 쉽지 않다. 이번에 번역하여 여러분 앞에 소개하게 된 "소화관 내시경 치료의 요령"에서는 상하부 위장관 치료내시경의 각 분야에서 권위자로 인정받고 있는 일본의 여러 교수들이 자신의 병원에서 현재 시행되는 방법을 초심자라도 실전에서 쉽게 적용할 수 있도록 자세히 기술하고 있다. 최근 국내에서도 치료내시경의 시술예가 급증하고 있으므로 이와 같은 책자가 소개되는 것은 내시경시술을 전공하는 의사들에게 매우 유익하리라 생각된다.

이미 국내에서 치료내시경에 대한 여러 책자가 출판된 바 있으나, 대부분 개념적인 소개에 치중하고 있고 구체적인 사항에 대해서는 자세히 소개한 경우는 많지 않았다. 따라서 본 번역서는 치료내시경의 초심자들이 궁금해 하는 세세한 부분에 대한 정보가 풍부한 점이 가장 돋보이는 장점이라고 할 수 있다. 또한 치료내시경을 많이 시술하고 있는 전문가에게도 다른 전문가들과 자신의 시술 방법을 비교하는데 크게 도움이 된다고 생각된다. 본 번역서는 일본의 의료환경을 기반으로 기술되어 있으므로 간혹 우리나라에서 그대로 적용하기 어려운 부분이 발견되어 이에 대해서는 우리나라 혹은 역자들의 병원에서의 경험을 바탕으로 역주를 보충하였다.

아무쪼록 부족한 점이 많겠지만 치료내시경을 처음 배우는 초심자부터 기존에 치료내시경의 경험이 많으나 최근의 발전상을 보다 실질적으로 접하고자 하는 전문가까지 모두에게 조금이나마 도움이 되기를 바라는 마음 간절하다. 마지막으로 본 책자의 원고를 준비하는데 큰 도움을 준 삼성서울병원 소화기내과의 김영호 교수, 이준행 교수, 이선영 선생, 그리고 군자출판사의 장주연 대표이사님께도 감사를 드리는 바이다.

2004년 4월

이 종 철

김 재 준

[목차]

소화관 내시경 치료의 요령

Column

제1장. 서론

- 치료내시경시의 마음가짐
- 치료내시경과 동의서(informed consent)
- 임상에서 실제로 동의서를 받는 방법
- 진정(sedation)에 대해서
- 기타 주의사항

제1장

서 론

치료내시경시의 마음가짐

최근 내시경 및 주변기기의 발달로 인하여 내시경 검사와 치료는 눈부시게 발전하였다. 내시경 검사가 발달하면서 근치적 절제가 가능한 초기 단계의 암들이 많이 발견되고 있으며, 내시경적 점막절제술(endoscopic mucosal resection; EMR)이 보급되면서 이전에는 내시경으로 치료를 할 수 없었던 병변들까지도 쉽게 내시경으로 치료할 수 있게 되었다. 나아가서 절개 · 박리법의 개발과 보급으로 상당히 큰 병변까지도 내시경으로 일괄절제를 할 수 있게 되었다.

이런 상황에서 조기 암에 대하여 적극적으로 치료내시경을 시행하게 되었지만, 그 화려함 뒤에는 진단 기술과 기본적인 기술 습득이 불충분한 내시경 시술의들이 불완전한 치료내시경을 시행하여, 합병증이나 종양의 잔재병변이 문제로 대두되고 있다. 조기 암은 외과적으로 절제를 하면 대부분 완치가 가능한 질환이므로, 아무리 치료내시경이 환자의 삶의 질을 좋게 한다고 할지라도 병변을 남겨서 환자의 예후를 나쁘게 하는 일은 없어야 한다.

종양을 내시경으로 치료한다는 것은 간단하게는 단순한 절제 기술이지만, 실제로는 ① 치료내시경의 적응증을 판단하기 위한 진단학, ② 내시경의 절제 수기, ③ 절제병변에 대한 근치도의 판단, ④ 절제표본 다루기, ⑤ 절제표본에 대한 병리조직학적 근치도의 판정, ⑥ 치료 후의 정기적인 경과관찰 등 일련의 과정이 모두 포함되어 있다. 앞에서 서술한 바와 같이 치료내시경이란 외과적 절제로 근치가 가능한 병변을 다루는 것이므로, 단순히 종양을 절개하고 끝나는 것이 아니라 모든 단계가 반드시 확실하게 이루어져야 한다.

또한 치료내시경에서는 종양의 절제뿐만 아니라, 소화관 이물(異物; foreign body)의 처리, 식도 및 위 정맥류에 대한 치료, 소화관 협착에 대한 치료, 경피내시경적 위루술(percutaneous endoscopic gastrostomy; PEG), 소화관 출혈 및 천공에 대한 처치가 포함되므로 이들을 차례대로 다루겠다.

치료내시경과 동의서

아무리 치료내시경을 완벽하게 시행한다고 해도 일정한 빈도의 합병증이 발생한다. 따라서 치료내시경의 필요성, 자주 발생하는 합병증과 그 빈도, 합병증에 대한 대책, 합병증 때문에 환자가 받을 수 있는 불이익 등에 대하여 시술 전에 충분히 설명을 하고 환자 및 보호자의 동의를 얻는 동의서(informed consent)가 필요하다.

일본 소화기내시경학회 합병증 대책위원회의 보고[1]에 의하면, 1993년부터 1997년까지의 5년간 치료내시경에 의한 합병증의 빈도는 용종절제술의 경우에는 식도 0.035%, 위 0.077%, 대장 0.147%이고, 내시경적 점막절제술의 경우에는 식도 0.598%, 위 0.512%, 대장 0.19%였다. 또한 이 보고[1]에서 식도정맥류 치료에 따른 합병증의 빈도는 0.051%로 알려져 있다. 자신의 능력을 넘는 치료를 하지 말아야 하는 것은 당연하고 합병증이라는 것은 예고 없이 찾아오기 때문에 앞에서 기술한 바와 같이 치료 전에 합병증의 가능성, 검사의 필요성에 대하여 충분히 환자와 보호자에게 설

식도 · 위 · 대장의 치료내시경을 받으시는 분들께

치료내시경에는 다음과 같은 것들이 있습니다.

1) 용종절제술
2) 내시경적 점막절제술
3) 열응고법

1) 용종절제술

용종을 고주파 전류로 절제하는 방법입니다. 내시경 검사를 하면서 올가미(금속으로 만든 고리같은 것)로 용종의 하단을 조이고, 전류를 가해서 절단합니다.

2) 내시경적 점막절제술

용종처럼 융기되어 있지 않은 평편한 병변 혹은 함몰된 병변 밑에 액체를 주입하여, 인공적으로 융기를 만들어서 용종절제술과 같은 방법으로 절제합니다.

3) 열응고법

내시경 검사를 하면서 고주파 전류나 레이저로 병변을 태웁니다.

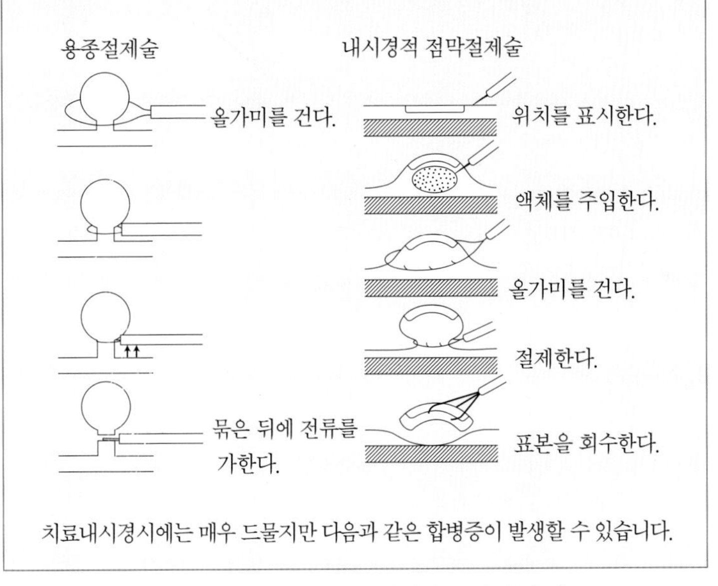

치료내시경시에는 매우 드물지만 다음과 같은 합병증이 발생할 수 있습니다.

그림 1. 치료내시경의 설명서와 동의서(앞면)
히로시마 의과대학 부속병원의 예

명해야 한다.

임상에서 실제로 동의서를 받는 방법

히로시마대학 부속병원에서는 소화기 종양을 치료내시경으로 절제하기 전에 그림1, 2와 같은 설명서와 동의서를 환자에게 보여주면서 설명한다. 이런 설명서를 통하여 치료내시경에 대하여 이해시키고, 동의를 얻었다는 증거로 서명을 받는다. 그리고 환자에게도 한 부를 건네준다. 다른 치료내시경에 있어서도 같은 방법으로 동의서를 받는다.

합병증에 대해서

1) 출혈

병변에 굵은 혈관이 들어있는 경우에는 병변 절제로 인하여 출혈이 발생할 수 있습니다. 대부분의 경우에는 지혈제의 국소주입 등으로 지혈이 되지만, 출혈이 멎지 않는 경우에는 응급 개복수술이 필요할 수도 있습니다 (방치할 경우, 대량 출혈로 쇼크 상태가 됩니다).

2) 천공

매우 드문 합병증이지만 소화관은 벽이 얇아서 병변의 크기, 위치, 깊이에 따라 병변을 절제한 부위에 구멍이 생기기도 합니다. 이런 경우에도 응급 개복수술이 필요할 수 있습니다(방치할 경우 소화관에서 내용물이 흘러 나와 복막염이 발생합니다).

3) 기타

주의사항

1) 합병증이 발생해도 적절한 내과적 또는 외과적 처치를 하면 생명에 지장을 주지 않습니다. 그러나 입원 기간은 다소 길어질 수 있습니다.
2) 병변의 깊이가 예상외로 깊어서 완전 절제가 되지 않고 병변이 남는 경우에는 추가적으로 외과적 소화관 절제술이 필요합니다. 따라서 내시경 시술 후에는 반드시 지정된 날짜에 내원하여 조직 검사결과를 들으셔야 합니다.
3) 퇴원 후 복통 등의 복부 증상이 지속되는 경우에는 연락을 하십시오. 책임을 다해서 적절한 조치를 취하겠습니다.

동의서

치료내시경에 대한 내용과 동반될 수 있는 합병증에 대하여 충분히 이해하였기에 시술을 허락합니다.

시술 중 응급처치를 요하는 상황 발생시에는 그에 따른 적당한 조치를 받겠습니다.

년 월 일

환자 서명

의사 서명

히로시마대학 의학부 부속병원 광학의료 진료부

TEL : 082-257-5537(주간), TEL : 082-257-5506(야간, 휴일)

그림 2. 치료내시경의 설명서와 동의서(뒷면)

히로시마 의과대학 부속병원의 예

진정(sedation)에 대해서

진정의 목적으로 마취제와 진정제를 투여할 경우, 치료내시경 중에 환자의 혈중 산소포화도와 맥박수, 가능하다면 심전도까지 측정한다. 호흡억제 효과가 강한 약제일 경우에는 특히 주의를 해야 한다. 또한 의식하 진정내시경을 할 경우, 그 내용과 진정의 정도에 대하여 환자에게 충분히 설명을 하고 동의서를 받은 상태에서 시행한다.

기타 주의사항

1. 출혈 응고시간 점검하기

심혈관계 질환, 동맥경화증 등의 치료를 위해서 항응고제를 복용하는 환자는 치료 전에 복용을 중단하고, 체내에서 약물의 효과가 소실되기를 기다려야 한다. 항응고제마다 체내 소실에 필요한 시간은 다른데 항응고제를 중단하지 않고 치료내시경을 시행할 경우, 대량 출혈이 발생하기도 하고 지혈하기가 곤란해지기도 한다. 또한 드물지만 항응고제의 갑작스런 복용중지로 인하여 뇌경색이나 허혈성 심질환이 발생할 수 있으므로, 환자에게 이런 가능성에 대해서도 충분히 설명을 해 둔다. 그리고 시술 전에는 혈액검사를 시행하여 빈혈의 유무와 정도, 혈소판 수 등도 충분히 파악해 둔다.

2. 합병증에 대한 보충설명

합병증이 발생한 경우, 내과적 혹은 외과적으로 처치를 하면 생명에 지장을 주지는 않지만, 입원기간이 다소 길어질 수 있다는 사실을 환자에게 미리 설명하고 이해시킨다. 환자의 입원기간 연장으로 인하여 직장업무나 수입, 추가 입원비 등에 있어서 문제가 발생하지 않도록 한다.

3. 결과의 설명

종양을 치료한 후에는 절제병변의 병리조직학적 소견에 따라서 근치적 절제를 했어도 전이의 위험성이 있는 경우에는 외과적 수술(소화관 절제술과 림프절 곽청술)을 추가해야 한다. 치료내시경을 한 의사는 반드시 자신이 절제한 표본의 병리학적 소견을 파악해야 한다. 암을 치료할 경우, 진단병리과 의사가 아니더라도 현미경을 보고 병리소견을 이해하려는 노력이 필요하다. 또한 치료한 후에는 지정된 날짜에 환자가 반드시 내원하도록 하여, 조직검사결과를 설명하고 향후 진료방침에 대해서 상세하게 설명한다. 단, 입원기간 중에 조직검사 결과가 나온다면 그 때 해결해도 된다. 종양 절제술 이외의 내시경 치료에 있어서도 마찬가지로 치료결과를 환자에게 자세히 설명하고 상황을 이해시킨다.

맺음말

치료내시경에 있어서 치료 전의 동의서, 치료 전의 정밀검사, 시술, 치료 후의 평가 및 경과관찰을 포함한 전 과정의 중요성은 앞에서 기술한 바와 같으며 이 책에서는 그 중에서도 실제 시술에 대해서 집중적으로 다룰 것이다. 기존의 일반적인 교과서와 같은 책이 아니라, 소화관 치료내시경의 요령과 노하우에 대하여 상세하게 설명하여 처음 치료내시경을 시행하는 의사나 연수받는 의사가 "이 책을 읽으면 그 시술을 할 수 있게 된다"는 것을 목표로 기획, 편집했다. 많은 유사한 책들이 있지만 이 책이 내시경을 다루는 많은 의사들의 곁에서 일상 진료에 도움이 되길 바란다.

◘ 참고문헌

1) 金子榮藏, 原田英雄, 春日井達造, 등. 소화기 내시경 관련 합병증에 대한 제3회 전국조사 보고- 1993년부터 1997년까지 5년간. Gastroenterol Endosc 2000;42:308-13.

제2장. 진정

· 준비사항

· 진정의 목적

· 깊은 진정 상태로의 도입

· 각성

제2장

진정 (sedation)

- 내시경적 점막절제술(EMR)을 안전하게 시행하기 위해서는 적절한 진정이 필요하다.
- 호흡부전, 간기능 부전 등이 있는지를 사전에 확인해 둔다.
- 합병증에 대비하여 소생술에 필요한 기구 및 약제를 준비해 둔다.
- 길항제인 flumazenil을 항상 준비해 둔다.

준비사항

- 혈관(말초정맥)을 확보한다.
- 심전도, 산소포화도 측정기, 자동혈압계를 장착한다.
- 산소를 투여할 수 있도록 준비한다.
- 필요한 약제를 준비해 둔다. 특히, flumazenil을 준비해 둔다.

진정의 목적

- 가벼운 진정: 간단한 시술을 하는 경우, 호흡부전 등의 위험이 있는 경우, 의식이 있는 상태에서 시술을 받기를 원하는 경우에는 가볍게 진정을 시킨다.
- 깊은 진정: 스텐트 삽입 등 고통이 따르는 시술이나 장시간 시술인 경우에는 깊은 진정을 시행한다.

깊은 진정 상태로의 도입

- 저자는 midazolam 7.5 ㎎, butorphanol tartate 0.5 ㎎을 먼저 주입한다.
- 고령자, 호흡부전이나 간기능 부전 환자는 midazolam 5 ㎎, butorphanol tartate 0.3 ㎎부터 시작한다.
- 병원에 따라서 diazepam 7.5 ㎎, pentazocine 15 ㎎ 등을 사용하기도 한다.
- 진정 도입 시 일시적으로 산소포화도가 떨어질 수 있다. 이런 경우에는 재빨리 산소를 공급한다. 또한 내시경 삽입시의 자극으로 반각성 상태가 되어 호흡이 억제되었다가 회복하는 경우에도 당황하지 않고 대응한다.
- 시술 중에 깬 경우에는 midazolam 2.5 ㎎ 또는 butorphanol tartate 0.5 ㎎을 추가적으로 주입한다.
- 알코올 중독자의 경우, 진정 도입이 어려운 경우가 있다. 이런 경우에 저자는 haloperidol 5 ㎎을 정맥주사한다.
- Haloperidol을 병용한 경우에는 악성증후군(neuroleptic malignant syndrome)이 발생할 수 있으므로 주의한다.
- 그래도 진정이 안 될 경우에는 propofol이 유용하다.
- 정맥주사로 propofol 4~5 *ml*를 정주하고, 진정이 되었는지를 확인한다.
- 진정이 불충분한 경우에는 진정될 때까지 1~2 *ml* 정도를 추가로 정주하고, 이후에는 시간당 5 *ml* 전후의 속도로 지속적으로 정주한다.
- 도중에 깨는 경우에는 지속 정주량을 늘린다.
- Propofol은 반감기가 짧으므로, 지속정주를 중단하면 빠른 속도로 깨어나기 시작한다.
- 이들 진정제 투여 시에는 마취과 전문의의 관찰이

중요포인트

☞ 호흡부전, 간기능 부전 등을 사전에 확인한다.
☞ 합병증에 대비해서 소생술에 필요한 기구 및 약제를 내시경실에 항상 준비해 둔다.
☞ 진정 중에는 심전도, 산소포화도, 혈압을 측정한다.
☞ Flumazenil에 의한 각성 후의 재진정 상태에 대비하여 각성이 안 되는 경우에는 회복실 혹은 병동에서 지속적으로 관찰한다.

필요하지만 마취과 의사의 관리료를 청구할 수 없는 것이 현 실정이다. 안전한 진정 내시경을 시행하기 위해서는 마취과 의사의 감시가 반드시 필요하므로, 내시경학회 차원에서 후생성(厚生省; 우리나라의 보건복지부에 해당하는 정부 기관)에 관리료 책정을 요구해야 한다.

- 역자 주: 내시경 검사 및 시술 도중 진정제를 사용하는 것을 진정내시경이라 한다. 내시경 도중 진정제 사용의 목적은 얕은 수준의 진정 상태이며 이를 위해서는 위에 언급된 것보다 훨씬 적은 용량의 약제가 사용된다. 환자가 의사의 구두명령에 반응하지 않는 수준인 깊은 상태에서는 일반적으로 내시경 검사 및 시술을 위한 진정의 수준을 넘는 것으로 보는 것이 좋다.

각성

- 내시경 처치가 종료한 시점에서 flumazenil 0.3 ㎎을 주사하여 각성시킨다.
- Flumazenil은 반감기가 짧기 때문에 한번 깨어나도 10~20분 후에 다시 진정 상태로 빠질 위험성이 있다.
- Flumazenil 1 ample은 0.5 ㎎이므로, 남은 0.2 ㎎을 수액에 섞어서 지속적으로 주입하면 다시 진정 상태로 빠지는 것을 막을 수 있다.
- 환자가 깨어나지 않는 경우, 회복실 혹은 병동에서 산소포화도를 지속적으로 관찰하면서 재진정 상태에 대한 대비를 한다.
- 역자 주: Midazolam을 사용한 의식하 진정 내시경 후에 환자의 각성을 위하여 길항제를 사용하는 것은 우리나라와 서구에서는 권장되지 않는 방법이다. 길항제를 사용하지 않고 회복실에서 스스로 회복될 때까지 의료인의 관찰을 받도록 하는 것이 좋다. 의식하 진정 내시경시의 안전은 길항제의 유무에 따라 결정되는 것이 아니고 적절한 용량, 용법 및 모니터링의 수준에 의해서 좌우된다.

칼럼

Bipolar snare

현재 사용되는 snare로는 monopolar snare와 bipolar snare의 두 종류가 있다. Monopolar snare는 자기(磁氣; earth)때문에 대극판(對極板)이 필요하지만, bipolar snare의 경우 snare 본체에만 전류가 흐르기 때문에 대극판이 필요 없으며, 다루기가 쉽다. Bipolar snare는 소작(燒灼)이 신속하여 절개 감각을 예민하게 느낄 수 있고 물리적 절제가 경감되어 있다. Monopolar snare보다는 조직이 천천히 타므로, 시간을 들여서 병변을 절제하지 않으면 출혈의 위험성이 높아진다.

Bipolar snare의 특징을 종합해 보면, ①환자에게 전류가 직접적으로 전달되지 않기 때문에 pacemaker를 장착한 환자에서도 안심하고 사용할 수 있고, ②천공 발생 빈도가 낮으며, ③병변 주변부의 열손상이 적어서 조직 진단에 미치는 영향이 적다. 그외 ④용종의 선단부가 소화관의 벽에 닿아 있어서 열로 인한 손상이 발생하지 않고, ⑤대극판이 필요하지 않아서 다루기가 편하다는 점 등이 있다.

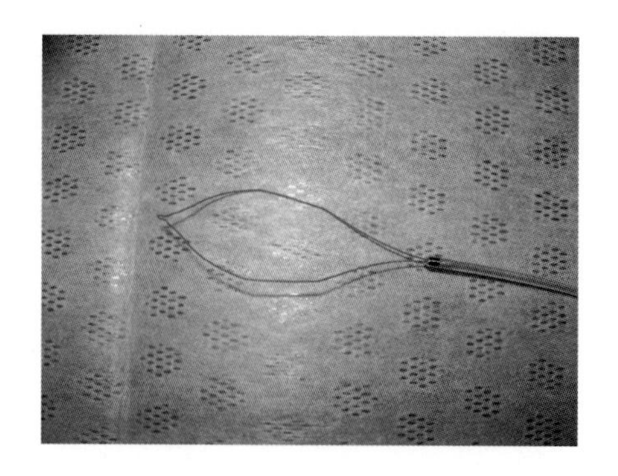

기존의 bipolar snare의 선단에는 절연체(絶緣體)인 ceramic chip이 장착되어 있었다. 따라서 조직이 말려 들어가서 잔재 병변이 남거나 snare가 옆으로 벌어지기 쉽다는 단점이 있었다. 최근 일본 제온 메디칼 주식회사에서 판매하는 제멕스 bipolar snare S DORAGONARE라는 새로운 snare(그림)는 wire 부분과 sheath 선단부에 전극이 달려 있어서, 이런 단점들이 거의 해결되었을 뿐만 아니라 출혈의 위험성도 줄어들었다.

제3장. 소화관 이물에 대한 대처방법

· 원인
· 이물의 종류
· 치료방침
· 준비물
· 전처치
· 이물제거의 실제
· 소화관 이물의 증례

제3장

소화관 이물에 대한 대처방법

소화관내 이물(異物; foreign body)은 소아에서 노인에 이르기까지 폭넓은 연령층에서 발견되는데, 그중에서 치료내시경의 대상이 되는 것은 고형물(固形物)이다. 이물에 따라서는 기계적 혹은 화학적 자극으로 소화관에 손상을 주므로 제거해야 한다. 약물과 독극물인 경우에는 위세척을 하거나 중화제를 투여하는 치료법이 있는데, 이에 대해서는 다른 문헌을 참고하기를 바란다.

원인

- 소아의 경우에는 특히 유아가 이물을 잘 삼키는데, 이 시기에는 본능적으로 감각이 발달한 입술과 혀를 통해서 외부의 물체를 확인하고 싶어 하기 때문이다. 근본적으로는 부모나 보호자의 부주의가 원인으로, 반복적으로 여러 차례 이물을 삼키는 경우도 있다.
- 성인 중에서도 특히 노인은 생선가시, pressure through package (PTP; 그림1과 같은 약물포장) 등을 삼키는 경우가 있으며, 본인의 부주의로 인한 경우가 대부분이다.
- 위석(胃石) 등 소화관 내에서 이물이 저절로 생기는 경우도 있다.
- 정신박약자, 정신이상자, 변태성욕자 등은 고의적으로 이물을 삼키거나, 타인에 의하여 강제적으로 삽입되는 경우도 있다.
- 하부소화관의 이물은 입이나 항문을 통해서 들어오거나 직접 관통한 경우 등이 있는데, 항문을 통해서 외부에서 삽입된 경우가 가장 많다.

이물의 종류

- 소아의 경우에는 단추 모양의 전지(battery), 완구, 자석, 동전, 귀걸이, 케익 장식물 등이 많다.
- 성인의 경우에는 생선가시, 의치, 고깃덩어리, PTP 등이 많다.
- 고의적인 경우에는 연필, 숟가락, 붓, 긴 못 등도 있다.
- 하부소화관에서는 작은 병, 완구 등이 많다.

치료방침

- 본인 혹은 주변에 있던 사람들에게 자세히 물어서 증상 및 경과시간 등을 파악한다.
- 이물의 종류, 크기, 형태 등을 파악한다. 가능하다면 같은 물건을 가지고 오라고 해서 구체적인 정보를 입수한다.
- 확실하지 않은 경우에는 먼저 X-ray를 찍어서 이물이 있는지를 확인한다. X선 투과성(X-ray로 관찰되지 않는) 물질인 경우에는 gastrograffin을 사용하여 조영술을 시행한다. 단, 경부 식도(cervical esophagus) 등에서는 gastrograffin을 잘못 판독할 수도 있으므로, 내시경 검사를 먼저 시행해도 된다(역자 주: 상부 소화관 이물 제거시 X-ray로 보이지 않는 이물을 확인하기 위해서 반드시 gastrograffin을 이용한 방사선학적 검사가 필요한 것은 아니다).
- 내시경적으로 제거가 가능한지를 검토한다. 내시경으로 도달할 수 있는 범위에 있는지, 제거 가능한 형태와 크기인지, 제거할 경우에 처치기구로 무엇을 사용할 것인지 등에 대해서 계획을 세운다.

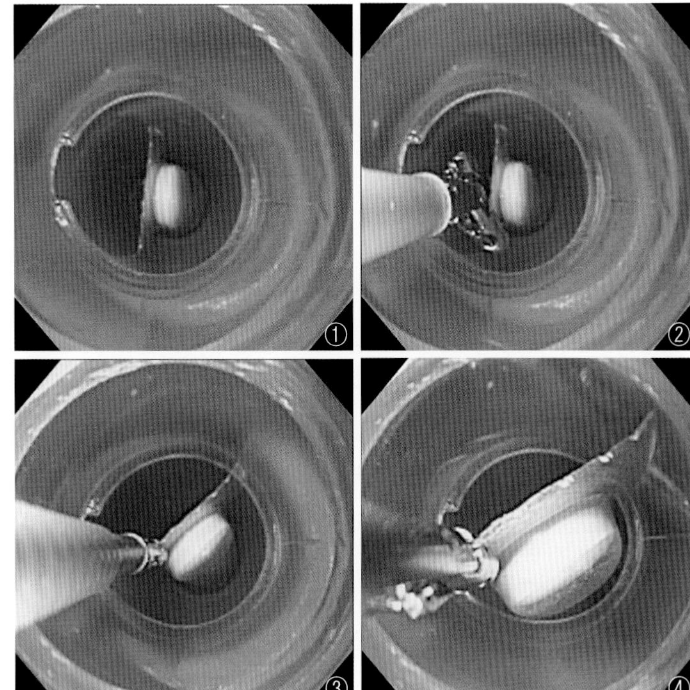

그림 1. Pressure through package (PTP)를 회수한 실제 예
① 투명 hood를 장착한 내시경을 삽입하여 PTP를 확인했다.
② V type alligator biopsy forcep (FB-210K)을 겸자공으로 넣고, forcep이 열리는 방향을 맞추었다.
③ PTP의 예리한 부분을 잡았다.
④ 조심스럽게 hood 속으로 PTP를 넣은 후 내시경을 뺐다.

- 입으로 삼킨 것은 내시경으로 제거할 수 있을 것이라고 생각하기 쉽지만, 경우에 따라서는 외과적 수술이나 경과관찰이 필요하므로 잘 판단한다.

준비물

- Alligator type biopsy forcep, alligator type grasping forcep, V type alligator grasping forcep
- 5각 또는 3각 회수 겸자(retrieval forcep), basket forcep, retrieval net
- 좁은 겸자(loop cutter)
- Semiluminar snare, needle attached snare
- 투명 hood
- 상부용, 하부용 overtube

전처치

- 식도의 경우에는 4% lidocaine hydrochloride (xylocaine) spray로 인두마취를 한다.
- 위 · 십이지장의 경우에는 평소 상부위장관 내시경 검사 시와 같은 전처치를 시행한다.
- 10세 이하의 소아인 경우에는 마취과 의사, 소아과 의사와 상의하여 기관 내 삽입, 전신마취, 전신관리 하에 시행한다.
- 정신박약자, 정신이상자인 경우에는 검사에 대한 저항 및 폭력 등이 예상되므로, 진정제를 투여하고 시행한다.
- 하부위장관의 경우에는 직장 근처인 경우가 많으므로, 전처치를 하지 않고 시행한다.

이물 제거의 실제 (그림 1)

1) 내시경을 삽입하여 직접 이물을 보고 사전 정보와 일치하는지를 확인한다.

중요포인트

☞ 자세히 문진을 하고 증상, 시간 경과, 이물의 종류 등을 파악한다.
☞ 이물이 있는 부위를 확인한다.
☞ 내시경으로 제거할 수 있는지와 사용기구 및 이물 제거방법 등에 대하여 계획을 세운다.
☞ 제거할 때 소화관이 손상되지 않도록 주의한다.
☞ 제거한 후에는 내시경으로 다시 확인을 한다.

2) 일단 내시경을 뺀다. 이물을 제거할 때 협착부를 손상시키지 않고 통과할 수 있는지, 투명 hood나 overtube를 병용할지를 검토한다.
3) 이물을 잡기에 적당한 겸자를 고른다. 예를 들면,
   생선가시, PTP : alligator type biopsy forcep, alligator type grasping forcep
   단추 모양의 전지, 자석 : retrieval net, basket forcep
   긴 것, 병 : snare
4) 필요한 처치기구를 겸자공으로 넣어서 내시경 선단부 가까이까지 넣는다. 또한 필요하다면 투명 hood 등을 장착하고, 다시 내시경을 삽입한다.
5) 이물을 잡을 때의 기본 사항은
   · 날카로운 부분이 옆으로 오지 않게 한다.
   · 날카로운 부분을 잡아서 그 부분이 점막에 닿지 않도록 한다.
   · 이물에 둔각(鈍角)이나 둥굴게 구부러진 부분이 있다면 그 부분이 점막에 닿도록 한다.
   · 이물을 잡을 때, 장축(長軸) 방향으로 잡도록 한다.
   · 잡았다가 바로 놓을 수 있는 부위를 선택한다.
6) 일단 이물을 잡으면 내시경을 가까이하여 hood 속으로 넣는다.
7) Overtube를 병용할 경우, tube의 선단과 점막의 각도에 주의하면서 이물을 그 속으로 흡인해서 넣는다.
8) 천천히 소화관의 주행에 따라서 뺀다. 이 때 기구가 빨려 들어오지 않도록 누른다.
9) 좁은 부위를 통과할 때는 소화관의 연동운동에 따라서 조금이라도 크게 벌어질 때를 기다렸다가 뺀다.
10) 인두 부분에 가까이 오면, 호흡을 멈추게 한 뒤 뺀다.
11) 이물을 제거한 뒤, 다시 내시경을 삽입해서 손상된 점막이 없는지를 확인한다.

소화관 이물의 증례

[증례1] 2세 남아

집에서 동전을 삼키고 응급실로 내원했다. 흉부 X선 촬영 소견(정면상, 측면상)으로 경부 식도에서 동전이 발견되었다(그림 2①②).

소아과 의사 및 마취과 의사의 협조하에 전신마취를 한 뒤, 상부위장관 내시경(GIF-XQ240)을 삽입하여 동전을 확인하였다(그림 2③). V type alligator forcep을 사용하여 제거하였으며, 입원해서 경과를 관찰한 뒤 다음날 퇴원했다.

[증례2] 77세 여자

PTP를 삼킨 뒤, 외래진료를 받고 응급 상부위장관 내시경 검사를 받았다. Incisor 31 cm 부위에서 PTP가 관찰되어(그림3①), V type alligator biopsy forcep로 꺼냈다. 적출 후, PTP가 접촉했던 부위(1시와 7시 방향)에 얕은 선형의 궤양(linear ulceration)이 발견되었

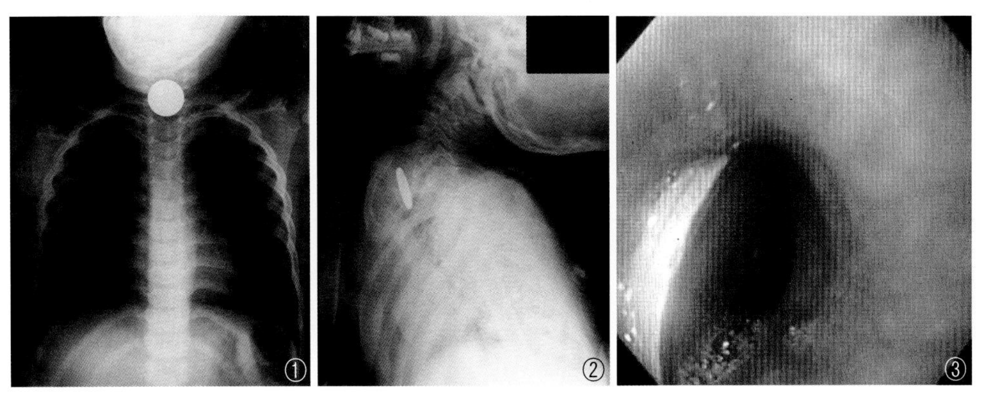

그림 2. 소화관이물(동전) (증례 1: 2세 남아)

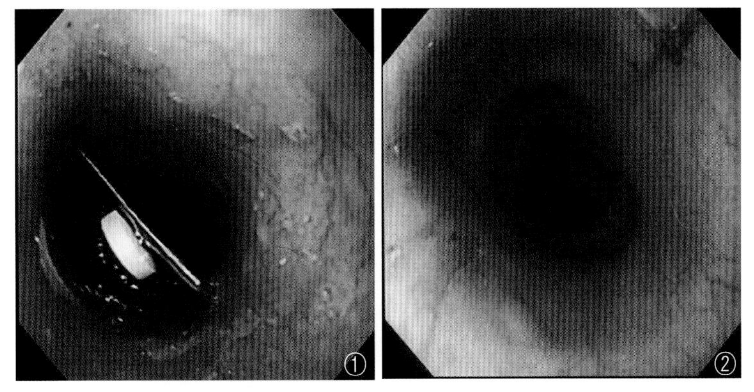

그림 3. 소화관이물(pressure through package) (증례 2: 77세 여자)

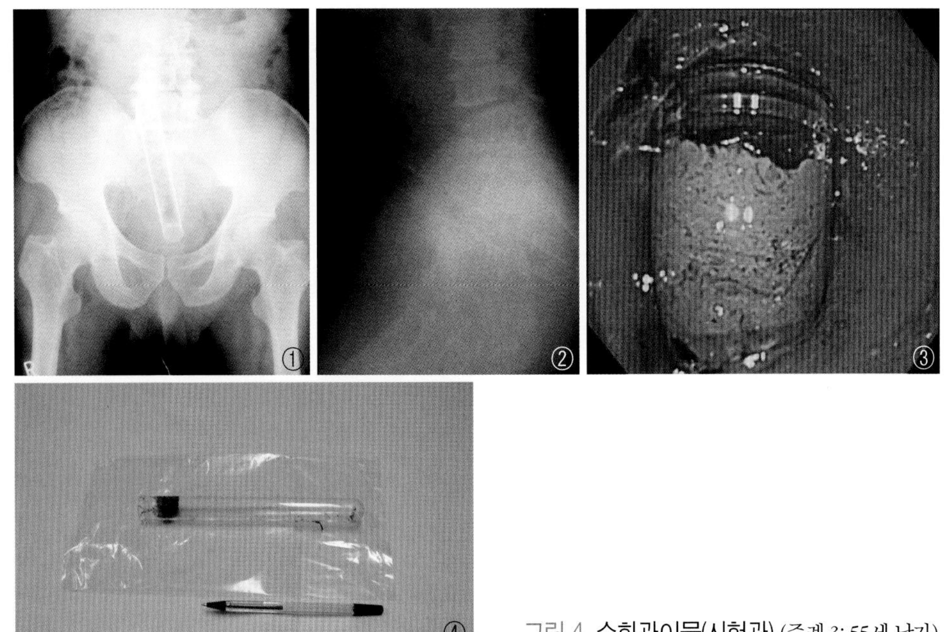

그림 4. 소화관이물(시험관) (증례 3: 55세 남자)

지만, 천공 등의 큰 손상은 없었다(그림 3②).

[증례3] 55세 남자

자세한 원인은 모르지만 항문으로 시험관이 들어간 뒤에 빠지지 않아서 급하게 내원하였다. 복부 X선 촬영 소견(정면상, 측면상)으로 시험관이 골반내 S결장에 있는 것을 확인했다(그림 4①②). 직장수지검사로 시험관을 살짝 만질 수 있었지만, 꺼낼 수가 없어서 응급 하부내시경 검사를 시행했다. 직장-S자 결장 부위에 놓인 시험관 하단을 확인하고(그림 4③), 이 부위에 snare를 걸어 내시경과 함께 꺼내기로 계획을 세웠다. 보조자에게 하복부를 누르라고 해서 직장-S자 결장의 굴곡을 펴고, 손가락을 시험관 속으로 넣고 빼냈다. 다행히 시험관 및 장점막의 손상은 없었다. 시험관의 크기는 직경 2.3 ㎝, 길이 23.5 ㎝이었다(그림 4④).

◘ 참고문헌

1) 鈴木 茂. 식도 이물의 종류별 적출법. 소화기내시경 2000;12:704-5.
2) 田部哲也. 후두 이물. 多賀須幸男, 등 편집. 오늘날의 소화기질환의 치료 지침(제2판). 동경: 의학서원; 2002;281-3.
3) 草川 功. 식도, 위, 십이지장의 이물(소아의 경우). 多賀須幸男, 등 편집. 오늘날의 소화기질환의 치료 지침(제2판). 동경: 의학서원; 2002;447-8.
4) 原田容治. 식도, 위, 십이지장의 이물(성인의 경우). 多賀須幸男, 등 편집. 오늘날의 소화기질환의 치료 지침(제2판). 동경: 의학서원; 2002;448-50.
5) 松島善視. 직장 이물. 多賀須幸男, 등 편집. 오늘날의 소화기질환의 치료 지침(제2판). 동경: 의학서원; 2002;447-8.

제4장. 식도

1. 식도와 위정맥류에 대한 내시경적 정맥류 결찰술(EVL)
2. 식도의 내시경적 점막절제술(EMR)
   (1) Two channel method
   (2) Tube method
   (3) Cap method
3. 식도 협착에 대한 치료
4. 식도 천공에 대한 처치

제4장 식 도

1 식도와 위정맥류에 대한 내시경적 정맥류 결찰술

- 내시경적 정맥류 결찰술(endoscopic varix ligation; EVL)은[1)] 내시경적 경화요법(endoscopic injection sclerotherapy; EIS)과 더불어 식도 및 위 정맥류의 내시경적 치료의 중심을 이루고 있다.
- EVL의 특징은 ① 경화제를 사용하지 않으므로 전신적인 부작용이 없고, ② 시술이 간편하며, ③ 처음 시술하는 의사도 어느 정도 효과적인 치료를 할 수 있고, ④ 응급 출혈 시에 지혈 능력이 뛰어나다는 점 등으로 안전하고 간편한 효과적인 치료법이다.
- 정맥류 소실 효과나 재발 면에서 치료효과가 EIS에 비하여 열등하다는 보고도 있어서, 현재 EVL과 EIS의 병용요법이 시행되기도 한다(역자 주: 실제로 국내에서는 EIS의 합병증인 통증, 식도 천공, 식도 협착, 종격동염과 보험적용 문제 등의 이유로 EVL의 단독용법이 주로 선택되고 일부 환자에서만 보완적으로 EIS를 시행하고 있다).

EVL의 적응증

- 치료를 필요로 하는 모든 식도 정맥류와, 식도 정맥류와 이어져 있는 위의 분문부(cardia) 정맥류가 좋은 적응증이다.
- 위의 위저부(fundus) 정맥류에 대한 EVL은 다른 치료법에도 능숙한 전문의가 해야 한다.

사용기구와 마취

- EVL 기구는 일본에서 개발된 new more activate EVL device (PA device; 住友 Becklight사 제품)(그림 1)과 flexible overtube (FOT; 住友 Becklight사 제품)(그림 2) 등이 있으며, 그 간편성과 안전성 때문에 널리 선호되고 있다(역자 주: 최근에는 환자에게 고통을 주는 overtube를 사용하지 않고 시술 시간을 크게 단축할 수 있는 연발식 장치인 multi-band ligation의 사용이 늘어나고 있는 추세이다).
- 경화제는 전신적인 부작용이 적고, 혈관외 주입을 하기에 적당한 약물인 aethoxysklerol을 사용한다.
- 경화요법용 needle은 23G로 선단 길이가 3 ㎜인 것(住友 Becklight사 제품)을 사용한다.
- Lidocaine hydrochloride로 인두마취를 하기 전에 약

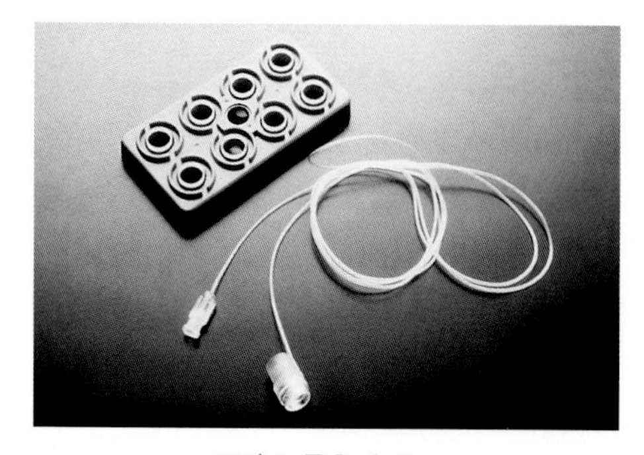

그림 1. EVL device

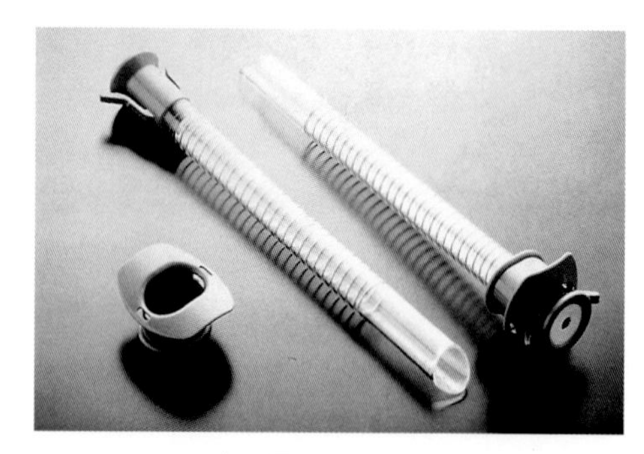

그림 2. Flexible overtube

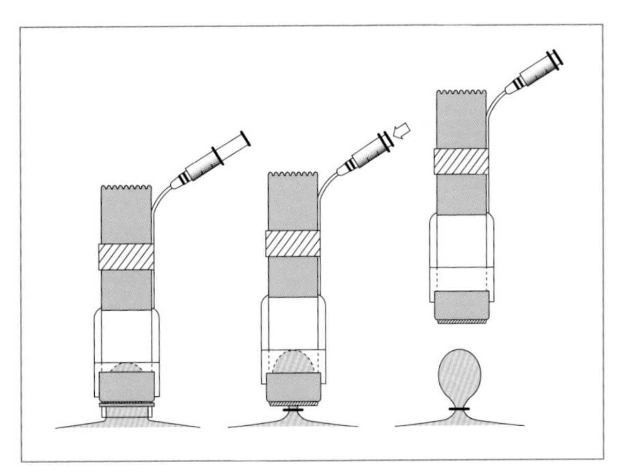

그림 3. New more activate EVL device (결찰하는 예)

물 알레르기가 없는지를 먼저 확인하고, 정맥주사로 flunitrazepam 0.4 ㎎ 혹은 pentazocine 15 ㎎을 정주해서 진정시킨다(역자 주: EVL이나 EIS는 간기능이 저하된 환자에 시행하는 경우가 대부분으로 진정제의 투여에 있어서 극히 신중해야 한다).

기본수기

1. 출혈을 하지 않는 경우

- 출혈을 하지 않는 식도 정맥류를 예방목적으로 치료할 때는 먼저 EVL을 해서 정맥류의 형태를 개선시키고, 두번째부터는 EIS를 추가하는 이시성(異時性; metachronous) 병용요법이 안전하고 쉽다(역자 주: 예방적 목적의 EIS 혹은 EVL의 역할에 관해서는 아직 확정된 바가 없다).
- 처음 치료할 때는 먼저 내시경에 FOT를 장착하고, 일반내시경검사를 시행하여 정맥류의 형태와 성상을 관찰하면서 결찰할 부위를 정한다.
- 다음으로 내시경이 위 속에 있는 상태에서 FOT를 삽입하고, 넣은 공기를 흡인하면서 내시경을 뺀다.
- EVL device를 장착하여 내시경을 다시 삽입하고, 결찰할 부위에 댄다.
- 연속해서 내시경으로 suction하면서, 정맥류를 device 속으로 흡인한 뒤, 주사기로 2 ㎖ 이상의 공기를 device로 단번에 주입한다. Slide통에서 O ring을 밀어내면 정맥류가 결찰된다(그림 3)(역자 주: 우리나라에서 흔히 사용하는 EVL kit는 줄을 당기면 밴드가 결찰되는 방식이다).
- 이와 같이 해서 한부위의 결찰이 끝나면 내시경을 빼내어 O ring을 다시 장착하고, 결찰을 반복한다.
- 한 정맥류의 위식도 접합부와 그로부터 약 5 ㎝ 상방에 해당하는 두 부위를 각각 결찰한다. F3 단계의 굵은 정맥류에서는 보다 가까운 간격으로 3부위 이상을 묶는다. 식도 · 위 접합부부터 상부를 향해서 그림 4와 같이 나선형으로 묶어 나간다.
- 결찰된 정맥류는 변화를 일으켜서 3~7일 후에는 괴사된 조직이 탈락하고 얕은 궤양이 형성된다. 2~3주 후에는 궤양이 치유되고, 1~2개월 후에는 궤양이 완전히 사라진다.
- 두번째 치료는 1주일 후에 시행한다 (역자 주: 보험급여 인정 기준상 우리나라에서는 3주 간격으로 하는 경우가 보통이다).
- 이 때 F2 이상의 정맥류가 남아 있으면 추가 EVL을 시행하고, F1 이하인 경우에는 aethoxysklerol의 혈관외 주입을 주체로 한 EIS를 시행한다(그림 5).
- 그리고 1주일 뒤에도 같은 양상으로 EIS를 추가해

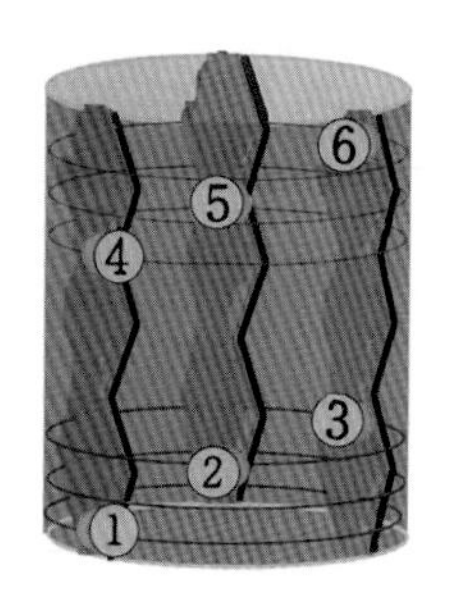

그림 4. **나선형 결찰법**
결찰은 위식도 접합부 가까이부터 시작하여 근위부를 향해 나선형으로 묶어 올라간다.

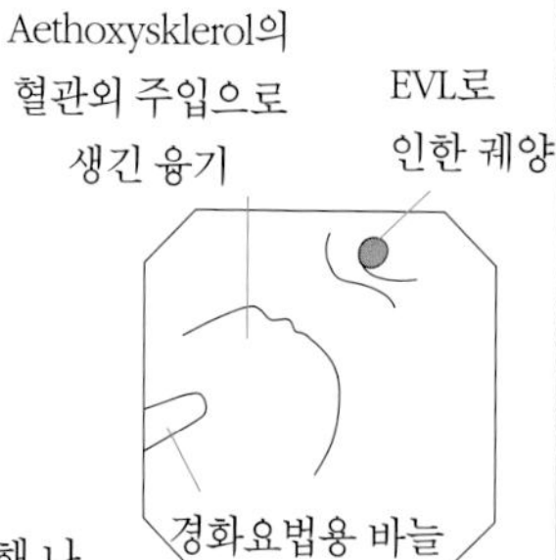

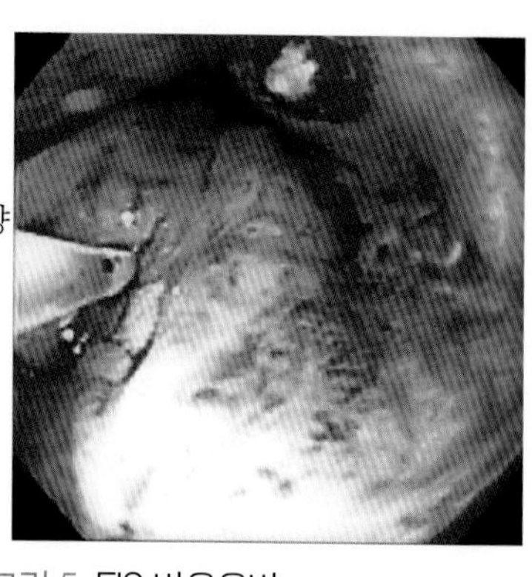

그림 5. **EIS 병용용법**
EVL 1주 후에 aethoxysklerol의 혈관외 주입을 시행하는 모습. 1주일 후에 같은 방법으로 EIS를 추가한 결과, 식도하부에 전주형의 얇은 궤양이 형성되었다. 이 시술은 정맥류의 완전소실과 재발방지를 목표로 한다.

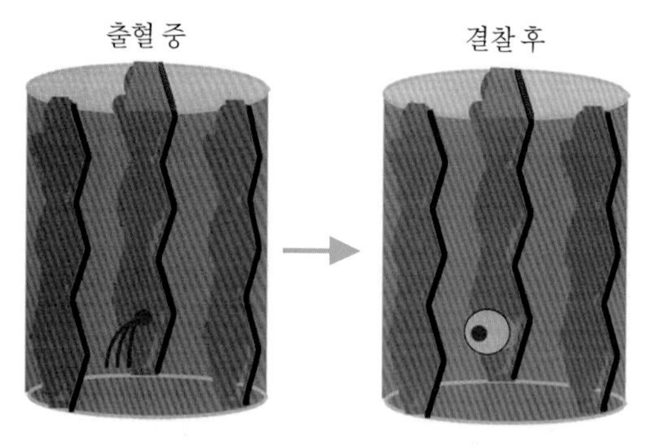

그림 6. **직접 결찰법**
출혈 부위가 확인되면 바로 위에 EVL을 시행하여 출혈부위를 묶으면 순식간에 지혈이 된다.

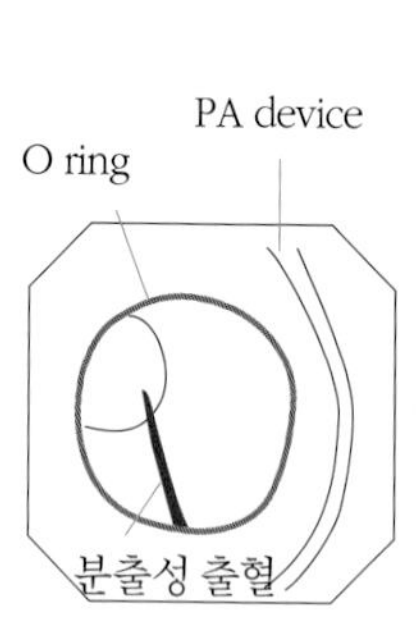

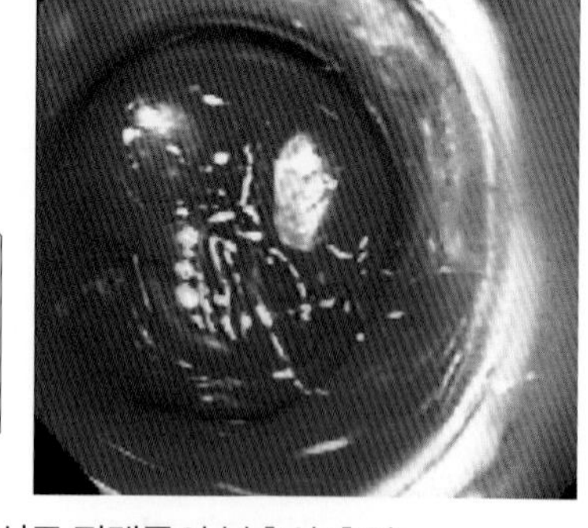

그림 7. **식도 정맥류의 분출성 출혈**
11시 방향의 정맥류에서 분출성 출혈이 관찰된다.

서 식도 하부에 전주성(全周性; circular)의 얕은 궤양을 만든다. 이는 정맥류의 완전소실과 재발방지를 목표로 한다. 대개 한 cycle의 치료는 3회를 목표로 한다.

2. 출혈기의 수기[2)]

- 출혈을 하는 급성기에는 <u>응급내시경검사로 출혈부위를 찾으려 하지만, 시간이 오래 걸릴 경우 자칫하면 환자의 상태를 악화시킬 수 있으므로 주의한다.</u>
- 출혈부위가 확인되면, 그 직상방에 EVL을 해서 출혈부위를 결찰한다. 그러면 대부분 지혈이 된다(그림 6~8).
- 만약 대량의 출혈로 인해서 출혈부위가 명확하지 않은 경우에는 EVL을 시행하기 전에 다른 부위를 충분히 관찰하여, 식도 정맥류 이외의 다른 부위에서 출혈이 있지는 않은지를 확인한다. 피가 고인 위치를 통해서 식도 정맥류 출혈 여부를 확인할 수 있는 경우도 많다.
- 위관과 내시경으로 흡인, 세정 등을 해도 출혈부위를 알기 힘든 경우에는 출혈이 멎었을 때의 치료와

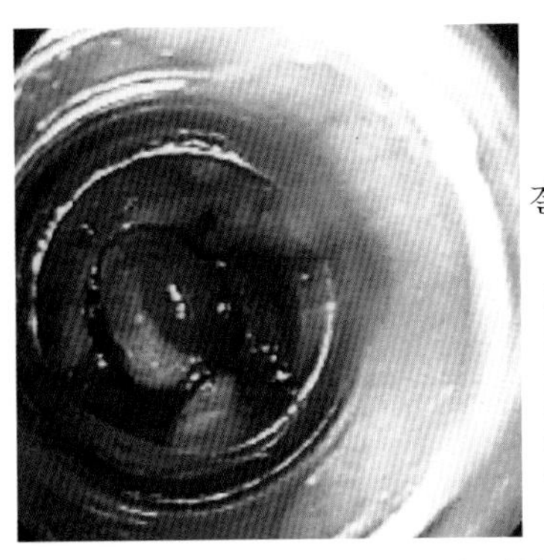

그림 8. **직접 결찰술**
출혈부위의 직상방에 결찰술을 시행하여 즉시 지혈을 시켰다.

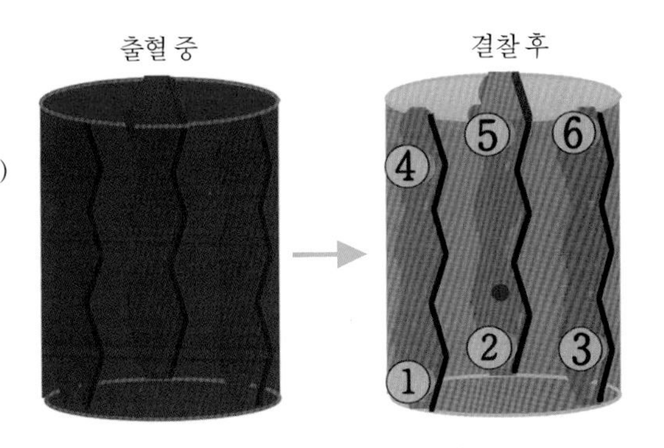

그림 9. **나선형 결찰법**
위관과 내시경으로 흡인하고 세정을 해도 출혈부위를 찾기가 곤란한 경우에는 출혈이 멎은 경우의 치료와 마찬가지로, 위식도 접합부부터 모든 정맥류를 결찰한다.

중요포인트

- ☞ Overtube 삽입은 조심스럽게 한다.
- ☞ 정맥류가 device 내로 충분히 흡인되지 않은 경우에는 결찰하지 않는다.
- ☞ Device와 정맥류가 완전히 밀착된 상태에서 흡인을 한다.
- ☞ 굵은 정맥류일수록 결찰을 많이 한다.
- ☞ 응급 상황에서는 치료 후 48시간 (주로 24시간) 이내에 다시 내시경 검사를 한다 (역자 주 : 추적내시경 검사의 불편함과 시술 도중 재출혈의 위험으로 인하여 국내에서는 단기 추적내시경 검사를 시행하지 않는 경우도 많다).

마찬가지로, 식도 · 위 접합부부터 시작하여 모든 정맥류를 결찰한다(그림 9). 출혈부위를 직접적으로 결찰하지 않더라도 정맥류의 혈류는 감소해서 지혈이 가능하다.

분문부 위 정맥류에 대한 EVL

- 출혈을 하지 않는 분문부의 위 정맥류에 대해서는 먼저 식도 정맥류와 마찬가지로 크기에 따라 1~3부위를 결찰한다.
- 이어서 결찰한 부위에 aethoxysklerol를 2~3 *ml* 주입하고, 그 주변을 둘러싸듯이 각 부위마다 3 *ml*의 aethoxysklerol를 점막하에 주입한다.
- 1주일 후에도 정맥류가 남아있는 경우에는 완전소실을 목표로 EIS를 추가한다.
- 분문부의 위 정맥류 출혈에 대해서는 출혈부위를 확인한 직후에 직접 결찰법으로 지혈을 하고, 앞에서 기술한 것처럼 EIS를 시행한다. 이후의 추가치료는 출혈이 없을 때와 마찬가지로 한다.

안전한 치료의 포인트

- 기구를 사용하기 전에 먼저 제품의 상태를 확인하고 장착하는 방법을 준수하는 등의 기본사항을 잊어버리지 않는다.
- EVL 시행 시에 가장 주의해야 할 것 중의 하나는 overtube 삽입에 의한 합병증이다. 즉, 인두나 식도 입구의 손상 및 천공이 발생하지 않도록 주의한다.

- Flexible overtube는 이 점을 배려한 안전한 제품이지만 tube를 삽입할 때 윤활제를 충분히 사용하고, 환자의 하악부를 들고 앞으로 당기면서(인두에서 식도입구부가 열리는 체위), tube를 회전시킨 상태에서 일정한 속도로 삽입하는 것이 좋다.[3)]
- 시술에 따른 합병증으로는 시술 중이나 시술 후의 출혈과 시술 후의 협착 등이 있다.
- 결찰 시에 주의해야 할 것은 먼저 device 속으로 충분히 흡인되지 않은 상태에서 묶지 않는다는 것이다. 충분히 흡인이 되지 않을 때는 정맥류가 너무 작거나 이전의 치료 등으로 인해서 식도 벽이 딱딱하게 굳어져 있을 가능성을 생각한다. 이런 부위를 결찰하면 O ring이 조기에 떨어지고, 식도 천공 혹은 치료 중에 정맥류 파열 등이 일어날 위험성이 있다.
- 치료 중의 출혈을 예방하기 위해서는 device와 정맥류가 완전히 밀착된 상태에서 흡인을 하는 것이 중요하다. Device를 밀착시키지 않고 흡인을 하면, device 속으로 급속히 빨려 들어온 정맥류가 터져서 대량출혈을 일으킬 위험성이 있다.
- 또한 굵은 정맥류일수록 많은 결찰술을 시행하는 것이 중요하다. 불완전한 결찰 시에는 혈류의 감소 효과가 충분하지 않아서 나중에 출혈될 위험성이 높다.
- 출혈된 예에서는 환자의 전신상태가 허락하는 한, 치료 후 48시간(통상적으로 24시간) 이내에 다시 내시경 검사를 시행하고, 필요한 경우에는 EVL이나 EIS를 추가적으로 시행하여 재출혈을 방지하는 것이 중요하다.

맺음말

식도 · 위 정맥류는 문맥압 항진증의 징후 중 하나로서, 치료를 할 때는 "정맥류는 재발한다"는 사실을 잊어서는 안 된다. EVL을 주축으로 한 치료에서는 높은 재발율이 문제가 되기도 하고, 정맥류 출혈로 인해서 환자의 생명이 위협을 받을 수도 있다. 따라서 정맥류가 출혈을 하지 않으면 단순한 측부순환로(shunt)로 크게 나쁜 영향을 미치지 않을 수도 있다는 사실을 상기한다. 또한 식도 정맥류의 치료만으로 원인질환인 간경변은 호전되지 않는다. 그러나 출혈로 인한 사망이나 출혈이 계기가 되어 발생하는 간부전으로 인한 사망으로부터 환자를 구하는 것이 중요하다. 이런 면에서 식도 및 위 정맥류의 치료는 합병증이 적고 입원기간을 단축시킬 수 있는 시술이 필요하다.[4)] 이런 관점에서 EVL은 아주 유용한 시술로서, 치료 후에는 3~6개월 간격으로 내시경 검사를 하고, red color sign (RCS) 양성 등 재치료가 필요한 경우에는 적절한 시기를 놓치지 않고 추가적인 치료를 시행하는 것이 중요하다.[5)]

◘ 참고문헌

1) 山本 學, 鈴木博昭, 靑木 哲, 등. 내시경적 정맥류 결찰술(EVL). 소화기내시경 1990;2:269-75.
2) 山本 學. 식도 정맥류 파열-빠르고 확실하게 지혈하는 응급 EVL의 요령. 鈴木 博昭 편집. 소화기내시경의 비결과 함정(상부소화관2). 동경: 中山서점; 1997:108-9.
3) 山本 學. 내시경 수기에 있어서의 비장의 요령- 식도 정맥류에 대한 EVL. 소화기내시경 2000;12:710-1.
4) 山本 學, 鈴木博昭. 내시경 정맥류 결찰술- 안전, 간편, 효과적인 치료법의 진실과 함정. 소화기내시경 1995;7:19-24.
5) 山本 學. 일본에서 EVL은 필요한가? 소화기내시경 1998;9:1263-66.

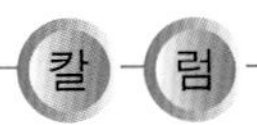

색소내시경

내시경 검사에 각종 색소를 사용하는 것을 말한다. 소화관 점막에 색소를 산포(散布) 혹은 분무(噴霧)를 하여 일반내시경 검사로는 관찰할 수 없었던 병변의 범위와 성상을 관찰할 때 사용한다.

색소내시경에서 사용하는 색소는 그 특징에 따라서 크게 대조법(contrast method), 염색법(좁은 의미에서의), 반응법(reaction method) 등으로 나눌 수가 있다.

1.대조법

색소가 함몰된 부위로 흐르는 현상을 응용한 것으로, 소화관 내면의 돌출과 함몰이 한층 더 강조된다.

Indigo carmine 등이 사용되고 있다. 작은 병변의 발견, 성상의 진단, 암의 침투범위를 확정할 때 사용한다. 대장에서는 대조법을 사용하여 선관개구부(pit)의 형태를 관찰한다.

2. 염색법

색소가 침투하여 생체조직을 염색하는 방법이다. 식도암에서는 toluidine blue가 자주 사용되는데, 암 조직이 점막 표면에 있으면 염색이 되고, 전층이 침범된 경우에는 엷은 보라색으로 염색된다. 짙은 점이 보이면 점막고유층, 그것이 면(面)으로 보이면 점막하층 침투의 가능성이 높아서, 주로 심달도 진단에 이용된다(역자 주: 식도암의 심달도 진단을 위한 색소내시경의 유용성에 대한 통일된 의견은 없으므로 아직 일반적으로 사용하기에는 이르다). Methylene blue나 crystal violet은 장의 상피에서 흡수되기 때문에 위에서는 장상피화생의 진단 및 분포에, 대장에서는 주로 pit의 정밀 관찰에 사용된다.

3. 반응법

특정 환경에서의 점막의 분비물과 세포성상과의 특이반응을 이용하는 방법이다. 요오드 염색은 편평상피의 기저세포층의 glycogen에 반응하므로, 요오드(1.5%~3%)를 뿌리면 건강한 편평상피세포는 짙은 갈색으로 염색이 되지만 식도암에 의해서 편평상피층이 얇아지고 손상되면 그 부분은 염색되지 않는다. 따라서 식도암의 조기진단, 암의 침투범위 등을 판단할 때 사용한다. 시간이 지나면서 갈색이 나타나서 병변의 경계를 알아보는데 어려움이 있으나, 이 때 암 조직은 연한 보라색을 나타내므로 참조하면 진단에 도움이 된다.

색소검사의 진단능력을 향상시키는 요령은 다음과 같다. 병변이 출혈하지 않을 정도로 아주 적은 양의 가스콘을 섞어서 물로 충분히 점액을 씻어낸 상태에서 색소를 사용하는 것이다. 또한 대조법의 경우에는 색소를 뿌린 직후에 관찰하는 것이 가장 좋고, 염색법 및 반응법의 경우에는 1~2분 정도를 기다렸다가 관찰하는 것이 가장 좋다.

제4장 식 도

2 식도의 내시경적 점막절제술(EMR)

(1) Two channel method

식도 점막절제술의 적응증[1),2)]

1. 암의 심달도

- 림프절 전이가 없는 상피내암(m_1)과 점막고유층암(m_2)이 가장 적당한 증례이다.
- 외과적 절제술은 침습도가 크다는 점, 수술 후 삶의 질이 현저히 떨어진다는 점, m_3~sm_1 식도암은 림프절 전이가 10% 전후로 낮다는 점 등을 감안하여, 최근에는 식도의 endoscopic mucosal resection (EMR)의 적응증이 m_3~sm_1암까지 확장되고 있는 추세이다.

2. 병변의 크기

- 일괄절제가 가능한 20~25 ㎜ 정도가 가장 적당한 크기이다.
- 요오드 염색을 하면 병변의 범위가 명확해지므로 큰 병변의 분할절제도 가능하다. 하지만 분할절제 시에는 국소재발이 발생할 가능성이 있다.
- 식도내강 지름의 3/4 이상을 절제할 경우, 식도 협착이 잘 발생하므로 식도내강 지름 3/4 이내에서 치료할 수 있는 병변이 적당하다.
- 식도내강 지름 3/4 이상의 점막 결손이 예측되는 증례에서는 궤양 치유기에 부우지 확장술이 필요하다.

3. 병변의 개수

- 병변별로 나누어서 다른 날에 치료할 수 있으므로 병변의 개수에 제한은 없다.

점막절제술시의 주의사항

1. 치료시기

- 요오드를 뿌려 보면 첫 발견 당시와 비교해서 일시적으로 염색되지 않는 부위의 크기가 축소하거나 병변이 명료하지 않은 경우가 있다. 따라서 m_1~m_2암을 요오드로 염색할 경우, EMR은 최소한 1개월 이내에 시행한다. m_3~sm_1암에서는 암이 빠르게 성장할 수도 있으므로, 치료시기를 미루면 안 되고 가까운 시일 내에 병변을 충분히 크게 절제한다.
- 다발성 병변에 대해서는 병변의 심달도와 크기를 고려하여 치료 병변에 우선순위를 정하여 치료한다.

2. 병소 고유의 조건

- 식도의 상피내암 주위에 요오드 염색으로 얼룩지는 부위나 염색이 잘 안되는 부위는 basaloid carcinoma in situ가 동반된 경우가 있다. 따라서 자를 때는 얼룩진 부분과 염색이 불량한 부분까지 포함하여 절제한다.
- m1암에서는 점막하 천층(淺層; 점막하층 중에서 가장 표층에 해당하는 얇은 층)에 있는 식도선(gland)으로 암이 퍼질 우려가 있으므로, EMR로 반드시 점막하층의 천층까지 절제한다.
- 5 ㎝ 이상의 표층 확대형인 식도암에서는 예상보다 심달도가 깊은 부위에 있을 가능성이 높다. 따라서 치료병변을 선택할 때 주의해야 한다.

점막절제술의 금기

- 게실을 절제할 경우 천공이 발생한다. 게실 안에 생

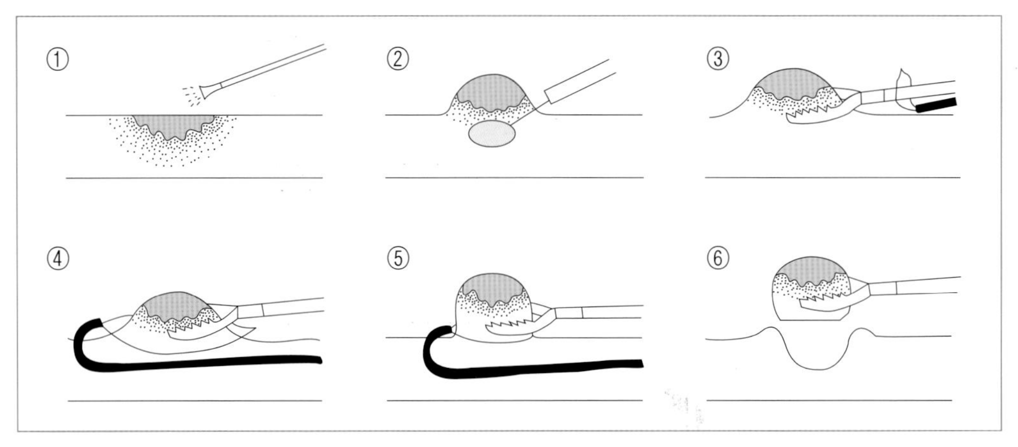

그림 1. Two channel method의 수기

① 요오드로 염색을 한다. ② 생리식염수를 주입한다. ③ 병변을 잡는다.
④ Snare를 반전시켜서 건다. ⑤ 전류를 가한다. ⑥ 절제한 조직을 회수한다.

긴 암이나 병변 가까이에 게실이 있는 경우는 금기이다.

Two channel method에 의한 EMR의 특징[3)]

- 설정 범위가 정확하고 필요한 최소한도의 범위 내에서 절제할 수 있다.
- Grasping forcep으로 잡은 상태에서 절제표본을 회수할 수 있으므로 병변의 방향을 알 수 있고, 병변의 재구성이 가능하다.

Two channel method에 의한 일괄절제의 수기 (그림 1)

- 처치용 two channel scope은 내시경이 두꺼우므로 인두 및 식도의 점막을 손상시키지 않도록 xylocaine gel를 충분히 묻혀서 조심스럽게 삽입한다.
- 식도 내부를 증류수(40~60 ㎖)로 씻은 뒤, 산포용 튜브를 이용해서 3% 요오드 액을 뿌린다.
- 병변의 위치, 크기, 형태를 확인하고 절제할 병변을 정한다(그림 2①).
- 절제의 완전성을 판정하기 위해서 절제할 병변의 형태를 내시경 사진이나 그림으로 기록해 둔다.
- 점막을 자르기 쉽도록 내시경을 회전시켜서 병변이 5~6시 방향에 오도록 놓는다.
- 병변에 근접한 근위부, 원위부, 양측면에 국소주입용 needle을 꽂고 점막하층에 생리식염수를 주입한다(그림 2②).
- 좌측 겸자공으로는 semiluminar snare를 삽입하고, 우측 겸자공으로는 V type alligator jumbo grasping forcep[4)]을 넣는다.
- 식도 내강 속에서 snare를 열고, 그 안으로 grasping forcep을 통과시킨 뒤, snare를 가볍게 조인다.
- 병변의 근위부에서 요오드에 염색된 정상 점막을 1~2 ㎜ 포함하여 grasping forcep으로 병변을 잡는다(그림 2③,④).
- Semiluminar snare의 축을 원위부로 밀어 넣으면서 천천히 열고, 병변 부위에서 반전시켜서 건다.
- Snare 속에 병변이 들어있는지를 확인한 후에 고주파 snare를 가볍게 닫은 뒤 전류를 가하기 시작하고, 서서히 snare를 닫으면서 단속적(斷續的,

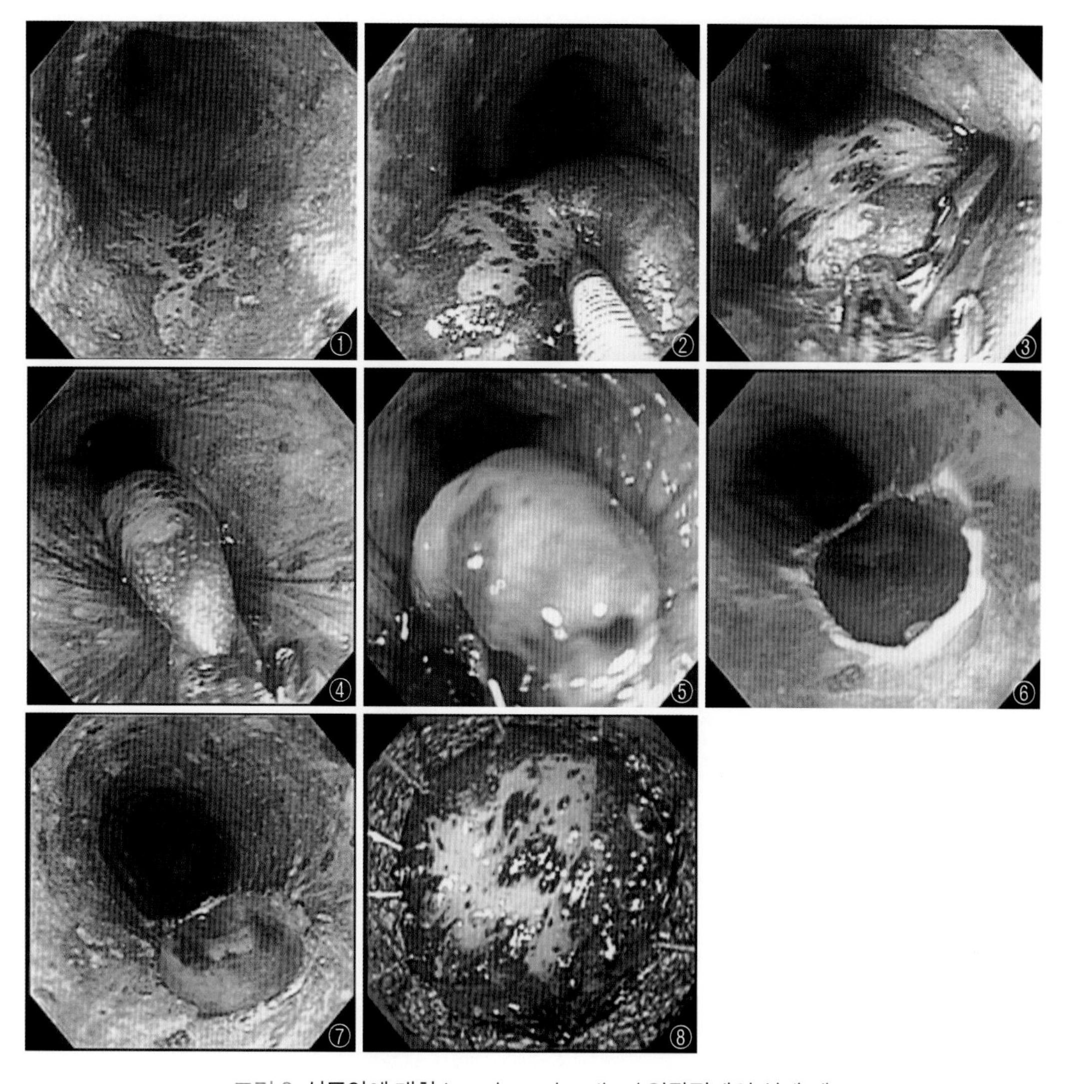

그림 2. 식도암에 대한 two channel method 일괄절제의 실제 예

59세 남자. Incisor 30~31.5 ㎝, 좌측 벽에 있는 IIc 병변(m_1)

병리결과: 병변 15 x 12 ㎜, O-IIc, 심달도 m_1, ly_0 (림프관 침범 없음), v_0 (혈관 침범 없음), 편평상피암

① 요오드로 염색하여 병변의 크기와 형상을 확인한다.
② 병변 주위를 국소 주사바늘로 찔러서 점막하층에 생리식염수를 주입한다.
③ 요오드로 염색이 되는 병변 근위부의 정상점막을 1~2 ㎜를 포함한 부분에 grasping forcep을 열고 접근한다.
④ Grasping forcep으로 병변을 잡는다.
⑤ 고주파 snare를 서서히 닫으면서 단속적(斷續的)으로 전류를 가하여 절제한다.
⑥ 출혈 유무를 확인한다.
⑦ EMR 후의 궤양에 요오드 염색을 하고, 병변이 남아 있는지를 확인한다.
⑧ 조직을 펴서 고정시킨 뒤, 요오드 염색을 하여 병변의 가장자리에 요오드로 염색이 되는 정상점막이 전체 둘레에 걸쳐서 존재하는지를 확인한다.

intermittent)으로 전류를 가하여 절제한다(그림 2⑤).

- 절제한 표본은 grasping forcep으로 잡은 상태에서 내시경을 빼면서 회수한다.
- 절제한 표본을 회수한 뒤에는 다시 내시경을 삽입하고, 출혈의 유무를 확인한다(그림 2⑥).
- 절제한 표본을 평가하기 위해서 EMR 후의 궤양과 주변 점막에 요오드 염색을 한다(그림 2⑦).
- 절제한 표본의 근위부와 원위부를 확인하고, 고정판 위에 펴서 핀으로 고정시킨다.
- 고정한 후에는 요오드로 염색을 하고, EMR 전의 내시경 사진과 비교하여 병변의 방향 및 절제된 범위를 확인한다(그림 2⑧).

점막 절제의 임상적 평가

- 임상적 완전 절제: EMR 후의 궤양 주위에 요오드로 염색되지 않는 부위가 없고, 절제 표본의 병소의 주위에 요오드로 염색된 정상 점막이 병변의 전 둘레에 있는 경우에는 병변 전체가 완전 절제되었다고 판단하고 시술을 종료한다.
- 임상적 불완전 절제: EMR 후의 궤양 주위에 요오드로 염색되지 않는 부위가 남아 있거나, 절제표본의 병소 주위에 요오드로 염색되지 않는 부분이 접해 있는 경우에는 병변이 남아 있다는 것을 의미하므로 절제 예정 범위가 전부 제거될 때까지 절제를 반복한다.

분할절제 수기

- 정확한 심달도(深達度)를 진단하기 위해서, 심달도가 가장 깊을 것으로 예측되는 부분이 절제 표본의 중앙에 오도록 계획을 세운다.
- 절제는 근위부부터 시작한다.
- 절제를 시작하고 절제 표본 중에 요오드로 염색이 되지 않은 부위의 모양과 EMR 궤양 주위에 남아 있는 병변의 형태를 관찰하고, EMR하기 전의 병변의 사진을 참조하여 절제한 부분과 남아 있는 부분을 판정한다.
- 절제한 점막 사이에 섬 모양으로 병변이 남지 않도록 주의하고, 절제범위를 주변부위까지 확대시킨다.
- 절제 병변 주위에 있는 요오드로 염색된 정상 점막을 포함하여 절제한다.
- 한차례의 치료로 모든 병변을 절제한다.

분할 절제시의 주의

- 절제를 근위부부터 시작하는 이유: 병변의 원위부부터 절제하면, 근위부를 절제할 때 EMR 후의 궤양 기저부에 snare가 걸려서 천공이 발생할 위험성이 높아진다.
- 한차례의 치료로 병변 전체를 절제하는 이유: EMR 후의 궤양에 반흔이 형성되면, 생리식염수를 주입해도 점막이 충분히 부풀어 오르지 않고 반흔과 인접한 잔재병변을 자를 수 없게 된다.
- 출혈이 발생하거나 식도 내강이 팽창되지 않는 등 어떤 이유로든 절제를 중단한 경우에는 궤양이 남아 있는 기간(1~2주 이내)에 추가 절제를 한다.

수기의 요령

1. 국소주입 방법

- 근위부에서 확인하기 쉽도록 가능한 원위부가 보다 높게 융기되도록 주입한다. 큰 병변에서는 원위부를 찌르고 주입하고, 작은 병변에서는 근위부를 찌르고 생리식염수를 주입하면서 바늘을 빼면 원위부 측에서 근위부 측으로 융기가 형성된다.
- 생리식염수로 만든 융기는 빨리 사라지므로, 추가 절제나 분할절제를 하는 경우에는 매번 절제하기 직전에 반드시 생리식염수를 다시 주입한다.
- 생리식염수를 주입해도 부풀어 오르지 않는 경우에

중요포인트

Two channel method에서 일괄절제가 가능한 점막은 약 2.5 ㎝이므로, 큰 병변을 절제할 때는 계획적인 분할 절제가 필요하다.

☞ 출혈이나 천공을 피하기 위해서, 절제할 때마다 반드시 충분한 양의 생리식염수를 주입한다.
☞ 설정한 범위를 확실히 자르기 위해서 grasping forcep으로 병변을 확실하게 잡는다.
☞ 되도록 점막을 많이 자르기 위해서, 반월형 고주파 snare를 병변부에 반전해서 건다.
☞ 절제한 표본은 grasping forcep으로 잡은 상태에서 회수한다.
☞ 분할 절제를 할 때는 심달도가 가장 깊은 부위를 나누어 자르지 않는다. 잔재병변을 남기지 않고, 한차례의 분할치료로 모든 병변 전체를 절제한다.
☞ 천공을 피하기 위해서 충분한 양의 생리식염수를 주입하고, 인공궤양 기저부를 잡지 않고 snare를 걸지 않는다.

는 국소주입용 바늘의 찌르는 각도나 깊이, 부위 등을 변경시켜서 다시 주입한다.

- 바늘로 찌른 부위나 찌른 깊이 등을 변경시켜도 점막이 융기되지 않는 경우에는 점막과 근층이 밀착되어 있던지 병변의 심달도(深達度)가 예상보다 깊을 가능성이 높다. 따라서 점막절제술은 중지하는 것이 좋다.

2. Grasping forcep을 거는 방법

- 병변의 크기에 맞추어 grasping forcep을 고른다(Grasping forcep의 크기에는 세 종류가 있다).
- 점막을 확실하게 잡기 위해서는 잡으려고 하는 점막에 열린 grasping forcep을 대고, 식도의 긴 주름이 보일 정도로 흡인하고, 식도내강을 줄이면서 겸자를 닫는다.
- 추가치료 혹은 분할절제를 하는 경우에는 섬 모양으로 병변을 남기지 않기 위하여 궤양 주위까지 충분히 잡는다. 단, 궤양의 기저부를 잡으면 천공이 발생할 위험이 있다.
- 생리식염수를 충분히 주입하면 고유근층은 거의 잡히지 않는다.

3. 고주파 snare를 거는 법

- Grasping forcep의 기저부에 snare 선단을 고정시키고, 축(shaft)을 밀어 넣으면서 천천히 열면 자동적으로 snare를 반전시킬 수 있다.
- Snare를 너무 많이 열면, 원위부에서 snare가 X자 모양으로 겹치는 경우가 있다. 이런 경우에는 snare를 열고 닫으면서 X자 모양을 풀어야 한다.
- Snare를 닫을 때도 식도내강을 줄이면서, grasping forcep을 가볍게 근위부로 당기면서 닫으면 snare가 미끄러지지 않는다.
- 추가절제나 분할절제를 할 경우, EMR 후의 인공궤양 기저부에는 snare를 걸지 않는다. 인공궤양에 snare를 건 상태에서 자르면 천공이 발생할 위험성이 있다.

4. 전류를 가하는 방법

- Snare를 가볍게 닫은 상태에서 전류를 가하기 시작한다. Snare를 닫으면서 3회 정도로 나누어서 혼합전류로 절제한다. 고주파 발생장치 ICC200에서 endocut mode 120W, forced coagulation mode 25~30W로 설정한다.
- 전류를 가해도 점막이 절제되지 않는 경우에는 snare와 grasping forcep이 닿아 있는 경우가 많다. Grasping forcep을 풀고 다시 전류를 가하여 절제한다.

합병증과 대책

1. 출혈

- 절제하기로 한 점막하에 충분한 양의 생리식염수를 주입하면 출혈은 거의 발생하지 않는다.
- EMR 후의 궤양 변연부에서 출혈이 되면, 생리식염수를 국소주입하고 지혈제나 혈관수축제를 뿌린다.
- EMR 후의 궤양 기저부에서 나오는 박동성의 출혈은 응고전류나 클립으로 지혈한다.

2. 천공, 종격동염

- 분할 절제 시에는 EMR 후의 얇은 궤양 기저부에서 공기가 새어서 피하기종이나 종격기종을 일으킬 수 있다. 금식, 정맥주사, 항생제를 투여하고 신중하게 경과를 관찰한다.

3. 협착

- 식도내강 지름의 3/4 이상의 점막이 결손된 예에서 식도 협착이 발생한 경우에는 부우지 확장술이 필요하다.
- EMR 1주 후의 식도지름이 10 ㎜ 이하인 경우에는 빨리 부우지 확장술을 시행한다.
- 부우지 확장술의 빈도나 기간은 협착의 정도와 길이에 따라서 다르다.
- 확장술의 목표는 일상생활에 지장이 없도록 식도지름을 15~18 ㎜정도로 늘리는 것이다.

참고문헌

1) 門馬久美子, 吉田 操. 조기식도암에 대한 EMR의 표준 적응증. 소화기내시경 2002;14:1714-8.
2) 門馬久美子, 吉田 操. 조기식도암의 내시경적 치료. 임상소화기내과 2000;15:798-807.
3) 門馬久美子, 榊信 廣, 吉田 操. 식도점막암의 내시경적 치료-내시경적 점막절제술(mucosectomy)을 중심으로. 소화기내시경 1990;2:501-6.
4) 門馬久美子, 榊信 廣, 加藤久人, 등. 식도점막암 절제에 있어서의 개량형(改良形) grasping forcep의 유용성. 소화기내시경의 진보 1991;39:120-3.

역자 주 식도암의 분류

Japanese Society for Esophageal Disease에서는 식도암의 육안적 소견을 다음과 같이 분류하였다.
O-I: 표재 융기형. 용종 모양인 Ip, 표면이 편평한 Ipl, 표면이 정상 식도점막으로 덮혀 있는 Isep로 다시 세분화된다.
O-II: 표재 평단형. IIa (elevated), IIb (flat), IIc (depressed)로 다시 세분화된다.
O-III: 표재 함몰형. 깊은 함몰로 인해 주변부가 상승되는 III type 한가지이다.
식도암의 심달도는 다음과 같이 분류한다.
m_1: epithelium까지만 침범
m_2: lamina propria까지만 침범
m_3: muscularis mucosa까지만 침범
sm_1: submucosa층의 상단 1/3까지만 침범
sm_2: submucosa층의 상단 2/3까지만 침범
sm_3: submucosa층 하단까지 침범하였으나, proper muscle층은 온전한 상태
[일본 소화기외과 학회지 2004;27(1):11-16]

칼럼

절제 표본 다루기(상부위장관)

1. 절제 표본을 다루는 방법

- EMR 종료 직후에는 표본을 흐르는 물로 깨끗이 씻어서 표면에 부착된 혈액이나 점액을 제거한다.
- 재빨리 고무판 위에 표본을 펴서 바늘로 고정한다.
- 20%의 포르말린 용액에 담근 상태에서 현미경 사진을 찍는다.
- 조명으로는 4개의 등(灯)을 사용하고, 빛의 각도를 낮추어 그림자를 만들고, 병변의 융기와 함몰을 강조한 상태에서 촬영한다(그림 1).

2. 고정 표본의 촬영

- 표면의 부착물을 솔로 닦아서 깨끗하게 한다.
- 조명의 위치를 조정하여, 표면구조가 강조된 상태에서 촬영을 한다.
- 위나 대장의 표본은 H&E 염색을 하고, pit pattern을 확인한다.
- 식도는 요오드로 염색을 해서 병변의 범위를 확인한다. 포르말린에서 꺼낸 직후(그림 2)에는 염색이 잘 안 되므로, 30분 이상 물에 담가 놓은 뒤에 포르말린을 씻어내는 것이 요령이다(그림 3).

3. 자른 후에 사진 촬영하기

- 육안적 소견과 조직학적 소견을 일대일로 대응시키기 위하여 자른 후에 사진을 촬영한다.
- 점막하층까지 완전하게 자르면 표본이 제각기 부서지므로, 표본의 양단(both margin)은 점막에 손상을 입히는 정도로만 하는 것이 좋다.

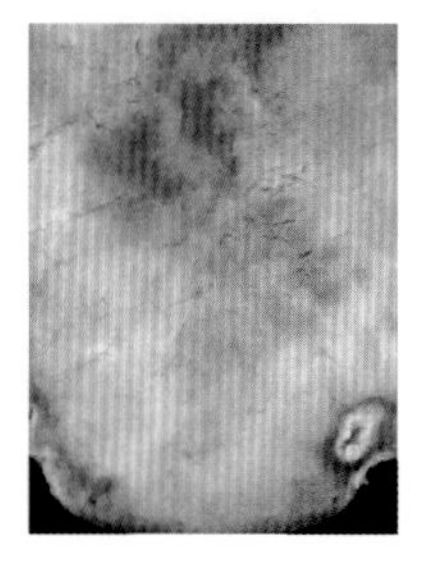
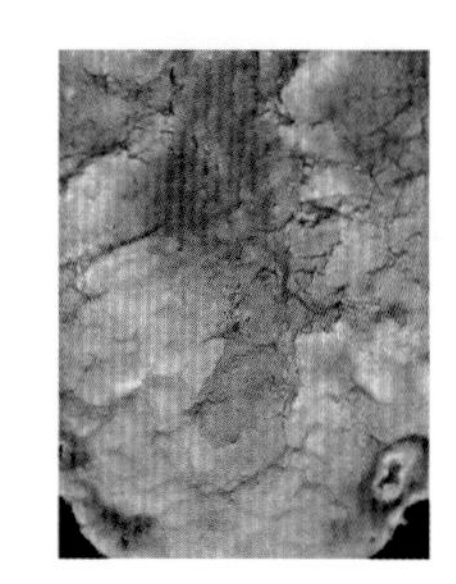

그림 1

나쁜 예 : 빛이 위에서 들어온다 (좌)
좋은 예 : 빛이 낮은 각도로 들어와서, 그림자가 생겨서 돌출과 함몰이 잘 보인다 (우)

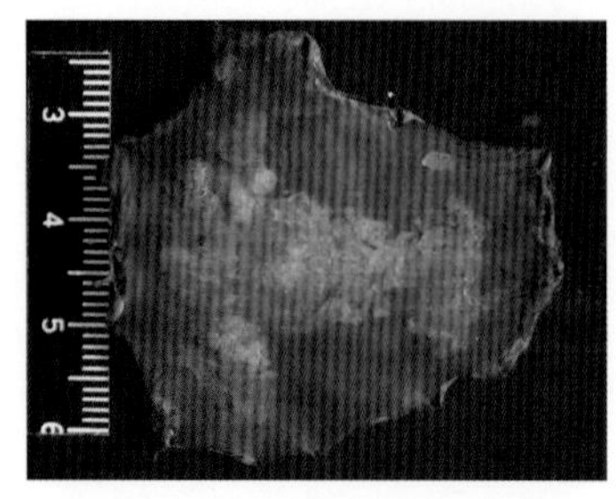

그림 2. 포르말린에서 꺼낸 직후에는 요오드 염색이 잘 되지 않는다.

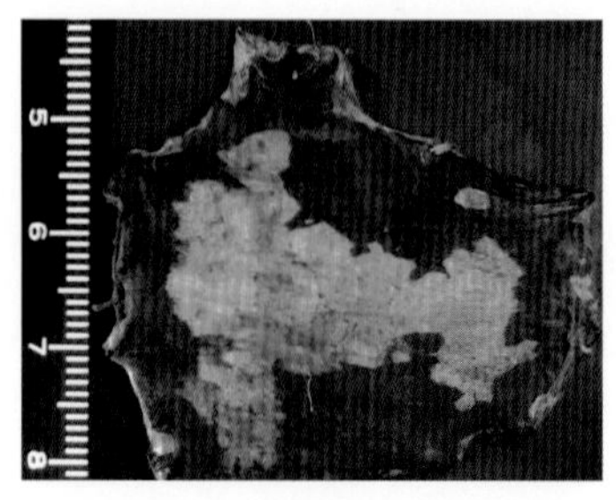

그림 3. 30분 이상 물에 담근 뒤에 요오드 염색을 하면 경계가 명료해진다.

2 식도의 내시경적 점막절제술(EMR)
(2) Tube method

안전하고 확실하게 점막절제술을 시행하기 위해서는 시술 전 검사로 병변의 심달도 진단, 종양의 지름, 주재성(周在性; circularity), 병변의 개수 등을 명확하게 하는 것이 중요하다. 본 항목에서는 "일본 소화관 내시경 guideline"의 절대적응증이 되는 병변을 EEMR (esophageal endoscopic mucosal resection)-tube method로 안전하고 정확하게 절제하는 요령에 대하여 설명하겠다.[1]

EEMR-tube의 구조와 조작

EEMR-tube는 실리콘 고무로 만들어져서 부드러우며, 삽입 시에도 안전하고 내강도 잘 변형되지 않는다. 길이는 60 ㎝, 외경은 18 ㎜, 내경은 14 ㎜이다. 선단부는 크고 식도점막이 잘 흡인되도록 비스듬히 잘려져 있다. 조작부에는 튜브의 내강을 밀폐시켜서 병변을 흡인하기 위한 풍선이 달려있다. 또한 병변을 잡기 위해 snare를 넣을 수 있는 side channel이 부착되어 있다(그림 1).[2]

사용기구

- 상부소화관용 전자내시경
- 국소주입용 바늘: 정맥류 경화요법용 needle
- Semiluminar snare (SD-7P, Olympus사 제품)
- 고주파 출력장치
- EEMR-tube (일본 Create Medic사 제품)
- 점막하 주입액(생리식염수 20 *l* 에 1000배 희석된 epinephrine 0.2 ㎖, indigo carmine 2 ㎖을 섞은 것)
- 요오드액, 색소산포용 튜브 등

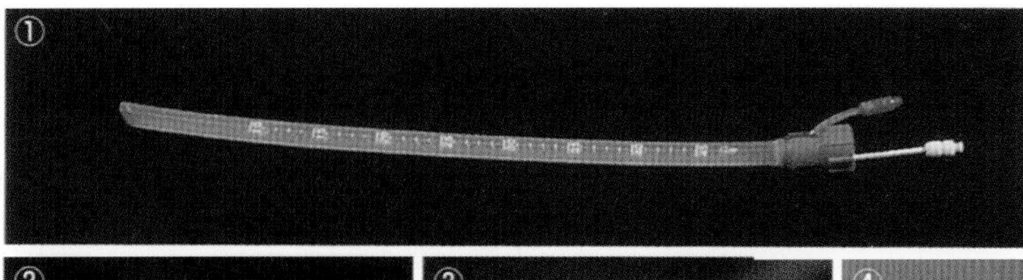

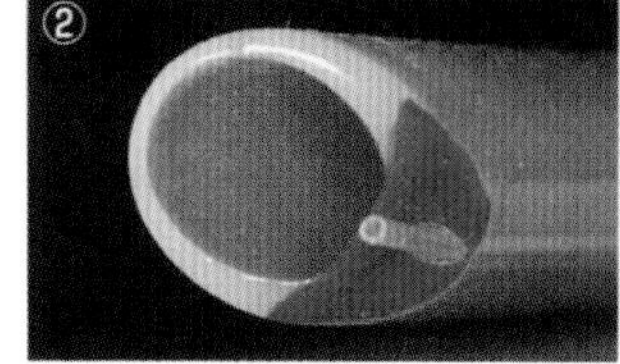

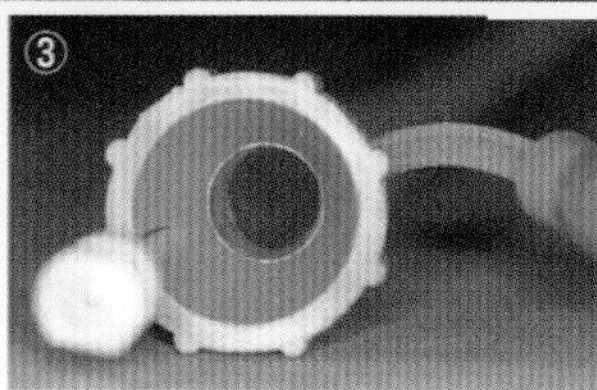

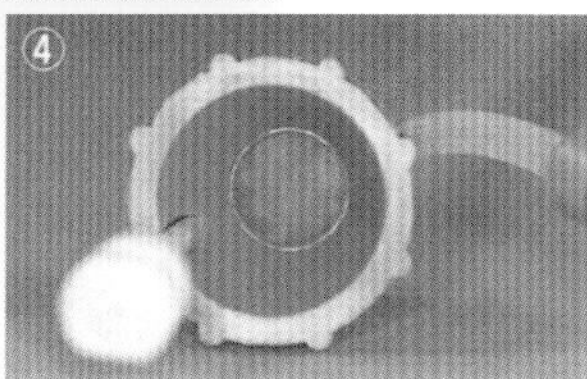

그림 1. EEMR-tube의 구조

① 길이 60 ㎝, 실리콘 고무(silicon rubber)로 만들어진 튜브이다.
② 선단의 끝이 비스듬하다. Side channel을 통해서 snare가 조금 나와 있다.
③ EEMR-tube 근위부의 구조. Side channel 부위와 balloon의 주입부에 해당한다.
④ 달려 있는 풍선을 부풀려서 내강을 밀폐시킬 수 있다.

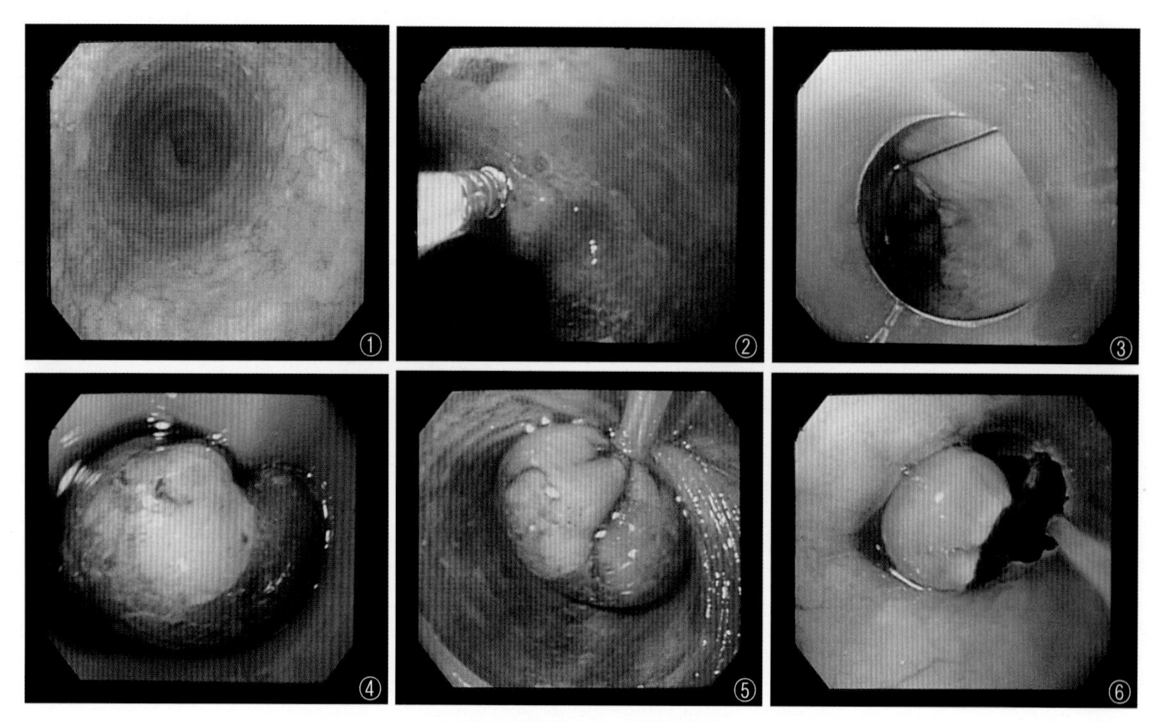

그림 2. EEMR-tube 방법의 예
① 먼저 일반내시경검사를 하고, 다음에 요오드 염색을 한다.
② 점막하 주입을 시행하여 병변부위를 부풀린다.
③ Side channel로 넣은 snare를 병변 위에서 연다.
④ 풍선을 부풀려서 튜브 속으로 병변을 흡인하고 snare로 묶는다.
⑤ 튜브를 약간 당겼다가 놓으면 용종 모양으로 묶인 점막이 관찰된다.
⑥ 전류를 가해서 자른 뒤에 절단면을 관찰한다.

EEMR-tube method의 기본수기와 요령

① 조작하기 전에 EEMR-tube를 내시경에 끼워 놓고, 내시경을 식도 속으로 넣는다.

② 요오드로 염색을 하고, EMR을 시행할 병변이 있는 부위, 주재성, 범위를 먼저 명확하게 파악한다.

- **요오드 염색시의 비결:** 앞에서 기술한 내시경검사로 병변에 대한 상황은 어느 정도 파악이 될 것이다. 식도 전체에 요오드를 뿌리는 것이 아니라, EMR을 시행할 범위를 명확하게 할 목적으로 요오드 염색을 한다. 또한 위에 잔류된 요오드는 즉시 흡인해서 환자의 불편감을 경감시키도록 한다.

③ 병변의 범위가 명확해진 시점에서 점막하층에 국소주입액을 주입한다. 그 목적은 점막하층과 고유근층 간에 간격을 만들고, 병변이 튜브 속으로 흡인되기 쉽도록 하고, 식도 천공을 방지하기 위해서이다.

- **점막하 주입시의 요령:** 병변보다 2~3 ㎜ 근위부를 찔러서 병변 전체가 용종 모양으로 융기되도록 주입을 한다. 정확하게 주입을 했는데도 융기가 되지 않고 액체가 흘러나오는 경우가 있다. 이런 경우는 반흔이나 근층 사이에 유착이 있는 경우로서, 무리하게 조작하면 천공이 발생할 수 있다. 이와 같은

경우에는 다른 치료법을 고려한다.

④ EEMR-tube를 삽입한다. 선단이 비스듬하고, 실리콘 고무제품이라서 안전하게 삽입할 수가 있다. 그러나 굵기가 18 ㎜이므로 윤활용 젤을 충분히 바르고, 식도 입구를 지나기 전까지는 가볍게 돌리면서 삽입하여 저항을 줄인다.

- **EEMR-tube를 조작하는 요령:** EEMR-tube와 내시경의 위치 관계는 튜브 선단에서 side channel 구멍에 파란 표시가 항상 관찰되는 위치가 바람직하다. 시술자의 오른손으로 EEMR-tube와 내시경을 동시에 가볍게 잡고 함께 조작한다. 튜브 선단이 짧은 쪽이 점막하 천자부위와 일치하도록 조절한다. 그러면 근위부에 3 ㎜ 정도의 거리를 확보할 수 있게 된다.

⑤ Snare 조작: side channel로 snare를 넣고 병변 위에서 넓게 연다.

- **Snare를 열 때의 비결:** 튜브 선단에서 snare를 밀고 열 때, 식도 점막과 닿으면 생각대로 조절이 안 된다. 이 때 손끝을 약간 돌리면 간격이 생겨서 저항 없이 snare를 넣을 수 있고 진행도 자유롭게 할 수 있다. 풍선에 5 ㎖의 공기를 넣어서 튜브내강을 밀폐시킨다.

⑥ 병변을 흡인하여 묶는다. Snare를 연 뒤, 내시경으로 흡인하여 음압(negative pressure)으로 만든다. 병변을 포함한 식도 점막이 EEMR-tube 안으로 흡인되면 snare로 묶는다.

- **병변 흡인시의 요령:** 식도 점막에 염증성 변화가 없고, 신전성(伸展性)이 양호하면 너무 많이 흡인되어서 원위부의 정상 점막이 너무 많이 묶여 버리는 경우가 있다. EEMR-tube를 통해서 점막하 천자공이 관찰되는 위치에 튜브를 고정시키고, 흡인하면서 과도하게 원위부의 점막이 묶였을 때는 흡인 압력을 다시 조절해서 묶어야 한다.

⑦ 묶은 뒤, 튜브를 약간 빼면 용종 모양으로 묶인 부분(병변을 포함한 식도 점막)이 관찰된다. Cutting mode로 전류를 가하여 자른다(그림 2).

- **통전 절제시의 요령:** 공기를 넣으면서 식도 내강을 확장시키고, 묶인 모양을 관찰하고 snare를 움직일 때 통증이 유발되지 않는지를 확인한다. 자를 때는 일반 절개 전류로 단번에 잘라도 출혈은 거의 없다. 또한 endocut 기능을 갖춘 고주파 전류장치에서는 절개출력 120W, 강제응고출력 60W로 설정하고 응고시킨 후에 autocut로 자른다. 이렇게 하면 절제표본의 열변성도 적어지고, 정확하게 병리조직학적 진단을 할 수 있다.

분할절제법

일괄절제가 곤란한 병변에 대해서는 심달도에 문제가 없다면 분할절제를 한다. 대개 근위부부터 병변을 절제하므로 원위부나 좌우 양측면에서 추가절제 등을 하게 된다.[3)]

- **원위부 추가절제시의 요령:** 추가절제를 할 때는 이미 절제한 부분을 다시 흡인하지 않도록 주의해야 한다. 식도천공과 근층 절제의 원인이 될 가능성이 있다. 병변을 흡인하거나 묶었을 때 점막하에 주입된 청색 부분이 관찰될 때만 자른다. 원위부 절제의 요령은 튜브의 선단부를 이미 절제된 영역의 원위부와 겨우 닿을 정도로 조절하는 것이다.
- **양측면 추가절제시의 요령:** 튜브의 옆면을 이미 절제한 영역의 옆에 겨우 닿을 정도로 놓고, 밀착시켜 흡인을 한다. 원위부 절제 시와 마찬가지로 근층 흡입과 식도 천공방지를 위하여 노력해야 한다. 또한 추가절제를 할 때는 적당히 점막하 주입을 추가하여 융기시킨 상태에서 시행하는 것이 안전하고 시술하기도 쉬워진다.

Trimming method

EEMR-tube에 의한 분할절제 후 변연부에 작은 병변이 남아 있거나, 절제한 점막 사이의 점막하층에 잔

중요포인트

- ☞ 점막하 주입을 충분히 시행하여 융기되면 EMR을 진행한다.
- ☞ EEMR-tube와 삽입한 내시경을 손으로 가볍게 잡고 동시에 조작하면 시술이 원만하게 진행된다.
- ☞ 최대 흡인 시에는 원위부에 있는 점막이 빨려 들어오므로 병변의 크기를 고려해서 흡인 압력을 조절한다.
- ☞ 분할 절제를 할 때는 점막하 주사를 추가하고, 이미 점막이 잘린 부위는 다시 흡인하지 않는다.
- ☞ 작은 병변을 추가로 절제할 때는 side channel로 snare를 넣고, 내시경의 겸자공을 통해서 grasping forcep을 넣어 double channel시의 요령으로 절제한다.

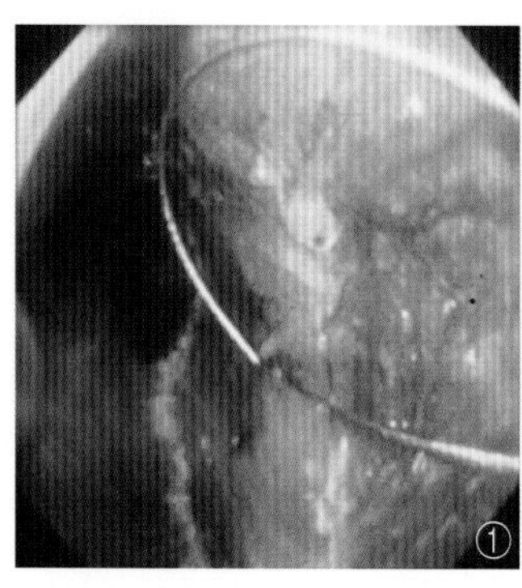
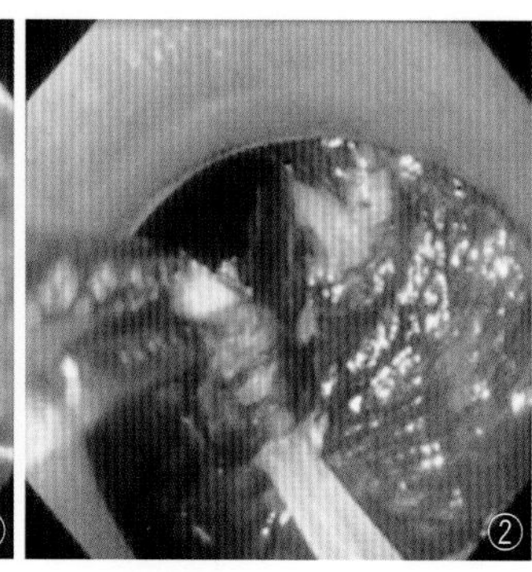

그림 3. Trimming method
① Side channel로 넣은 snare를 연다.
② Grasping forcep을 사용해서 작은 병변을 잡고 snare로 묶는다.

재병변이 남아 있는 경우가 있다. 남아 있는 병변의 재발을 막기 위해서 trimming 처치가 필요하다. 작은 병변의 절제이기 때문에 흡인법의 적응증이 되지 않는다. 저자는 two channel method의 영역에서 EEMR-tube의 side channel로 snare를 넣고, 내시경의 겸자공으로 grasping forcep을 넣는다. Snare를 열고 겸자로 조이면서 절제할 부분을 잡고, 가볍게 흡인하여 snare로 묶은 부위를 통전해서 자른다. 절제 단면의 판정이 불확실한 영역, 약간 남은 점막 병변에 대한 처치로는 hot biopsy forcep을 이용해서 trimming을 시행하고 있다(그림 3).

EEMR-tube 방법으로 조작하기 곤란한 부위

내시경 검사 시 정지한 상태로 관찰하기 힘든 부위나 EEMR-tube를 밀착시키기 힘든 부위에서는 이 방법으로 점막절제술을 하기가 힘들다. 예를 들어 식도 입구나 좌측 주기관지에 의해서 압박되는 원위부나 식도-위 접합부, 전벽측 병변 등이 해당된다. 또한 점막하 주입으로 잘 융기되지 않는 상태에서 조작이 가능한지의 난이도가 크게 영향을 미친다.

식도 천공의 예방과 대책

식도 천공을 예방하기 위한 대책으로서 중요한 것은

- 점막하 주입을 확실하게 해서 식도점막을 융기시킨다.
- 점막하 주입으로 부풀어 오르지 않는 증례에서는 EMR을 시행하지 않는다.
- 분할절제에서 추가적인 절제가 필요할 때는 이미 절제된 영역을 다시 흡인하여 묶지 않도록 주의한다.
- 내시경으로 근층이 노출되어 보이거나 절제 표본에

근층이 부착되어 있으면, 먼저 식도 조영술을 시행하여 식도 천공의 상황을 진단한다.

- 종격동 속에 국한되어 있는 천공이라면 일반적으로 금식, 중심영양공급(TPN), 항생제 투여 등의 보존적 치료를 할 수 있다.

맺음말

EMR 후에는 ①인공 궤양의 치유상황, ②협착 유무를 확인하고 완전히 재생상피화가 된 반흔이 생긴 시점에서 요오드 염색을 하여 잔재병변의 유무를 확인한다. 이차암(secondary cancer)이 출현하는 증례도 드물지 않으므로, 요오드 염색을 병용한 정기적인 경과관찰이 필요하다.

◘ 참고문헌

1) 일본소화기내시경학회 졸업교육위원회 편집. 소화기내시경 guideline (제2판). 동경: 의학서원; 2002.
2) 幕內博康, 町村貴郞, 三夫利夫, 등. 식도점막암에 대한 내시경적 점막절제술의 적응증과 한계. 일본소화기외과학회지 1991;24:2599-630.
3) 島田英雄, 幕內博康, 千野 修, 등. 조기 식도암에 대한 EEMR-tube method를 사용한 EMR의 요령. EEMR-tube 4단계. 소화기내시경 2002;14:1719-25.

제4장 식 도

2 식도의 내시경적 점막절제술(EMR)

(3) Cap method

- Endoscopic mucosal resection (EMR)에 있어서 cap method의 최대 특징은 시술이 쉽고, 처음 시행하는 의사도 짧은 시간에 안전하고 확실한 EMR 시술을 할 수 있다는 것이다.
- Cap method를 잘 하는 요령은 ① 올바른 기구를 선택하는 것, ② 정확히 점막하에 주입하는 것, ③ 확실한 pre-looping을 하는 것 등이 있다.

Cap method란

- 원리는 흡인법에 의한 EMR에 속한다. 즉 내시경의 흡인력을 이용해서 표적 점막을 흡인하여 잡는 것이다. 흡인법의 대표적 수기로는 Makuuchi (幕內) 튜브법[1]이 있다.
- 저자 등은 1992년부터 식도를 시작으로 상부위장관의 내시경적 점막절제술(EMR)에 있어서 투명 캡을 사용하는 방법(EMR using a cap fitted endoscope; EMR-C method)[2]을 개발하여 시행하고 있다.

Cap method를 시행하기 위하여 필요한 기구

1. 어떤 투명 캡을 선택할 것인가

- 큰 표본을 얻기 위해서는 "large soft cap"이 유용하지만 숙련되지 않은 시술자의 경우에는 large rim(캡 끝에 안으로 돌출되어 있는 구조물)이 있는 사형 캡(oblique cap)이나 hard type (그림 1①, MAJ-296, Olympus사 제품)을 사용하는 것이 편할 것이다.
- 추가절제를 할 때도 큰 표본을 얻기 위해서는 "large rim이 달린 사형 캡"을 연속해서 사용한다. Trimming을 목적으로 작은 표본을 획득하려면 rim이 달린 straight cap Q240용(그림 1②, MH-594, Olympus사 제품)을 사용한다.[3]
- 궤양 기저부에 결합조직이 남아 있는 경우에 절제

그림 1. 투명 플라스틱 캡

① Large rim이 달린 사형 캡(hard type), 외경 16.1 ㎜, 첫 절제 시에 사용한다.

② Rim이 달린 straight cap (Q240), 외경 13.9 ㎜

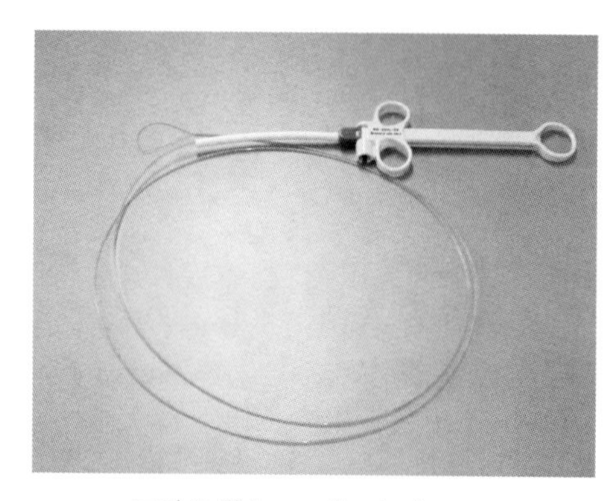

그림 2. Thin semiluminal snare

외경 2 ㎜의 snare. 이것을 사용하면 생검 겸자공에 snare를 넣은 상태에서도 흡인이 된다.

할 때는 hot biopsy forcep (Olympus사 제품)를 사용하는 것이 좋다.

2. 세경(細徑) snare의 선택

- EMR-C method 전용인 세경 semiluminal snare (그림 2, Olympus사 제품)를 선택한다.[3] 그 이외의 snare로는 pre-looping을 할 수 없으므로 주의한다.

Cap method (EMR-C)의 실제 예

1. 삽입하기 전의 준비

- 일반내시경(Q240, Olympus사 제품)에 large rim이 달린 사형 캡(그림1 ①)을 처음부터 장착한다.
- 이 때, 내시경의 생검 겸자공의 위치와 large rim이 달린 사형 캡이 달린 위치를 맞추어서 장착한다. 즉, 생검 겸자공의 위치와 large rim이 달린 사형 캡의 단축(短軸)의 위치를 맞추어 장착한다. 투명 캡은 비닐 테이프로 고정한다.

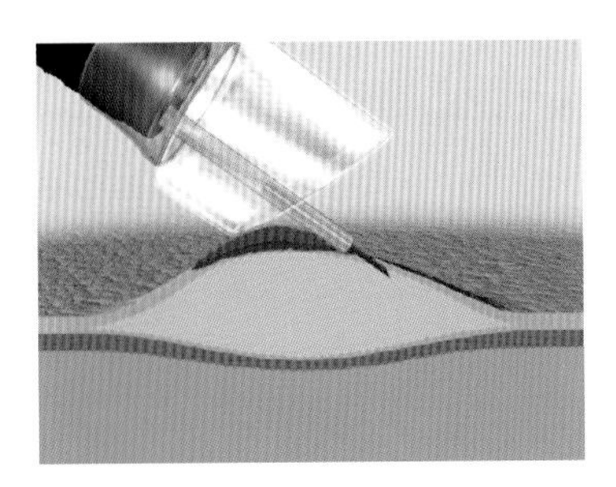

그림 3. 국소 주입하는 모식도
23 gauge 혹은 25 gauge 4 ㎜의 국소주사용 needle을 사용해서 점막하층에 국소주입을 한다. 정확하게 국소주입을 하면 점막표면이 반드시 부풀어 오른다.

2. 병변 주위 표시하기(marking)

- 색소 내시경(요오드 염색) 등으로 병변의 경계를 확인하고, 병변의 주위에 marking을 한다. 작은 병변이나 경계가 명료한 병변에서는 marking을 생략하는 경우도 있다.

3. 점막하 주입

- 23G 혹은 25G의 4 ㎜ needle을 사용하여 점막하 국소주입액을 주입한다(주로 에피네프린이 첨가된 생리식염수나 glyceol을 사용한다). 정확하게 점막하층에 국소주입하면 점막 표면은 반드시 융기된다(non-lifting sign 음성)(그림 3).
- 식도 점막은 위 점막보다 얇다는 사실을 상기하고 시행하는 것이 좋다. 국소주입은 점막과 고유근층 사이에서 매개체로 작용하므로, EMR시행 시 근층

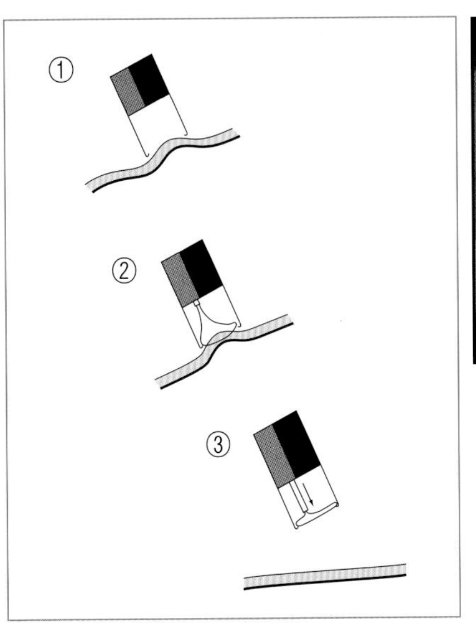

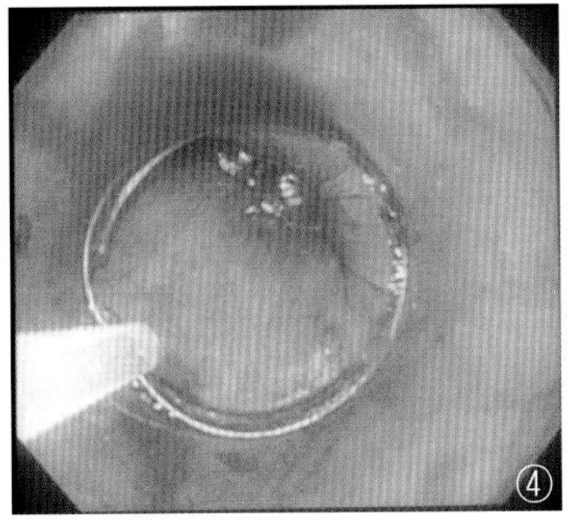

그림 4. Pre-looping을 시행하는 순서
① 정상 점막을 가볍게 흡인하여 투명 캡의 출구를 막는다.
② 생검 겸자공으로 나온 세경 snare를 열면, snare의 wire는 cap의 rim에 걸린다.
③ 여기서 세경 snare의 sheath를 캡의 선단부까지 밀어 넣는다.
④ 내시경 모양: pre-looping이 완성된 모양이다.

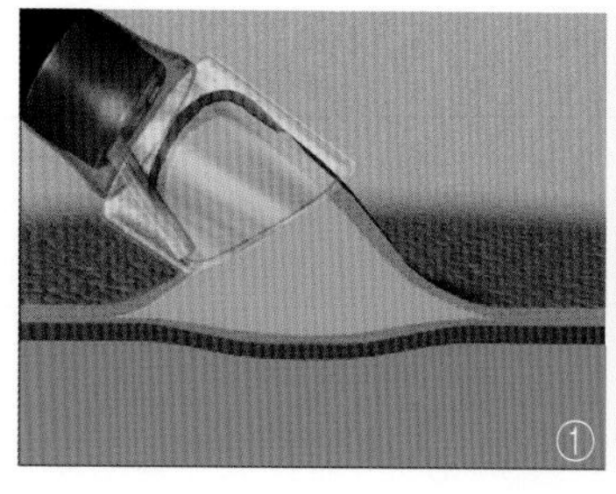

그림 5. 흡인, 교찰(교액:絞扼)
① 표적 점막을 캡 안으로 흡인한다. 이 때 snare의 sheath를 캡의 선단부까지 넣는 것이 중요하다.
② 병변을 흡인한 다음 snare로 단번에 묶는다. 그러면 표적 점막은 용종 모양이 되므로 이를 고주파로 절제한다.

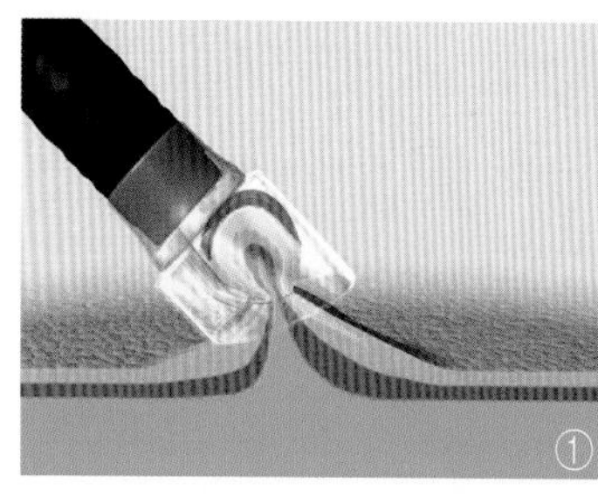

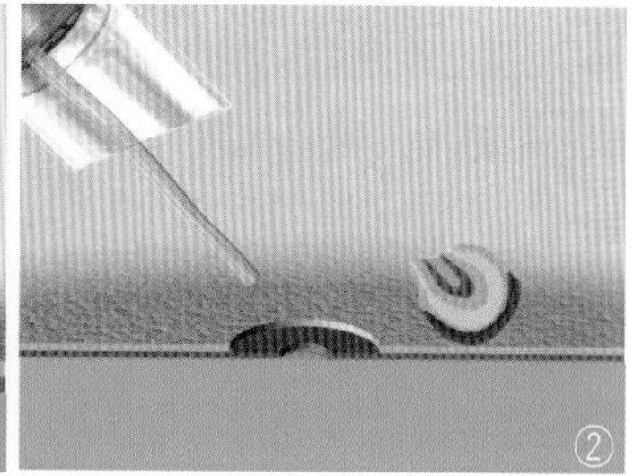

그림 6. 천공이 생기는 기전
① 점막하 주입량이 너무 적으면 점막을 흡인할 때, 고유근층도 캡 속으로 빨려 들어온다.
② 점막 절제 시에 고유근층의 일부가 결손된다.

이 빨려 들어가서 천공이 생기는 것을 방지한다.

4. Pre-looping

- Snare는 EMR-C method 전용 thin semiluminal snare (그림 2)를 사용한다. Snare로 pre-looping을 시행할 때는 정상 점막부를 가볍게 흡인하여 투명 캡의 출구를 막는다(그림 4). 여기서 생검 겸자공으로 넣은 snare를 열면 snare는 캡의 선단부의 rim에서 loop를 형성한다. 이런 상태를 pre-looping이라고 부른다.
- Loop를 형성한 뒤 snare의 sheath를 캡의 선단부까지 넣는 것이 큰 표본을 얻는 요령이다.

5. 병변의 흡인, 교찰(교액:絞扼)

- Pre-looping 상태가 되면 내시경을 병변 부위까지 넣는다. 표적 점막을 흡인해서 묶는다(그림 5).
- 표시한 위치를 확인하고, 절제할 점막을 정면으로 바라보면서 흡인한다. 최대한 흡인해도 large rim이 달린 사형 캡 hard type (그림1①)을 사용하는 한, 근층까지 흡인되는 일은 드물다.
- 점막의 절제는 근위부에서 원위부를 향해서 하면 시행하기가 쉽다.

6. 고주파에 의한 절제

- 응고 전류를 사용한다. Blend 전류라도 상관은 없으나, 응고 전류가 지혈이 잘 된다. UES-30

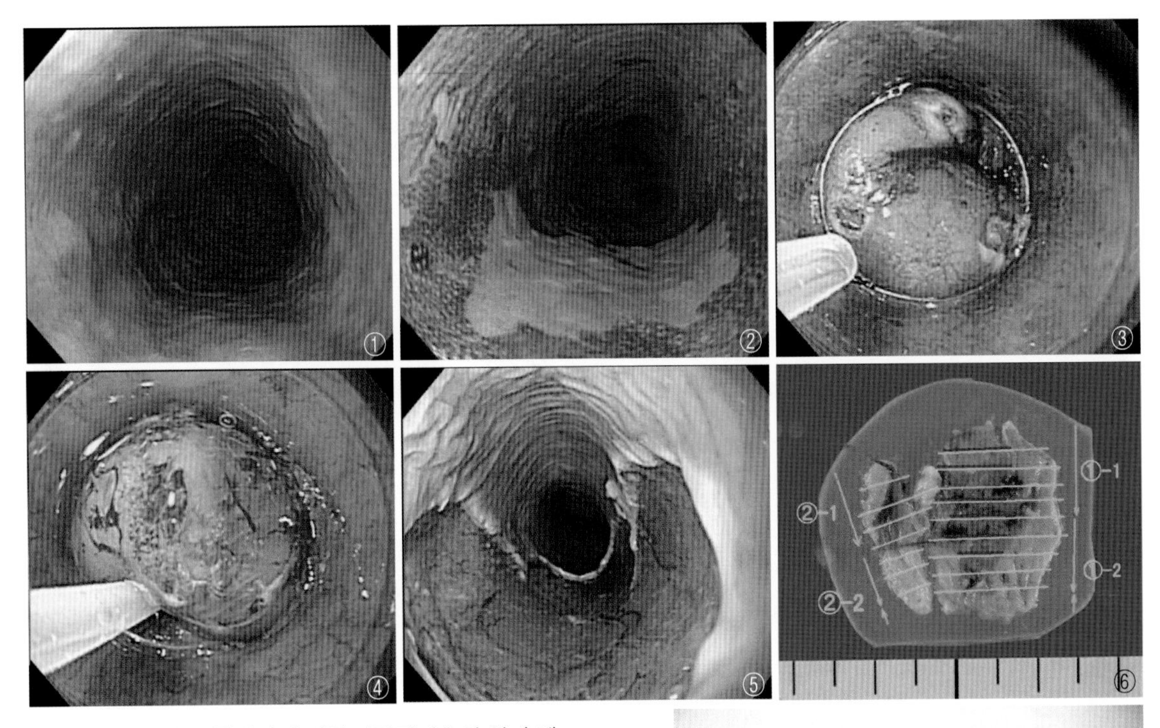

그림 7. 식도 표재암에 대한 점막절제술의 실제 예

① 중부 식도에 발적된 미란성 병변이 보인다. 일부에 과립상 변화가 동반되어 있다.
② 요오드 염색 후에 경계가 명확한 염색되지 않은 부위가 보인다.
③ Pre-looping이 형성된 상태에서 병변에 표시해 놓은 marking을 내시경 시야 속에 오도록 위치를 잡는다.
④ 최대한 흡인을 하면 점막이 캡 속으로 빨려서 들어온다. 최대 흡인한 시점에서 snare로 조인다. 이 때, snare의 sheath가 캡의 rim이 달린 부위까지 오도록 넣는다.
⑤ 한번의 절제와 한번의 trimming으로 균일한 깊이의 궤양이 형성된다. 궤양의 기저부에 남아 있는 점막하층이 균일한 평면으로 되는 것이 특징 중 하나이다.
⑥ 절제 표본의 mapping. 편평 상피암은 첫 절제시의 표본에 모두 포함되어 있었다. 추가로 절제한 표본 속에서는 병변이 보이지 않았다. 녹색은 자른 선, 적색은 암의 분포를 나타낸다.
⑦ 절단면의 옆모습
⑧ 가장 깊은 침윤도는 m3였다.

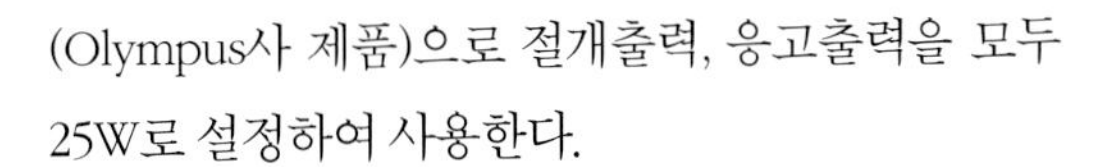

(Olympus사 제품)으로 절개출력, 응고출력을 모두 25W로 설정하여 사용한다.

7. 추가절제

- 첫 절제 시에는 대개 길이 3 ㎝ 정도의 타원형으로 점막이 절제되므로, 2 ㎝ 정도의 병변까지는 일괄 절제가 된다.
- 필요에 따라서 추가절제를 하지만 원칙적으로 추가절제를 하기 전에는 점막하층에 국소주입을 반복한다.

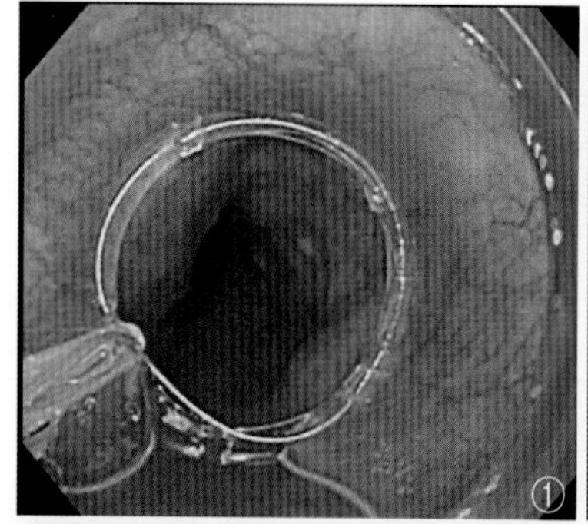
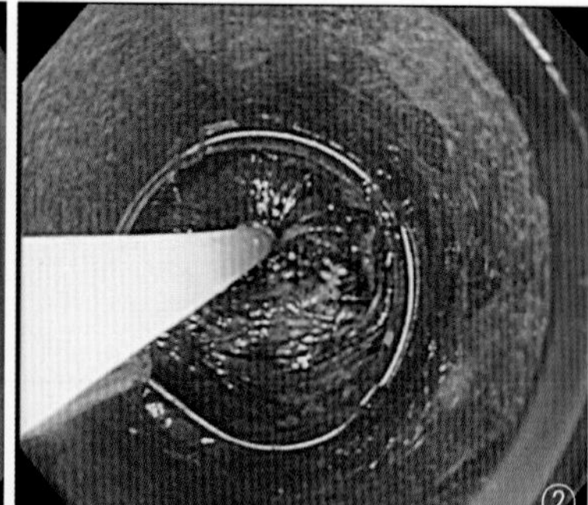
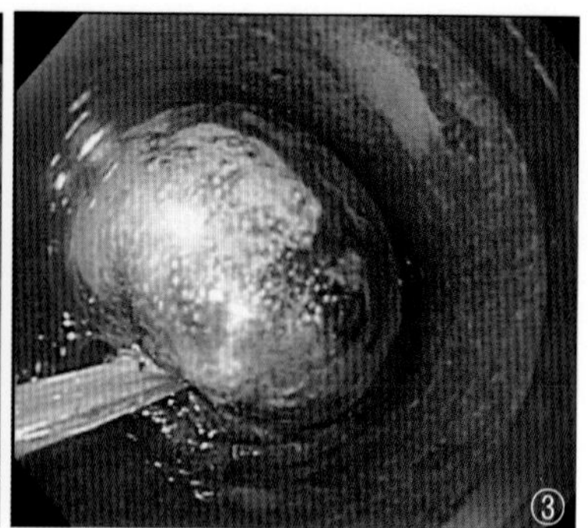
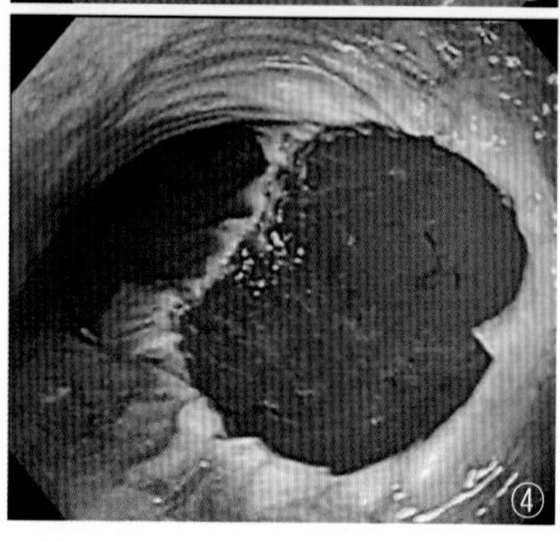

그림 8. Easy cap (prototype)의 수기
① Snare는 soft cap의 선단부에 이미 고정되어 있다.
② Snare가 pre-looping된 상태에서도 생검 겸자공으로 needle을 넣어 국소주입을 병행할 수 있다.
③ 국소주입이 끝난 직후에는 표적 점막을 흡인해서 묶을 수 있다.
④ 점막하 주사액이 점막하층에 충분히 남아 있다는 것을 알 수 있다.

천공의 예방

- 지금까지 300회 이상을 실시한 결과, 천공은 초기에 단 1예에서만 발생했다.
- 천공된 증례의 원인은 추가절제를 할 때, 점막하 주사를 추가하지 않았기 때문으로 추측된다(그림 6). 흡인법에서는 주사량이 매우 부족했던 경우, 근층이 말려 들어갈 가능성이 있다는 것을 염두에 둘 필요가 있다. 천공이 되면, 2~3 ㎜ 정도로 동그란 구멍이 생긴다.

증례

일반내시경 검사에서 중부 식도에 발적된 미란성 병변이 보였다(그림 7①). 요오드 염색(2%) 후에는 경계가 명확한 염색되지 않는 부위가 보인다(그림 7②). 먼저 병변의 주위를 snare 선단을 이용해서 표시를 한다. 연속해서 충분히 국소주입을 하는데, 대개 20 *ml* 이상을 주입하고 점막의 표면이 융기된 것을 확인한다. 그 후에 정상 점막에 snare로 pre-looping을 하고, marking된 병변에 접근한다(그림 7③). 표시된 부위가 캡 속으로 들어오도록 내시경의 위치를 조절한다. 또한 snare를 조일 때는 snare sheath의 선단을 투명 캡의 rim이 달린 부위까지 밀어 넣는 것이 중요한 포인트이다. 이는 sheath의 선단이 snare로 묶이는 지점이기 때문이다(그림 7④). 본 예에서는 한번의 full suction과 한번의 trimming으로 병변이 모두 절제되었다. 궤양 기저부는 일정한 깊이였고, 고유근층의 표면이 균일하게 노출되었으며(그림 7⑤) 출혈은 없었다. 병변 전체가 첫번째 표본에 포함되어 있었고, 가장 깊은 침윤도는 m3였다(그림 7⑥~⑧).

"Easy cap"

- 투명 캡의 진화형으로 처음부터 pre-looping된 캡으로 고안되었다(그림 8①).
- Easy cap에서 snare는 처음부터 looping되어 있으

중요포인트

☞ 처음 절제를 할 때 대형 rim이 달린 사형 캡(hard type)을 사용한다.
☞ Trimming을 할 때는 rim이 달린 straight cap Q240을 사용한다.
☞ 생리식염수나 glyceol로 국소주입을 정확히 실시한다(lifting을 확인한다).

므로, pre-looping된 상태에서 생검 겸자공을 통한 국소주입이 가능하다(그림 8②).

- 병변을 흡인한 후에 snare로 한번 묶는 것만으로도 절제가 가능하다(그림 8③).
- 절제 후의 인공 궤양을 보니, 점막하층에 주사된 생리식염수가 충분히 남아 있고, 주사 후부터 절제하기 전까지의 시간이 짧았다는 것을 알 수 있었는데(그림 8④) 이로 인하여 안전성이 향상된다.

맺음말

식도에 있어서 cap method는 수기의 간편성, 안전성의 면에 있어서 표준 방법의 하나라고 생각된다.

참고문헌

1) 幕內博康, 町村貴郎, 水谷鄉一, 등. 식도 표재암에 대한 endoscopic surgery. 수술 1993;46:603-9.
2) 井上晴洋. 조기식도암, 조기위암에 대한 투명 플라스틱 캡을 사용한 내시경적 점막절제술(EMRC). 소화기내시경 1992;4:1801-5.
3) 井上晴洋, 吉田達也, 工藤進英. Cap method. 소화기내시경 2002;14:1261-2.

칼럼

식도 표재암 EMR의 확대 적응증

식도 표재암의 절대 적응증은 심달도 m_1, m_2인 비전주성(非全周性; 식도의 전체 둘레를 침범하지 않은) 병변이다. 한편, 심달도 m_3의 림프절 전이율은 약 9%, sm_1의 림프절 전이율은 19%이기 때문에 적응증이 여기까지 확대될 가능성이 있다.

제 46회 일본 식도새소연구회의 검토에 의하면 m_3, sm_1암 중에서 림프절 전이의 위험인자는 육안형으로 O-I, O-III일 때, 길이가 50 ㎜ 이상일 때, Inf β, γ (역자 주: 일본에서는 cytokine 유전자를 함유한 암세포를 감별하기 위해서 이외에도 IL-2,4,6,7,12, TNF-α, G-CSF, M-CSF, GM-CSF 등을 함께 조사하기도 한다. Inf γ는 타장기 전이시 암세포의 생존율을 상승시킨다는 보고가 있다), ly 양성(림프관 침범이 있음)이거나 v 양성(혈관 침범이 있음)일 때, 시술 전 심달도 진단에서 sm_{2-3} (역자 주: 점막하층의 깊이를 삼등분하였을 때, 상단 1/3 이상의 침범을 가리킨다.)일 때라는 것이 판명되었다. 또한 m_3, sm_1암에 대한 EMR 후의 5년 생존율은 기타 병으로 인한 사망을 제외하면 98%로 양호하다는 것을 알 수 있었다. 따라서 시술 전에 심달도 m_3, sm_1로 진단된 경우, 길이 50 ㎜ 미만으로 육안형이 O-II 형이라면, 먼저 EMR을 시행한 뒤에 조직학적 소견에 따라서 추가절제 여부를 결정하는 방법이 점차 널리 사용될 전망이다.

참고문헌

1) 小山 恒男, 宮田 佳典, 島谷 茂樹, 등. 전이가 있었던 m3, sm1 식도암의 특징. 위와 장 2002;37:71-4.

3 식도 협착에 대한 치료

- 스텐트의 종류에는 여러 가지가 있지만 유효성과 안전성에는 큰 차이가 없다.[1)]
- 여기서는 일상 진료에서 빈번하게 사용되고 있는 Boston Scientific사의 Ultraflex (표 1)를 염두에 두고 기술한다.[2)]

치료법의 선택

1) 스텐트를 삽입할 것인가? 풍선 확장술을 시행할 것인가?

- 식도암에 의한 협착이 원래 스텐트의 가장 좋은 적응증이다.
- 양성 협착일 경우, 풍선 확장술을 반복하면 개선기간이 연장되는 것이 일반적이지만, 단기간에 증상이 악화되는 경우에는 위루술(gastrostomy)을 검토한다.

2) Covered type으로 할 것인가? Uncovered type으로 할 것인가?

- Covered type과 uncovered type의 특징을 비교하여 표로 정리했다(표 2).
- 특징을 이해하고 사용할 스텐트를 결정한다.

3) 크기의 결정

표 1. Ultraflex esophageal stent (Boston Scientific사 제품)

〈Uncovered stent〉

Release system	Catalog 번호	지름(mm)	스텐트의 길이(cm)
Proximal release	1407	18	7
	1403	18	10
	1405	18	15
Distal release	1303	18	10
	1305	18	15

〈Covered stent〉

Release system	Catalog 번호	지름(mm)	스텐트의 길이(cm)
Proximal release	1410	17	10
	1415	17	15
	1464	22	10
	1465	22	12
Distal release	1310	17	10
	1315	17	15
	1364	22	10
	1365	22	12

표 2. Covered type과 Uncovered type의 비교

특징	Covered type	Uncovered type
확장력	강함	약함
Ingrowth	발생하기 어렵다	발생하기 쉽다
일탈	발생하기 쉽다	발생하기 어렵다
길이(cm)	10, 12, 15	7, 10, 15
누공 증례에서의 적응 예	있다	없다
지름(mm)	17, 22	18
제거	쉽다	어렵다

- 길이는 협착부보다 2 ㎝ 긴 것이 좋고, 스텐트가 너무 길면 음식물의 통과 장애가 개선되지 않는 경우가 있다.
- 넣어서 길이가 모자라면 스텐트를 추가한다는 마음가짐으로 한다.
- 직경 17 ㎜ 혹은 18 ㎜이면 증상은 충분히 개선된다.

4) Proximal release로 할 것인가? Distal release로 할 것인가?

- Proximal release에서는 유치시에 스텐트의 근위부부터 확장시키기 때문에 marker에서 근위부로 1~2 ㎝ 정도 미끄러진다.
- Distal release에서는 반대로 원위부로 미끄러지기 쉽다.
- 분문부 가까이에서는 반드시 proximal release를, 경부 식도 근처에서는 distal release를 사용한다.

스텐트 유치시의 주의해야 할 증례

- 다음과 같은 증례에서는 스텐트로 인한 이득보다 위험성이 많다.
- 위험성에 대하여 자세히 설명하고, 환자가 충분히 납득하면 스텐트 유치를 시험해 볼 수 있다.

1) 협착이 경부식도를 포함한 경우

- 스텐트 상단과 윤상인두근(cricopharyngeous muscle)의 거리가 2 ㎝ 이하이면 인두통, 위화감이 발생하기 쉽다.
- 증례에 따라서는 심한 통증이 발생하여 스텐트를 제거하는 경우도 있다.

2) 협착이 분문부를 포함한 경우

- 스텐트를 유치한 후에 위액이 쉽게 역류되고, GERD 증상이나 흡인성 폐렴이 발생하기 쉽다.

3) 방사선 요법 후의 협착

- 식도 천공에 의한 대량 출혈, 누공(감염) 등의 중한 합병증의 위험성이 높아진다는 보고가 있다.[3]
- 섬유화가 잘 되므로 확장불량이 발생하기 쉽다.

4) 전신 상태가 나쁜 경우

- 암의 진행으로 인해 식욕이 없는 증례나 perfomance status 3 이상인 증례에서는 스텐트로 통과 장애를 개선시켜도 식사 섭취는 증가하지 않고, 삶의 질(quality of life; QOL)이 개선되지 않는다.

스텐트 유치의 실제

1) 전처치

고통이 따르는 시술이므로 반드시 진통제 및 진정제로 사전투약을 한다.

2) Overtube 삽입

스텐트의 삽입을 용이하게 하고, 삽입시에 인두 손상을 보호하기 위하여 overtube를 삽입한다.

3) 내시경 관찰

- 먼저 협착부 근위부의 위치를 확인한다(그림 1①).

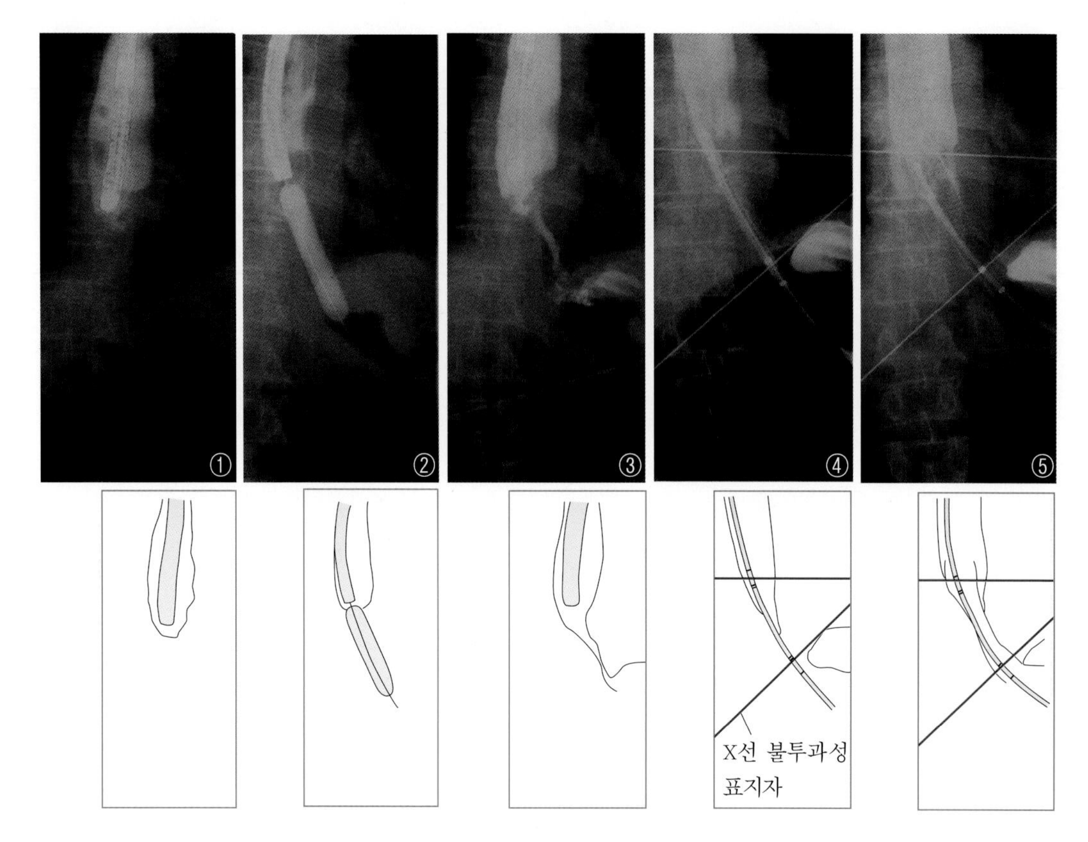

그림 1. 스텐트 유치의 실제 예

① 협착부의 근위부를 확인한다. 조영제를 주입해도 협착부는 전혀 조영되지 않는다.
② 협착부를 풍선으로 확장한다.
③ 다시 조영을 해서 협착이 약간 개선되고 천공이 없다는 것을 확인한다.
④ X선 불투과성 표지자로 협착된 범위를 확인하면서 delivery system을 삽입한다.
⑤ 스텐트를 release한다. Delivery system에 표시된 근위부의 표지자에서 1 ㎝ 정도 근위부에 실제 스텐트의 근위부가 위치한다는 것을 알 수 있다.

- 내시경이 협착부를 통과하면, 협착부의 원위부 위치를 확인한다.
- 협착부의 근위부와 원위부에 해당하는 피부 표면에 X선 비투과성 표지자(marker)를 붙인다.
- Stent delivery system에 삽입되어 있는 stylet을 marker로 사용하면 좋다.

4) 풍선 확장술

스텐트가 확실히 확장하기 위해서는 유치하기 전에 최소한 12 ㎜까지 풍선 확장이 필요하다(그림 1②).

- 확장 후에 다시 조영하여(그림 1③), 협착부와 피부 marker의 위치가 다르지 않는지와 천공의 유무를 확인한다.

5) Guidewire의 삽입

Guidewire (지름 0.038인치)를 위 속까지 삽입하고 내시경을 뺀다.

6) Stent의 삽입 (그림 1④)

- Marking의 위치를 확인하면서 스텐트를 삽입한다.
- 확장시 스텐트가 약간 빠진다는 사실을 감안하여 proximal release시에는 조금 더 깊숙이 넣고, distal release시에는 조금 더 얕게 넣는다.

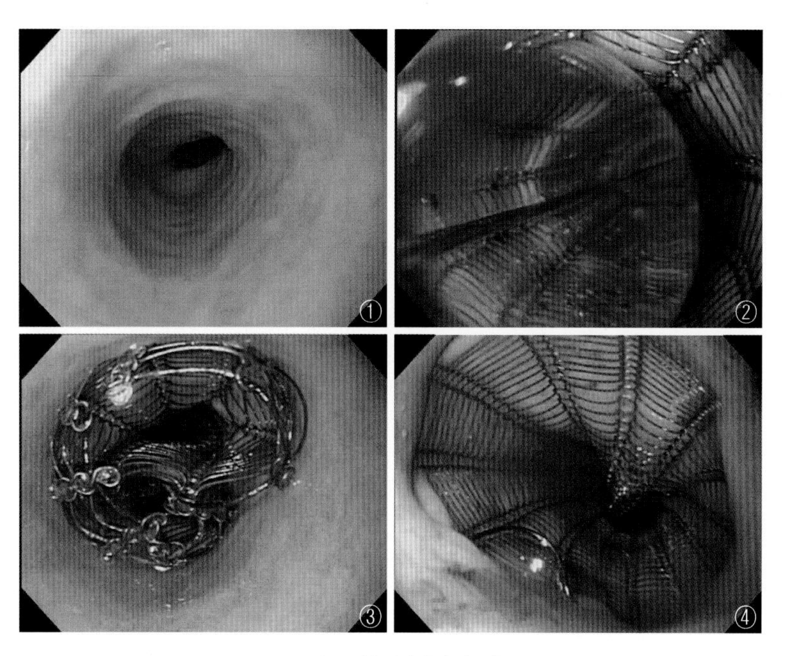

그림 2. 확장 불량의 예

① 섬유성 협착의 증례
② 충분히 풍선을 확장한 뒤 스텐트를 삽입했지만 확장불량 소견을 보였다.
③ 스텐트 내부에서 풍선 확장술을 다시 시행하였다.
④ 하지만 확장불량은 개선되지 않았다.

7) Stent release (그림 1⑤)

- 위치를 결정하면 재빨리 스텐트를 release한다.
- 천천히 release하면 스텐트의 위치가 더욱 더 많이 어긋날 수 있다.

합병증과 대책

1) 통증

- 스텐트 삽입 후 수일간은 확장으로 인한 통증이 발생하는 경우가 많다.
- NSAIDs나 morphine 등으로 통증을 조절한다.
- 천공에 의한 통증과의 감별을 항상 염두에 둔다.

2) 출혈

- 말초혈관에서 피가 oozing되는 것이라면 금식, 수액요법, 수혈 등의 보존적인 치료를 한다.

3) 확장불량(그림 2)

- 섬유화에 의한 협착의 경우 스텐트가 충분히 확장되지 않을 수가 있다.
- 내경이 작은 스텐트를 고르고, 풍선 확장을 충분히 하는 등의 예방적 대책을 세우고 그래도 확장이 잘 되지 않는 경우에는 제거하는 수 밖에 없다.

4) 천공

- 방사선요법 후에는 협착부의 천공이 일어나는 경우가 있다.
- 하부식도 등의 굴곡부에서는 스텐트 선단에 의해서 궤양이 형성되고 천공이 발생할 수 있다.
- 통증, 발열, 종격기종, 피하기종 등을 주의하고, 천공이 의심되는 경우에는 가능하면 스텐트를 제거하고 천공 부위에 준하여 치료를 하지만 예후는 불량하다.

5) GERD (gastroesophageal reflux disease)

- 스텐트가 분문부에 걸리는 경우에는 특히 주의를 해야 한다.

중요포인트

- ☞ 협착의 원인, 부위, 길이, 누공의 유무, 예후 등을 고려해서 치료법을 결정한다.
- ☞ Stent release시의 어긋남을 고려하여 위치를 정하고, 단번에 release하는 것이 중요하다.
- ☞ 협착이 경부 또는 분문부를 포함하는 경우나 방사선 요법 후인 경우에는 스텐트 유치로 인한 합병증이 발생할 위험성이 높아진다.
- ☞ 기대한 효과가 얻어지지 않거나 합병증이 발생한 경우에는 재빨리 제거한다.

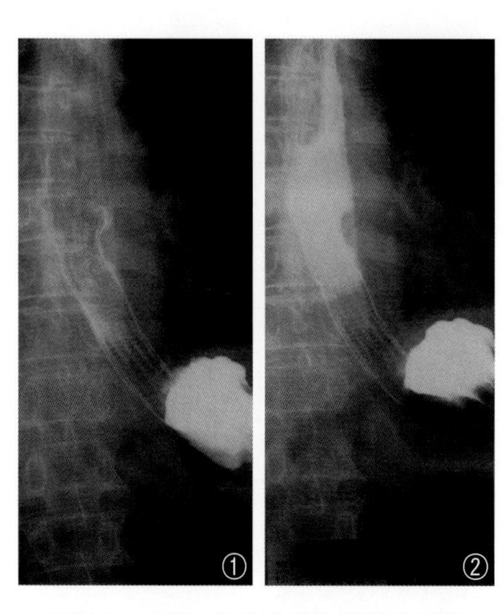

그림 3. **스텐트 후에 발생한 위식도 역류**

① 서 있는 자세에서 조영제를 복용하면 매끄럽게 위에 도달한다.

② 누운 자세에서 조영제는 식도 내로 역류된다.

- 스텐트 삽입 직후의 조영술에서 역류가 보이면(그림 3), proton pump inhibitor, 장연동 운동 항진제, 제산제 등을 예방적으로 투여한다.

6) 흡인성 폐렴(aspiration pneumonia)

- 스텐트가 분문부에 걸리는 경우나 이미 식도열공 탈장(hernia)이 동반된 경우에는 흡인이 발생하기 쉽다.
- 흡인이 발생한 경우에는 스텐트를 제거한다.

7) 재협착

- 스텐트 속에서 종양 또는 육종이 증식하는 ingrowth pattern과 스텐트의 근위부나 원위부에서 종양이 퍼져서 발생하는 overgrowth pattern이 있다.
- Argon plasma coagulation을 시행하거나 스텐트를 다시 유치한다.

스텐트의 제거

1. 적응증

- 통증, 천공(궤양), GERD, 확장불량 등이 나타난 경우에는 재빨리 제거를 해야 한다.

2. 방법

- Two channel scope을 삽입하고, overtube를 삽입한다.
- 스텐트의 원위부에서 가까운 두 곳을 V type alligator forcep으로 잡는다. 가능한 맞은 편을 잡도록 주의한다.
- 겸자가 스텐트를 잘 잡았다고 확인되면, 오른손으로 2개의 forcep shaft를 꽉 쥔다.
- 보조자가 X선 투시 하에서 내시경을 강하게 당기고 뺀다. 이 때, 시술자가 오른손으로 겸자를 꽉 잡지 않으면 내시경이 빠져서 스텐트를 제거할 수가 없다.
- 겸자가 빠지지만 않는다면 스텐트는 원위부부터 반전(retroflexion)시키면서 제거할 수 있다.
- Overtube 속을 통과하면서 스텐트를 회수한다.
- 내시경으로 식도 손상의 유무를 확인한다. 여유가 있으면 조영을 해서 천공 유무를 확인하는 것이 좋다.

3. 주의

- 제거로 의한 식도 및 인두의 손상, 출혈이나 천공의 위험성이 있어서 스텐트를 판매하는 회사에서는 스

텐트의 제거를 권하지 않는다.

- Uncovered type에서 ingrowth가 현저할 경우에는 제거가 불가능하다.
- 제거를 할지 안할지의 판단은 되도록 빨리 한다.

참고문헌

1) Siersema PD, Hop WCJ, van Blankestein M, et al. A comparison of 3 types of covered metal stents for the palliation of patients with dysphagia caused by esophagogastric carcinoma: a prospective, randomized study. Gastrointestinal Endosc 2001;54:143-53.

2) 宮田佳典, 小山恒男, 山田 繁, 등. 악성 식도협착에 대한 금속 스텐트의 유효성과 문제점. Gastreoenterol Endosc 1998;40:1314-8.

3) Muto M, Ohtsu A, Miyata Y, et al. Self-expandable metallic stents for patients with recurrent esophageal carcinoma after failure of primary chemotherapy. Jpn J Clin Oncol 2001;31:270-4.

칼럼

Hot biopsy

1973년 Williams에 의해서 고안된 방법으로, 내시경을 보면서 병변을 잡고 겸자를 통해서 고주파 전류로 태우고 제거하는 방법이다. 생검에 의한 진단과 남아 있는 조직을 열응고로 괴사-탈락시키는 치료로서 지혈처치 효과도 있다. 최근에는 지혈목적으로만이 아니라 절개-박리법에서도 자주 사용된다. Hot biopsy forcep의 최대 열린 폭이 7 ㎜, 선단의 캡의 넓이가 2 ㎜라는 점을 감안하면, 적응증은 3 ㎜ 정도까지의 비교적 작은 양성 용종이다. 저자 등은 기존의 hot biopsy forcep (사진왼쪽)보다 큰 jumbo hot biopsy forcep (사진 오른쪽)을 개발하여 5 ㎜ 전후의 용종까지 적응증으로 하고 있다.

수기의 포인트는 다음과 같다.

① 원칙적으로는 제거할 병변이 화면의 오른쪽 아래쪽인 5시 방향에 오도록 내시경을 조작한다.

② 병변을 잡을 때 겸자를 병변에 맞추어 여는 정도를 조절한다. 너무 많이 열고 병변을 잡으면 출혈이나 천공이 발생할 수 있다.

③ 잡은 상태에서 병변을 충분히 들어올려서 가성 용종줄기(pseudostalk)를 만든다. 이 가성 용종줄기는 반드시 전체가 시야에 들어오도록 한다. 또한 겸자의 금속 부분이 겸자공보다 완전히 밖으로 나와 있는 것을 확인한다.

④ 응고전류(Olympus사의 UES-20 제품에서 "coagulation power"를 40W)를 1초 정도 가한다. 1~3회에 걸쳐서 이와 같이 전류를 가하고, 겸자 주

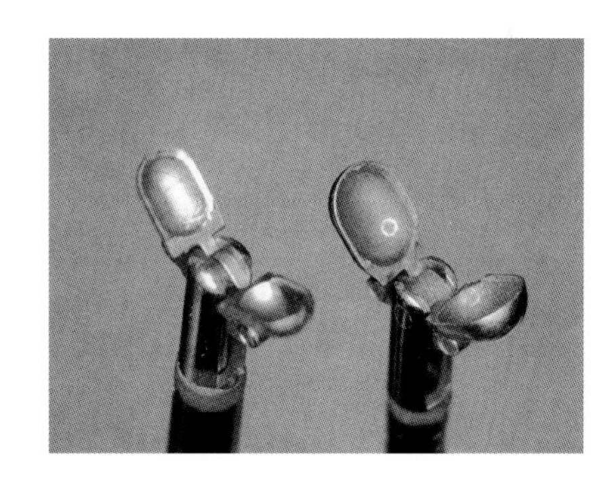

위의 점막이 약간 백색으로 변한 시점에서 응고를 멈춘다. 결코 지나치게 전류를 가하지 않도록 한다.

⑤ 제거된 병변은 점막하층이 안쪽으로 둥글게 말려 있으므로 제거한 후에는 재빨리 치과용 핀셋의 배(背)측을 사용하여 조심스럽게 펴서 포르말린으로 고정을 해야 좋은 조직 표본을 얻을 수 있다.

최근에는 확대내시경을 이용한 진단학의 발달로 인하여 조직검사를 시행하지 않고도 정확한 진단을 할 수 있게 되었다. 그리고 5 ㎜ 이하의 작은 용종 중에는 조급하게 내시경으로 치료를 하지 않고, 경과관찰만 해도 되는 병변이 많다는 것이 명확해졌다. 작은 용종에서 확대내시경 관찰로 의심스러운 소견을 발견했을 때는 margin을 평가하기 어려운 hot biopsy보다는 절제 후 margin을 평가하기 좋은 내시경적 점막절제술 또는 용종제거술로 치료를 해야 한다. 이런 이유로 해서 hot biopsy의 치료 적응증이 줄어들고 있는 추세이다.

4 식도 천공에 대한 처치

- 내시경적 점막절제술을 시행할 때, 고유근층을 손상시키면 천공이 발생한다.
- 흡인법이나 grasping forcep method으로 1 ㎝ 정도의 원형 천공을 일으킬 수 있다.
- 절개 · 박리법의 경우에는 pin hole 또는 선상(linear)의 천공을 일으킨다.
- 게실내 병변을 점막절제하면 반드시 천공이 발생하므로 금기이다.

원인과 대책

1. 준비 안 된 marking

- 침상(針狀) knife로 marking을 하면 천공이 발생할 수 있다.
- 침상 knife를 2 ㎜로 짧게 하면 천공을 예방할 수 있다.
- Hook knife의 배측(背側)을 사용하면 점막에 안전하게 marking할 수 있다.

2. 부적절한 국소주입법

1) 국소주입량의 부족

- 1회 주입량은 3 ㎖ 이상이 필요하다.

2) 주사 후의 시간경과

- 생리식염수는 확산, 흡수되기 쉽고 빨리 가라앉으므로 주사 후에는 재빨리 치료를 진행한다.
- Glyceol과 hyaluronic acid를 사용하면 융기가 오랫동안 유지된다.

3) 고유근층 바깥쪽의 국소주입법

- 식도 벽은 약 2~3 ㎜로 얇기 때문에 잘못하면 고유근층의 바깥쪽에 주사할 수 있다.
- 바늘로 점막을 찌른 상태에서 주사기로 대고 누르면서 주사바늘을 진전시키면 점막하층에 정확히 주사할 수 있다.

3. 고유근층 묶기

- 고유근층을 묶으면 천공이 발생한다.
- 전류를 가하기 전에 공기를 넣고 식도내강을 확장시키면서 re-snaring을 시행한다.[1)]
- 분할절제의 추가 절제 시에는 고유근층을 묶지 않도록 근위부부터 절제한다.

4. 고유근층의 절개

- 절개 · 박리법에서는 고유근층을 칼로 상처를 내는 경우가 있다.
- 충분히 주사하여 점막하층을 두껍게 하여 천공을 예방한다.
- 고유근층이 접선(接線) 방향에서 보이는 경우에는 IT knife나 바늘 모양의 메스로도 안전하게 절개 · 박리할 수 있다.
- 식도가 굴곡되어 고유근층이 정면으로 보이는 경우에는 hook knife를 사용하는 방법이 안전하다.
- Hook의 방향은 항상 고유근층과 평형이 되도록 조작한다.
- Hood 속으로 흡인하면서 전류를 가하는 것이 안전하다.

천공시의 대책

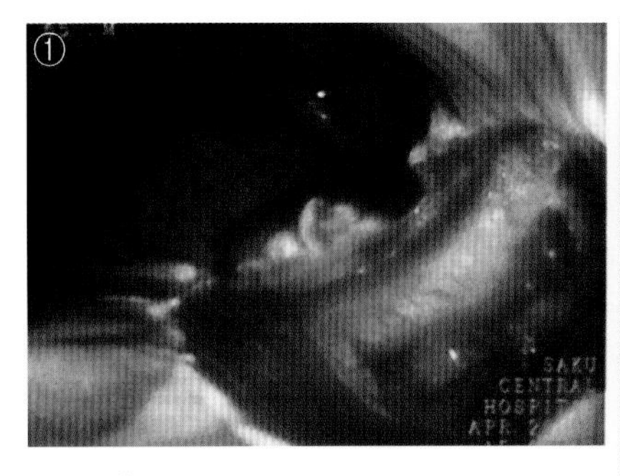

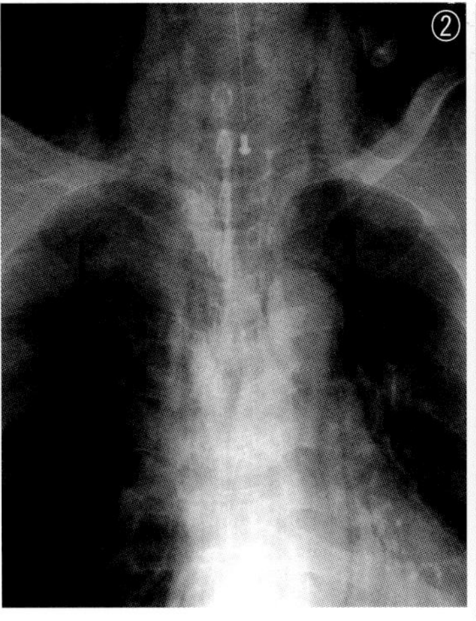

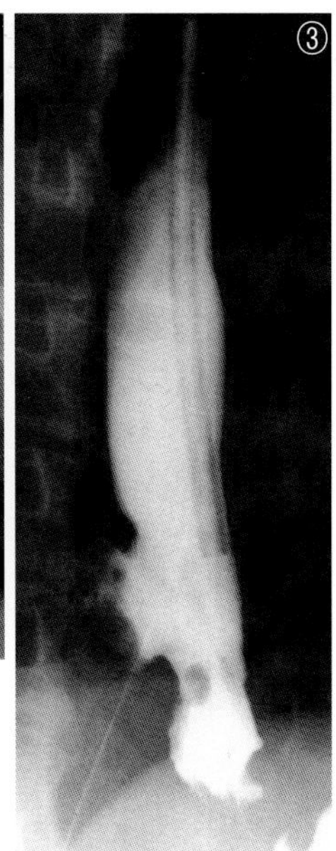

그림. **식도천공**

① 천공시의 내시경 소견. 약 12 ㎜ 크기의 천공으로 종격의 섬유가 관찰된다.

② 흉부 X선으로 심한 종격기종과 피하기종을 확인했다.

③ Gastrograffin에 의한 식도조영술을 통해서 종격으로 새는 것을 확인했다.

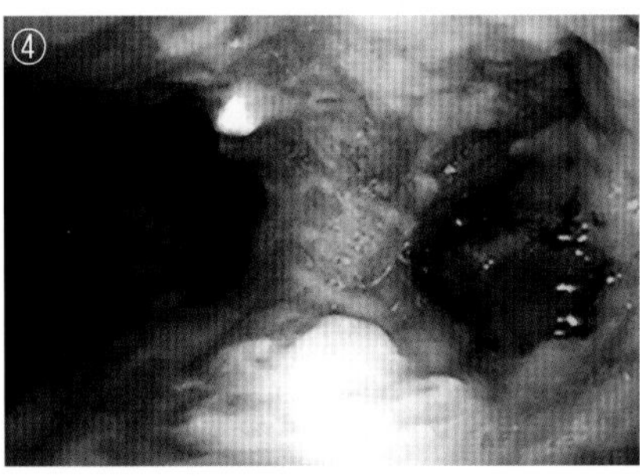

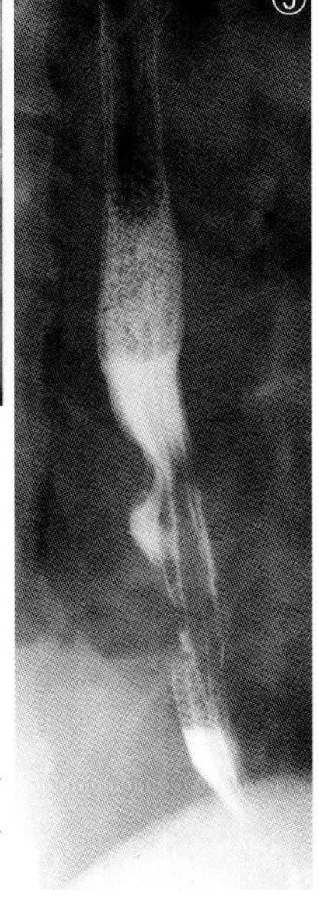

④⑤ 5일째의 식도 조영술과 내시경 소견으로 천공부위가 육아조직으로 덮여 있고, 종격으로 새는 것은 없었다.

1. 흡인법, grasping forcep method의 경우[2)]

- 흡인법과 grasping forcep method에서 천공이 발생하면 고유근층이 동그란 모양으로 결손되고 종격이 바로 보인다.
- Clipping을 바로 할 수 있는 상황이라면 해도 좋다.
- 천공이 된 부위에서 종격내로 공기가 새어 아주 짧은 시간에 종격기종, 피하기종이 생긴다.
- Clipping이 늦어지면 심한 종격기종, 피하기종이 생겨서 식도내강이 망가지고 시야를 확보하기가 곤란

중요포인트

- ☞ 흡인법에서 천공을 예방하기 위해서는 점막하층으로 충분한 양의 국소주입을 하는 것이 가장 중요하다.
- ☞ 분할 절제 시에는 절제할 때마다 국소주입을 추가한다.
- ☞ Hook knife법에서는 hook의 방향을 고유근층과 평행하게 하는 것이 중요하다.
- ☞ 경험상 대부분 보존적인 치료로 치유되었지만, 농양이 형성되었다는 보고도 있으므로 발열이 지속되는 경우에는 CT 등의 정밀검사를 시행한다.

해진다.

- 피하기종이 심해지면 clipping을 고집하지 말고 EMR을 종료한다.

2. 절개, 박리법의 경우[2)]

- Pin hole의 천공인 경우에는 모르는 수도 있다.
- 모르는 상태에서 시술을 진행하면 종격기종, 피하기종이 발생하므로, 정기적으로 피하기종의 유무를 촉진해서 확인한다.
- 고유근층에 손상을 입힌 경우에는 재빨리 clipping을 시행한다.
- 절개 · 박리법으로 인한 천공은 조직결손을 동반하지 않기 때문에 clipping으로 폐쇄하기가 쉽다.

치료 후

- 림프절 곽청술을 동반한 식도 아전 적출술 후에 천공부위가 새면 종격 전체에 염증을 일으키지만, 식도의 내시경적 점막절제술에서는 종격 곽청술을 시행하지 않기 때문에 섬유성 유착이 빨리 형성된다. 따라서 봉합을 하지 않아도 천공 부위가 빨리 닫히는 일이 많다.
- 금식, 경비위관 삽입, 항생제 투여 등의 보존적 치료를 추가한다.
- 대개 2일 안에 해열된다.
- 발열이 지속되는 경우에는 농흉(empyema), 농양을 감별하기 위해서 CT를 시행한다.
- 농흉, 농양이 발생한 경우에는 배농을 시행한다.[3)]
- 내시경으로 천공된 부위가 확인되지 않는 종격기종인 경우에는 일반적으로 3일째부터 경구섭취가 가능하다.

증례제시(흉부하부식도, 후벽 0-IIc형, m_1 암)

- 생리식염수를 약 3 *ml* 주입한 뒤, EEMR-tube 법을 사용해서 절제했다. 최대한 흡인을 한 후에 자른 첫 절제에서 천공이 발생했다(그림 ①).
- 천공의 지름은 약 12 ㎜로서 종격이 보였다.
- Clipping을 시행했지만 준비하는 동안에 피하기종, 종격기종이 심해졌다.
- 종격 압력이 증가됨에 따라서 식도내강이 유지되지 않아서 시야가 악화되었기에 clipping을 하지 않고 시술을 종료했다.
- 종료 직후의 흉부 X선에서 심한 종격기종, 피하기종을 확인했다(그림 ②).
- 식도조영술로 종격동으로 새는 것을 확인했다(그림 ③).
- 금식, 경비 식도관(nasogastric tube), 항생제 치료를 추가했다.
- 시술 후의 흉부 통증에 대해서는 진통제를 두 번 정맥주사했다.
- 수술 후 38℃ 대의 발열이 있었지만, 항생제를 정맥주사하였고 3일째에는 해열되었다.

- 5일후의 조영술 검사상 더 이상 새는 것이 없었고, 같은 날 내시경 검사상 천공부위가 육아조직으로 덮여 있었다(그림 ④⑤).
- 같은 날 경구섭취를 시작하여 7일째에 퇴원했다.

◘ 참고문헌

1) 小山恒男. 내시경적 식도점막절제술-시술방법의 대응. 幕內博康 편집. 식도, 위의 내시경적 점막절제술- 그 한계에 도전한다. 동경: 일본 메디탈 센터; 1997:55-63.
2) 小山恒男, 宮田佳典, 友利彰壽, 등. 내시경적 점막절제술에 의한 식도천공의 예방과 치료. 소화기내시경 2002;14:181-5.
3) 玉井拙夫. EMR의 합병증과 문제점. 일본소화기내시경학회 제10회 중점 졸업 후 교육 세미나 text. 2001:100-7.

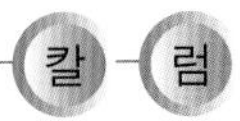

점막하 박리시의 출혈예방- 예방만한 대책은 없다

1. 점막하층을 잘 관찰한다.

선단 투명 hood로 점막을 누르고, 점막하층을 직시(直視)하면 점막하층의 혈관을 상세하게 관찰할 수 있다. 잘못해서 혈관을 자르거나 출혈이 발생하면 시야가 나빠져서 이후의 절개가 곤란해진다. 자르기 전에 잘 관찰하고 혈관의 유무를 확인한다. 선단투명 hood는 시야 확보에 도움이 된다.

2. 소혈관의 절개

얇은 혈관인 경우, hook knife나 침상(針狀) knife, IT knife를 접촉시켜서 forced coagulation 60W로 절개하면 출혈하지 않는다.

3. 중등도의 혈관절개

1 ㎜ 정도의 굵은 혈관은 forced coagulation으로 절개해도 출혈하기 때문에 보다 높은 전압으로 응고작용이 강한 argon plasma coagulation (APC) mode 60W로 자르는 것이 좋다. APC mode에서는 knife와 대극판(對極板) 사이에 수만 V의 높은 전압이 흐르므로 아주 짧게 통전을 해야 한다(그림 1).

4. 절개 전 혈관 응고법

2 ㎜ 이상의 혈관을 자를 때에는 절개 전 혈관 응고법을 시행한다. Hot biopsy forcep이나 지혈 겸자로 잡고 soft coagulation 40W로 2~3초간 전류를 가하면 혈관은 변성되어 소실되고, 그 후에 절개를 하면 출혈은 전혀 없다(그림 2).

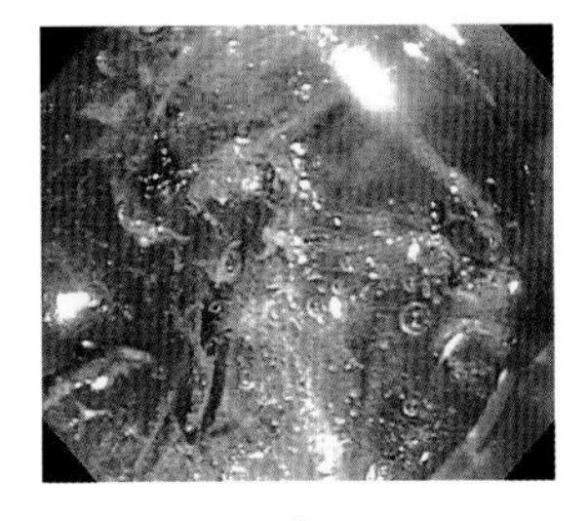

그림 1.
APC mode로 절개하면 이 정도의 혈관은 출혈하지 않는다.

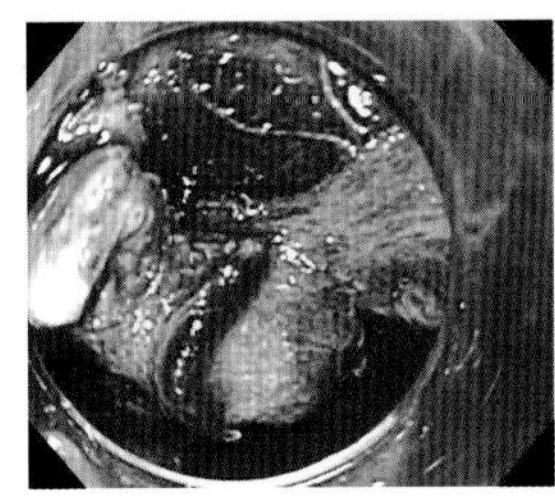
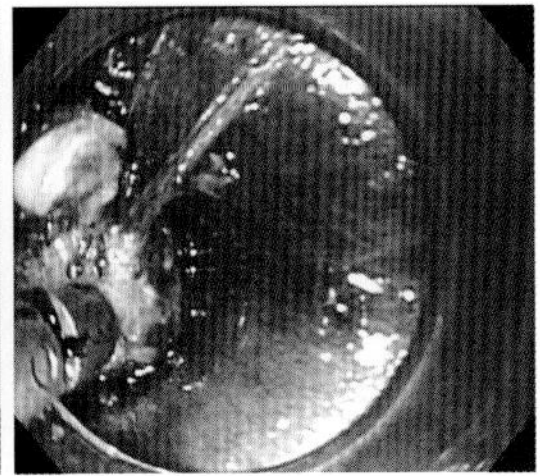

그림 2.
절개 전 혈관 응고법

제5장. 위 · 십이지장

1. 위 · 십이지장 출혈에 대한 처치
2. 위 용종절제술(gastric polypectomy)
3. 위의 내시경적 점막절제술(EMR)
   (1) Two channel method
   (2) Cap method
4. 위 천공에 대한 처치
5. 경피내시경적 위루술(PEG)
6. 유문부 협착에 대한 치료

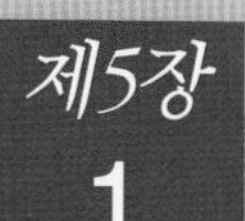

제5장 위 · 십이지장

1 위 · 십이지장 출혈에 대한 처치

처치의 흐름

- 혈관을 확보하고 전신상태를 파악한다.
- 환자의 병력, 상태, 검사결과로 출혈부위와 정도를 예측한다.
- **응급내시경 시행 여부의 판단:** 상부소화관 출혈이 의심되는 경우에는 환자의 상태가 아주 나쁘지 않은 한, 응급내시경 검사를 시행한다. 쇼크 상태일지라도 출혈량이 많아서 지혈이 안 되면 상태가 호전되지 않는 경우가 있는데 대량 수혈이나 수액을 주입하면서라도 가능한 검사를 시행한다.
- **인력의 확보:** 소화관 출혈은 주로 손이 모자라는 한밤중이나 휴일에 발생하는데 시술자가 혼자서 시행하는 것은 절대적으로 피해야 한다. 보조자가 반드시 의사여야 할 필요는 없지만, 내시경기사 등 처치의 보조에 능숙한 사람인 것이 좋다. 또한 보조자는 시술 중의 환자의 상태를 파악하고, 적절하게 시술자에게 보고하지 않으면 안 된다.
- **시술 중의 환자 관찰:** 시술 중의 환자 전신상태의 급격한 변화를 관찰하고, 적절한 조치를 취하기 위해서 심박수, 혈압, 산소포화도를 측정해야 한다.
- **사용하는 내시경의 선택:** 전방 직시경이 기본이다. 투명 hood를 부착함으로서 거의 모든 부위를 다룰 수 있다. 큰 지름을 가진 channel을 갖춘 처치용 내시경이 있다면 가장 좋다.
- **사용할 기구의 준비:** 사용할 가능성이 있는 것들을 사전에 알아보고 준비해 둔다. 구체적으로는 흡인기, nelatone catheter, 산소흡입기의 준비, 기관지 삽입관의 준비, 모니터 장치, overtube, 투명 hood, 대량의 가스콘 액, 오각 겸자, 삼각 겸자, snare, retrieval net, 생검 겸자, clip, 클립 장치, 국소 주사바늘, 순수 ethanol, hypertonic saline epinephrine (HSE), argon plasma coagulation (APC) 장치, heat probe 장치, endoscopic variceal ligation (EVL) 장치, ALTO (sodium alginate) spray, ALTO shooter 등이 있다.
- 또한 장치의 고장과 사용법의 미숙지로 인해서 당황하는 일이 없도록 항상 점검하고 사용법을 연습하는 것이 중요하다. 필요하다면 예비 기구를 준비해 놓는다. 장치의 원리와 구조를 이해하는 것은 갑자기 일이 발생했을 때 문제를 해결하는데 있어서 매우 중요하므로 다른 의료진이나 업자에게만 맡기면 안 된다.
- **출혈 부위의 검색**(뒤에서 기술)
- **지혈술 시행여부의 판단:** 출혈이 지속되고 있다면 지혈술의 적응증이 된다. 또한 저절로 지혈이 되어도 노출된 혈관이 있다면 재출혈될 가능성이 높으므로 지혈술의 적응증이 된다.
- **지혈술의 선택**(뒤에서 기술)
- **지혈술의 시행**(뒤에서 기술)
- **시술 후 관리:** 재출혈의 징후가 나타나지 않더라도 시술 후 24시간 이내에 내시경으로 다시 검사를 한다. 응급내시경 검사 시에 놓친 병변이 발견되기도 한다.
- 심박수, 혈압의 측정은 재출혈의 유무을 판단한 다음에 필요하다. 또한 재출혈의 가능성이 높다고 생각되는 경우에는 nasogastric tube를 꽂는다. 출혈량, 빈혈, 쇼크의 정도에 따라서 수혈, 수액, 산소,

ALTO spray 등을 투여한다. 소화성 궤양인 경우에는 proton pump inhibitor를 투여하면 효과적이다.

출혈부위의 검색

- Bleeding point를 밝힌다는 것은 지혈술 시행여부의 판단, 지혈술의 선택 및 시행에 있어서 중요하며, 가능한 세밀하고 명확하게 할 필요가 있다.
- 위저부와 위체부 대만(greater curvature)에는 응고된 혈액이나 음식물 찌꺼기가 저장되어 있을 수 있으므로, 출혈부위의 검색에 있어서 left decubitus position 뿐만이 아니라, supine position, right decubitus position, sitting position 등 체위 변경을 필요로 한다.
- Blood clot이 다량 존재하는 경우에는 overtube를 사용하여 내시경을 뺐다가 넣고, 흡인하여 제거하면 좋다. 또한 넓은 channel을 가진 내시경이 있으면 도움이 된다.
- Blood clot이 부착되어 있는 부분이 출혈 원인일 가능성이 높으므로, water jet나 처치 기구(삼각, 오각, snare, net 등)를 사용해서 제거해야 한다.
- Oozing 등의 비교적 소량의 출혈과 clip 지혈 중인 상태에서는 출혈부위를 밝히기 힘든 경우가 종종 있지만, 많은 양의 물을 뿌려서 물 속에서 관찰하면, 피가 연기처럼 뿜어져 나와 출혈부위를 알 수 있다.
- 혈액과 물이 많이 남은 상태에서는 관찰과 처치에 지장을 주거나 구토를 유발하므로 흡인해야 한다. 하지만 그런 상태에서는 blood clot이나 음식물이 뭉쳐 있어서 부드럽게 흡인되지 않는다. 이 경우에는 지름이 가는 처치기구를 channel 선단까지 넣은 상태에서 흡인을 하면, 약간 속도는 떨어지지만 부드럽게 흡인할 수 있다. 또한 blood clot만 있는 상태라면 비교적 큰 blood clot일지라도 흡인 버튼을 길게 누르면 흡인할 수 있다.

지혈법의 선택과 시행

아래에 대표적인 지혈법을 나열하고 설명한다.

1. 클립(clip)법

1) 원리(그림 1)

- 금속제의 클립을 사용하여 물리적으로 압박 지혈하는 방법으로, 클립이 손쉽게 잘 묶이기만 한다면 가장 확실하고 안전하다.

2) 종류

- 클립에는 standard, long, short의 세 종류(그림 2)가 있는데, 지혈술에는 짧은 클립이 적합하다. 왜냐하면 짧은 클립은 좁은 부위(pinpoint)를 강한 힘으로 좁힐 수가 있고, 너무 깊게 걸리지 않으며, 많은 수의 클립을 묶어도 클립이 짧아서 조작에 방해가 되지 않기 때문이다.
- 내시경적 점막절제술로 인한 인공궤양으로부터의 출혈과 Mallory-Weiss 증후군 등의 열창으로부터의 출혈 시에 궤양과 열창을 봉합하는 경우나, 작은 궤양으로부터의 출혈로 주변의 정상점막을 같이 클립으로 묶는 경우에는 긴 클립이 적합하다.

3) 적응증

- 굵은 노출 혈관의 파열에 의한 분출성 출혈 등 출혈부위가 명확할 때 효과가 있다.
- 가장 좋은 적응증은 내시경적 점막절제술 직후의 출혈과 작은 궤양으로부터의 출혈 등 유연하고 탄력성이 좋은 조직에 클립을 묶을 수 있는 경우이다.
- 시간이 지나서 궤양 기저부가 단단해지고 비교적 두꺼워져도, 출혈 발생시 클립을 묶을 수만 있으면 지혈할 수 있다.
- 모세혈관의 파열이나 전신적인 출혈성 경향에 의한 미만성 출혈에는 효과가 없다.
- 종양의 괴사 병소 등 유연하고 상당히 두터운 부분으로부터의 출혈은 적응증이 되지 않는다.
- 깊은 궤양의 기저부에 강하게 대고 눌러서 깊이 묶

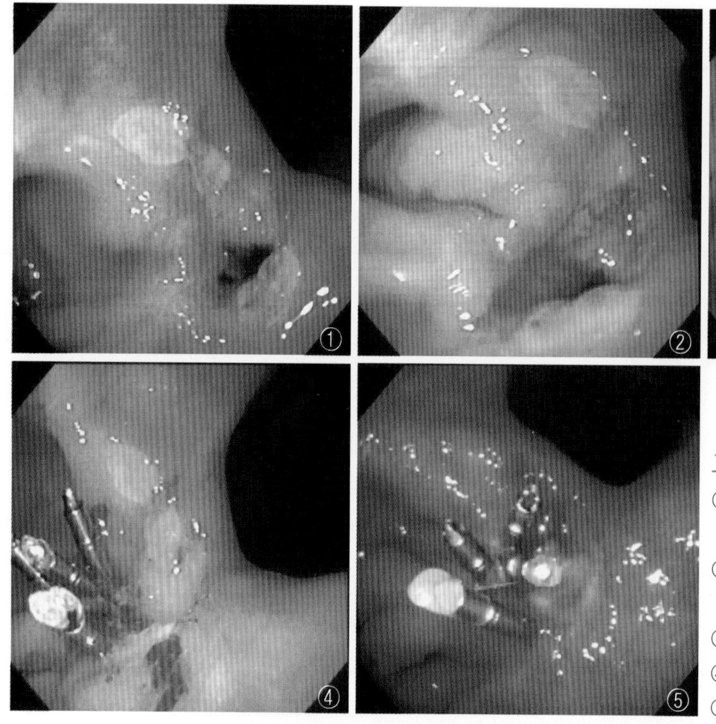
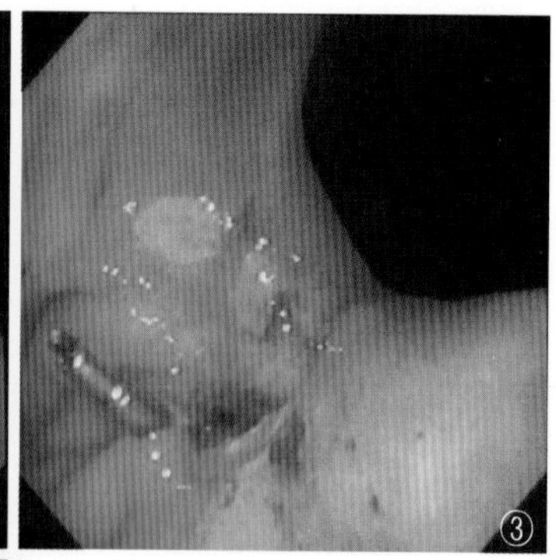

그림 1. 클립법에 의한 지혈

① 위체부 상부 대만에 노출혈관이 있는 얕은 궤양이 보인다.
② 노출혈관에서 피가 스며 나오는 것이 보인다.
③ 노출혈관에 clipping을 시행했다.
④ Clipping으로 지혈이 되었다.
⑤ 5일 후, 노출 혈관이 소실되었다.

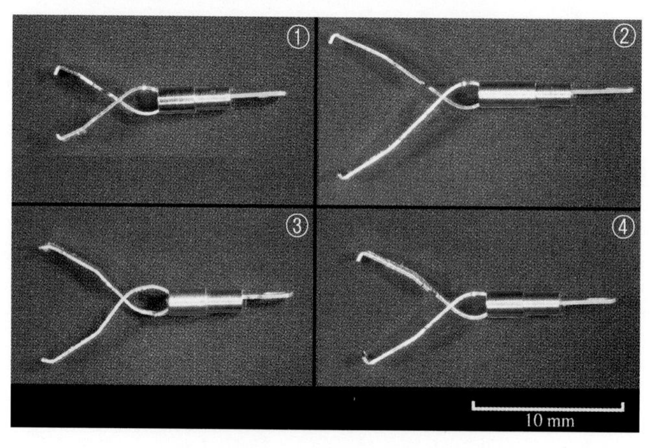

그림 2. 클립의 종류(Olympus사 제품)

① Short clip: grasping part의 길이 7 ㎜, tip (클립 끝에 꺽인 부분)의 각도 90도(HX-600-090S)
② Long clip: grasping part의 길이 10.5 ㎜, tip의 각도 90도(HX-600-090L)
③ Standard clip (지혈용): grasping part의 길이 9 ㎜, tip각도 135도(HX-600-135)
④ Standard clip (marking용): grasping part의 길이 9 ㎜, tip각도 90도(HX-600-090)

을 경우, 천공의 위험성이 있다.

4) 수기의 포인트

- 클립으로 묶는 경우에는 출혈부위를 가능한 똑바로 바라본 상태에서 혈액이 화면에 닿지 않을 정도로 접근하고, 각도나 내시경을 회전시켜 출혈부위에 가능한 수직이 되도록 잡고, 클립을 강하게 대고 누

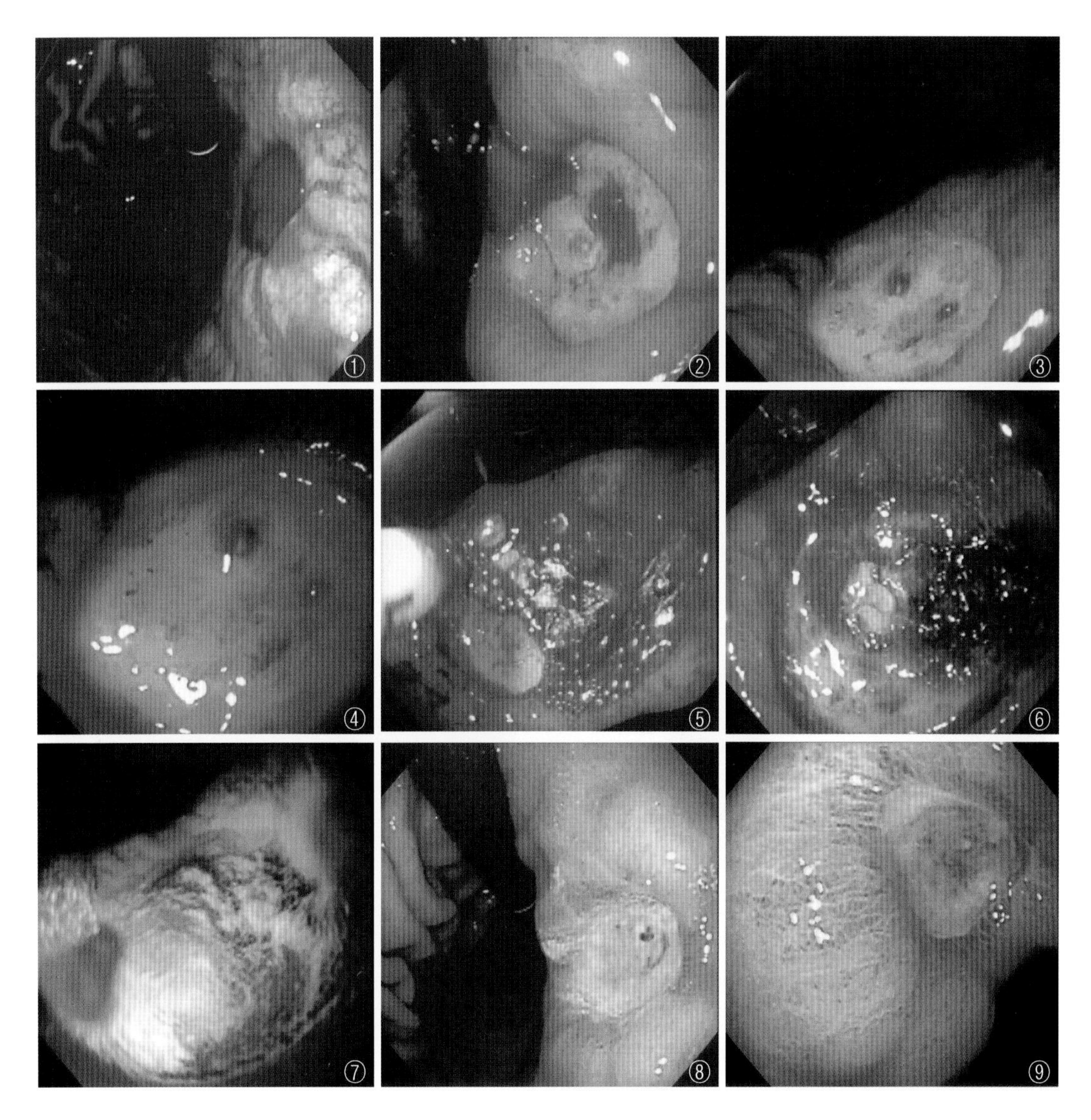

그림 3. Argon plasma coagulation (APC) method에 의한 지혈

① 위체부 하부 소만에 fresh blood clot이 부착된 궤양이 보인다.
② Blood clot을 제거하니 피가 스며 나오는 혈관이 노출되었다.
③ 물로 씻어내는 사이에 출혈은 가라앉았다.
④ 노출 혈관은 궤양 기저부의 중앙에 있어서 클립 결찰술이 곤란할 것으로 예상되었다.
⑤ APC를 시행하였으며 시행하는 중에 재출혈이 발생했지만 최종적으로는 지혈되었다.
⑥ APC를 마친 시점으로 노출되었던 혈관이 응고되어 있다.
⑦ ALTO spray를 뿌리고 종료했다.
⑧ 2일 후, 노출혈관은 소실되었다.
⑨ 10일 후, 궤양이 축소된 것을 확인할 수 있었다.

르면서 묶는다.

- 출혈부위의 주위가 섬유화 등으로 단단해져서 클립이 묶이지 않는 경우에는 처음부터 클립을 조금씩 묶어 나가면서 여러번 강하게 눌러가며 묶는 것이 좋다.
- 클립을 장치에서 분리할 때는 무턱대고 잡아당기지 말고, 안 쪽의 hook를 가볍게 누르면서 천천히 당겨서 뽑는다. 클립 시술의 실패 중 가장 많은 원인이 클립과 기구 분리시의 난폭한 조작으로 어렵게 묶인 클립이 떨어져 나갈 수도 있다. 경우에 따라서는 클립과 함께 표면의 조직도 탈락하여 더욱 출혈을 조장하는 일도 있으므로 세심한 주의를 해야 한다.
- 지혈에 성공한 경우에도 클립이 하나라도 떨어지면 재출혈이 발생할 위험성이 있으므로, 다른 방향에서 여러 개의 클립을 묶어서 보강해 주면 좋다. 다만 재출혈이 발생하였을 때 많은 클립이 묶여 있으면 지혈에 방해가 되므로 주의해야 한다. 기본적으로는 클립 하나로 지혈시키고, 그 후에 보조적으로 한 두개 정도 더 추가하는 것이 좋다.

2. Argon plasma coagulation (APC) method (그림 3)

1) 원리, 종류

- 이온화된 전기전도성을 가진 argon gas에 고주파 전류를 흘려서 조직을 응고시키는 방법이다.
- 고주파 전류가 조직 속에서 발열을 일으켜서 응고, 건조 등의 열 효과를 나타낸다. 건조가 되어 조직 표면이 전기전도성을 상실하면 plasma beam은 전기전도성을 가진 다른 부위로 향하게 되므로 일정한 깊이로 응고가 된다.
- Plasma beam의 방향은 argon gas가 흐르는 방향과는 무관하므로 applicator의 선단과 병변은 어떤 각도라도 좋다.

2) 적응증

- 얇고 넓은 범위를 지혈할 때 적당하다. 좋은 적응증으로는 모세혈관의 파괴 등에 의한 미만성의 출혈이나 부드럽지만 두꺼운 종양 표면으로부터의 출혈 등이 있다.
- 굵은 노출혈관의 파괴에 의한 분출성 출혈은 적응증이 되지 않는다.
- 일반적인 사용법만으로 근층까지 응고되는 일은 없으며 천공의 위험성이 적다.

3) 수기의 포인트

- 일반적으로 고주파는 34W, argon gas는 2 l/min으로 충분하다.
- Applicator 선단을 벽에 댄 상태에서 argon gas를 넣으면 intramural emphysema이 발생하는 경우가 있어서 주의가 필요하다.
- 출혈부위 혹은 시술예정 부위에서 applicator의 선단을 3 ㎜ 정도 떨어뜨린 뒤에 전류를 가한다.
- 대량의 argon gas가 소화관 내로 들어오기 때문에 적극적으로 흡인해야 한다.

3. 순수 ethanol 국소주입법

1) 원리, 종류

- 순수 ethanol에 의한 탈수와 고정 작용을 이용하여 파열된 노출혈관을 수축시키고, 혈관내피세포를 손상시켜 혈전을 형성시켜서 지혈시킨다.
- 조직 괴사로 인하여 궤양이 커지므로 주입량과 깊이에 주의할 필요가 있다.

2) 적응증

- 노출 혈관으로부터 출혈이 발생했을 때, 클립지혈법이 곤란하거나 불충분한 경우에 적응증이 된다.

3) 수기의 포인트

- 노출 혈관의 주위에 순수 ethanol을 0.1~0.2 ㎖씩 1~2회 얕게 주사하고, injection needle을 뺀 뒤 sheath로 압박하고 0.05~0.1 ㎖씩 얕게 주사한다. 이를 2~3군데에 시행하고 노출 혈관이 백색 혹은 적갈색으로 변할 때까지 0.05 ㎖씩 순차적으로 반복하여 국소 주입한다.

중요포인트

- ☞ 인력을 확보한다. 절대로 시술자 혼자서 시술하지 않는다.
- ☞ 사용할 가능성이 많은 기구는 바로 사용할 수 있도록 준비해 둔다. 다른 사람에게 맡기지 않고, 평소에 스스로 기기의 용도에 대하여 알아 놓는다.
- ☞ 출혈부위는 가능한 작고 명확하게 한다.
- ☞ 내시경적 지혈의 첫 선택은 기본적으로 클립 결찰술이다. 클립 결찰술의 적응증이 되지 않는 경우나 시술이 잘 되지 않는 경우에는 다른 방법을 고려한다.
- ☞ 클립을 묶을 때는 가능한 한 수직방향으로 힘을 주고, 장치에서 뺄 때는 안쪽의 hook를 천천히 조심스럽게 푼다.

- 순수 ethanol의 총주입량은 위에서는 약 2 *ml*, 십이지장에서는 약 1 *ml*를 초과하지 않도록 한다.

4. Hypertonic saline epinephrine (HSE) 국소주입법

1) 원리, 종류

- 에피네프린에 의한 혈관수축 작용과 고장식염수에 의한 조직의 섬유화, 혈관벽의 fibrinoid 변성, 혈전형성으로 지혈된다.
- 순수 ethanol에 비해서 조직 손상은 적지만 지혈하는데 필요한 주입량은 많다.

2) 적응증

- 비교적 작은 노출 혈관에서 출혈되었으나 클립 지혈법이 곤란한 경우 또는 불충분한 경우나 oozing과 모세혈관의 파열 등의 미만성 출혈인 경우를 비롯하여 적응증의 범위가 넓다.

3) 수기의 포인트

- 출혈부위가 명확하지 않은 경우에는 5% NaCl 20 *ml*에 0.1% epinephrine 1 *ml*을 추가한 것을 한번에 4 *ml*씩 여러 차례 병변에 국소적으로 주입한다. 총주입량은 위에서는 30 *ml*, 십이지장에서는 15 *ml*를 넘기지 않도록 한다.
- 출혈부위가 명확한 경우에는 그 근처에 10% NaCl 20 *ml*에 0.1% epinephrine 1 *ml*을 추가한 것을 한번에 1 *ml*씩 여러번 주사한다. 총주입량은 위에서는 10 *ml*, 십이지장에서는 5 *ml*를 넘기지 않도록 한다.

5. Heat probe method

1) 원리, 종류

- 선단부에 발열 다이오드가 내장된 probe가 있다. 이를 출혈부에 대고 누르면서 조직을 열로 응고시켜서 지혈한다.
- Probe를 댈 수만 있다면 시행할 수 있으므로 출혈부위의 위치에는 거의 영향을 받지 않는다.

2) 적응증

- 비교적 작은 노출 혈관으로부터의 출혈로, 클립 지혈법이 곤란하거나 불충분한 경우나 oozing과 모세혈관의 파열 등의 미만성 출혈에 이르기까지 적응범위가 넓다.
- 과도한 응고로 인한 천공에 주의한다.

3) 수기의 포인트

- Probe 선단에서 water jet를 쏘아서 시야를 확보하면서 출혈된 부위에 probe 선단을 대고 누른다. 지혈될 때까지 20~30J로 여러번 연속적으로 가열한다.
- 열 응고된 조직이 벗겨지지 않도록 물을 뿌리면서 천천히 probe를 뗀다.
- 지혈에 성공하면 출혈부위의 주변에도 충분히 가열응고를 한다.

6. 결찰법

- EVL device를 적용한 것으로, 출혈부위를 O-ring으로 결찰하고 지혈한다.
- Mallory-Weiss 증후군과 위식도 접합부 근방의 분

문부의 작은 궤양으로부터의 출혈로 클립으로 지혈하기가 위치적으로 어려운 경우에 적응증이 된다.
- O-ring의 조기탈락에 의한 재출혈에 주의한다.

7. 약제 산포법

- 지혈제를 뿌리는 방법이 있지만, 노출 혈관의 출혈에는 효과가 없다. 약한 oozing과 모세혈관성 출혈에 적응할 수 있지만 다른 방법과 병용하는 경우가 많다.
- ALTO spray, thrombin 등이 사용된다.

◘ 참고문헌

1) 蜂巣 忠, 中尾輝男, 鈴木直人. 상부소화관 출혈에 대한 내시경 클립 지혈법(개량형 클립의 개발과 사용 경험). Gastreoenterol Endosc 1985;27:276-80.
2) 淺木 茂, 西村敏明, 岸井修一 등. 소화관 출혈에 대한 조직응고법-99.5% 에탄올 국소주입 시도하기. Gastroenterol Endosc 1981;23:792-9.
3) 平尾雅紀, 등. 상부소화관 출혈에 대한 내시경적 hypertonic sodium-epinephrine 국소주입법. II 임상응용의 실제와 그 치료성적. Gastroenterol Endosc 1982;24:234.
4) Grund KE, Storek D, Farin G. Endoscopic argon plasma coagulation-first clinical experiences in flexible endoscopy. Endosc Surg Allied Technol 1994;2:24-46.
5) Farin G, Grund KE. Technology of argon plasma coagulation with particular regard to endoscopic applications. Endosc Surg Allied Technol 1994;2:71-7.

2 위 용종절제술

용종절제술의 적응증

- 위 용종은 과형성 용종과 위저선 용종(fundic gland polyp)으로 크게 나뉘는데, 용종절제술의 대상은 융기된 과형성 용종이다.
- 용종의 표면으로부터 출혈이 있어서 빈혈을 유발하는 용종.
- 크기가 비교적 커서 focal cancerous change가 의심되는 용종으로 지름이 1 ㎝가 넘는 병변에서는 일부에 악성 변화가 관찰되는 경우가 있다(표 1).[1)]
- 용종이 십이지장 구부로 들어가서 마치 유문이 협착된 것 같은 증상을 나타내는 용종.
- 부정수소(不定愁訴; 원인을 모르는 문제 발생시 원인으로 추정되는)로 생각되는 용종.

용종절제술의 수기(그림 1,2)

- 내시경을 삽입한 후, 위 속에 있는 위액을 흡인한다. 이는 만약에 천공이 발생했을 경우에 위액이 유출되는 것을 막기 위해서이다.
- 병변에서 내시경이 멀어지지 않도록 내시경을 잡는다.
- 용종 기저부를 snare로 묶고, 내강측으로 잡고 든다. 용종줄기가 굵고 거대한 유경성 용종은 detachable snare를 사용해서 미리 출혈을 예방한다.
- Snaring 후 혈액이 차단되어 용종 두부(頭部)가 보라색으로 변할 때까지 묶는다. 너무 강하게 묶으면 전류를 가하기 전에 잘릴 수 있으므로 주의한다.
- Snaring 후 공기를 넣고 위를 충분히 펴서 응고전류 혹은 혼합전류로 절제한다. PSD-20 (Olympus사 제품)으로 cutting mode 25W, coagulation mode 25W으로 한다.
- 절제된 단면을 확인하고, 출혈부위가 발견되면 clipping, 순수 ethanol 국소주입, aethoxysklerol 국소주입 등으로 지혈한다.
- 회수 겸자(retrieval forcep)를 사용해서 절제표본을 회수한다.

표 1. 위 과형성 용종의 최대 지름별 암화율(癌化率)

최대 지름(mm)	증례수	암화율(%)
~9	170	0(0)
10~19	253	6(2.4)
20~29	96	5(5.2)
30~	23	1(4.4)

[長南明道 등. 위 과형성 용종에서의 암화율의 검토. Gastroenterol Endosc 1989;31:344-50][1)]

피해야 하는 snaring

- Snare의 선단이 다른 부위에 닿아 있을 때- 천공의 원인이 된다.
- 정상 점막이 많이 묶였을 때- 천공의 원인이 된다.
- 묶은 위치가 너무 깊을 때- 천공의 원인이 된다.
- 묶은 뒤, 지나치게 내강측으로 들어올릴 때-기계적 절제(전류를 가하기 전에 용종이 미리 잘리는 것)의 원인이 된다.
- 세게 묶을 때- 기계적 절제의 원인이 된다.

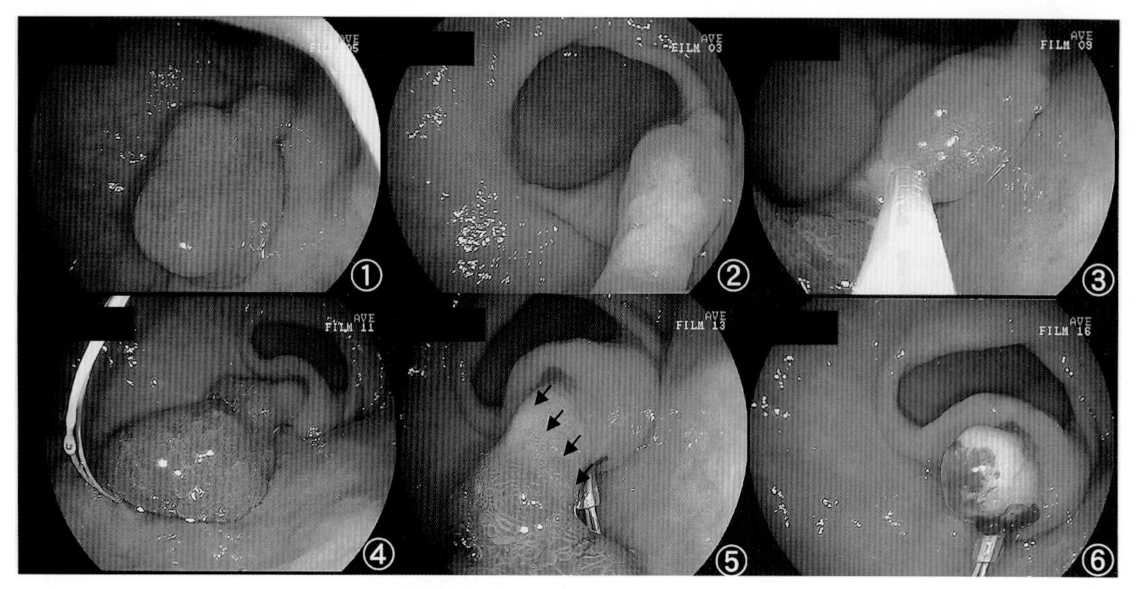

그림 1. 위 용종절제술의 수기(1)

① 위전정부 대만에 최대 지름 25 ㎜ 크기의 Yamada type IV 용종이 있다. ② 용종의 경부가 관찰된다.
③ Detachable snare로 용종 경부를 묶는다. 가능한 경부의 부착부에 묶을수록 좋다.
④ 용종 두부의 허혈을 확인한다.
⑤ Detachable snare와 약간의 거리를 두고, 용종의 화살표 부분에 snare를 걸고 혼합전류로 병변을 절제한다. 과도하게 묶을 경우, 기계적 절제의 원인이 되므로 주의한다.
⑥ 절제부위를 확인한다. (자료제공: 渡辺 千之, 히로시마병원)

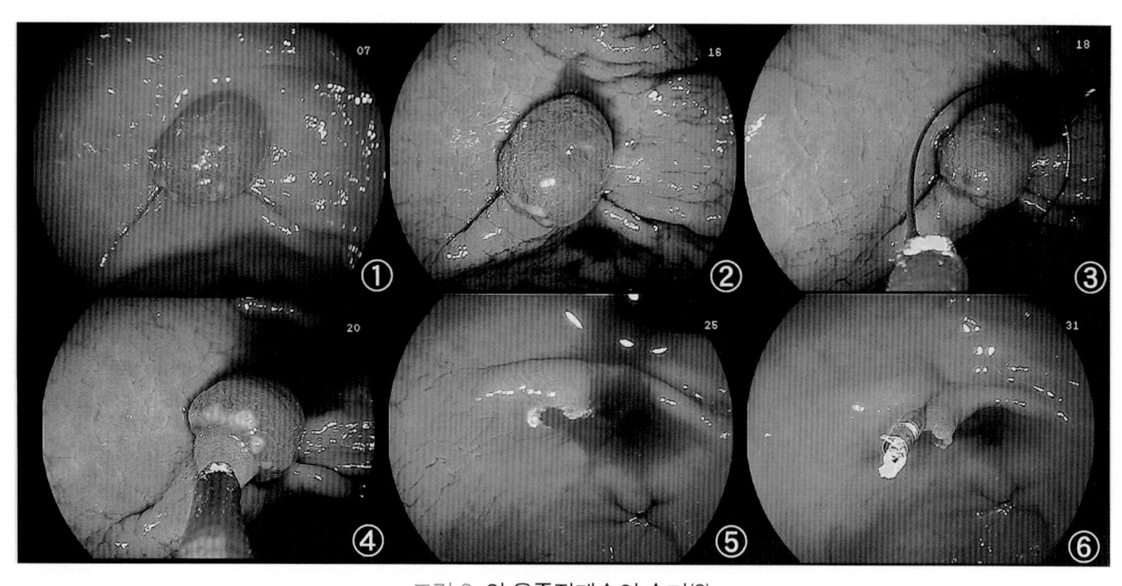

그림 2. 위 용종절제술의 수기(2)

① 위전정부 소만에 지름 12 ㎜ 크기의 Yamada type III 용종이 보인다. ② Indigo carmine을 뿌린 모습
③ 내시경이 병변에서 너무 떨어지지 않도록 내시경을 잡으면서 정확하게 snaring을 한다.
④ 용종 기저부에 걸쳐서 forcep snaring를 하고, 혼합전류로 병변을 자른다. 과도하게 묶으면 기계적 절제의 원인이 되므로 주의한다.
⑤ 절제 후 궤양의 기저부에서 출혈이 보였다. ⑥ 클립으로 지혈했다.

중요포인트

☞ 위의 과형성 용종은 유연하여 쉽게 출혈이 되므로 지혈처치를 충분히 익히고 모든 지혈처치가 가능한 상황에서 치료를 한다.
☞ 치료의 필요성, 수기, 합병증 등에 관해서는 동의서(informed consent)를 이용하여 충분히 설명한 뒤에 치료를 한다.
☞ 시술 전에 출혈 경향의 유무를 반드시 확인한다. 항혈소판과 항응고제의 복용을 확인하고, 복용 중이면 약물을 당분간 중단한다.

시술 후 관리

- 시술 당일 혹은 다음날 금식, 침상안정
- Proton pump inhibitor 또는 H_2 blocker, 지혈제의 경정맥내 투여
- 다음날 식사를 죽으로 시작한다. 중지했던 항응고제도 다시 복용하기 시작하고 항응고제 이외의 다른 약물은 금식 중에도 복용한다.
- 치료 후에는 위궤양에 준해서 치료를 한다.

합병증[2),3)]

1. 출혈

- 불충분한 통전으로는 혈관응고가 부족하여 출혈의 원인이 된다.
- 시술 전에 출혈성 경향의 유무를 확인한다. 항혈소판제와 항응고제의 복용 여부를 확인하고, 복용 중이라면 약물을 먼저 중단한다(표 2). 약물 복용을 다시 시작할 때는 출혈에 주의한다.

표 2. 항혈소판제, 항응고제의 중지 기간

일반명	기간(일)
Ticlopidine hydrochloride	10~14
Aspirin	7~10
Cilostazol	7~10
Warfarin potassium	5

2. 천공

- 과도한 전류, snare 선단의 다른 부위로의 접촉, 같이 묶인 정상 점막 등은 천공의 원인이 된다.

◘ 참고문헌

1) 長南明道, 望月福治, 池田 卓, 등. 위 과형성 용종의 암화 예의 검토. Gastroenterol Endosc 1989;31:344-50.
2) 枝 幸基. 4)용종절제술-a. 상부소화관(식도, 위, 십이지장). 소화기내시경의 합병증-그 치료와 예방 및 예측. 동경: 의약저널사;1996:216-20.
3) 田村忠正, 田中信治, 春間 賢, 등. 위 병변의 내시경적 절제에 있어서의 합병증에 관한 검토-히로시마 소화기내시경 치료연구회 앙케이트 집계. 히로시마의학 2001;54:290-6.

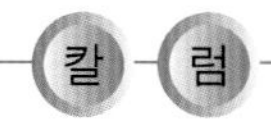

조직 회수법

1. 종양 절제표본의 회수

회수용(retrieval) grasping forcep의 대표적인 것으로는 그림에 있는 대로 위로부터 5각(3각)형, basket 형, net 형 등이 있다. 5각(3각)형 grasping forcep은 용종절제술 표본을 회수할 때 자주 사용되지만, 너무 강하게 잡으면 병변이 사라지기 쉽다. 반대로 약하게 잡으면 회수할 때 병변을 잃어버리는 일도 있어서, 적당하게 잡는 것이 중요하다. 또한 5각(3각)형 grasping forcep을 사용하면 큰 병변이 통과할 때 부서지기 쉬우므로 무리하지 않도록 주의를 한다. 이런 단점을 보완할 목적으로 basket type grasping forcep이 사용되어 왔지만, 5각(3각)형 grasping forcep과 마찬가지로 병변이 없어지기 쉽다는 단점이 있다.

현재는 net type grasping forcep이 자주 사용된다. Net type grasping forcep은 병변에 손상을 주지 않고 확실히 잡을 수 있어서 회수가 용이하며 큰 병변의 원위부도 쉽게 통과한다. 또한 많은 수의 용종절제 표본과 다분할 절제표본을 한번에 회수할 수 있으므로 반드시 필요한 기구이다.

병변을 suction polyp trap (Olympus사 제품)을 사용해서 물과 함께 내시경의 겸자공을 통과시켜 흡인하는 방법도 있다. 지름 8 ㎜ 미만의 작은 병변이 적응증이지만 큰 병변은 꺾어져서 사라지는 경우도 있어서 일반적으로 많이 사용되지는 않는다.

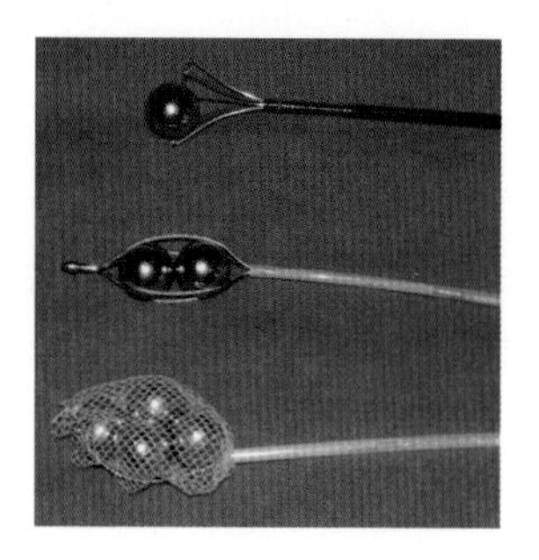

2. 소화관 이물의 회수

소화관 이물에는 여러 종류가 있으나 잘못해서 삼킨 상부소화관 이물이 대부분이다. 이물 회수 시 주의해야 하는 이유는 이물로 인해서 위식도 접합부와 식도입구부 등의 생리적 협착부가 손상되는 것을 막기 위해서이다. 직접 회수해도 열창을 일으킬 위험성이 없는 경우에는 내시경적 점막절제술 시에 사용하는 큰 grasping forcep과 basket type retrieval forcep으로 회수하면 충분하지만, 날카롭고 딱딱한 생선가시 등을 그대로 회수하기에는 위험하다. 투명 hood를 내시경에 장착하고, 예리한 부분을 잡고 내시경 선단부로 밀어 넣어 회수하는 등의 노력이 필요하다. 투명 hood가 없는 경우에는 고무장갑의 손가락 부분을 가위로 잘라서 tape로 내시경 선단부에 부착하여 hood 대용으로 사용하면 도움이 된다.

3 위의 내시경적 점막절제술(EMR)
(1) Two channel method

- Two channel scope으로 snare와 grasping forcep을 사용해서 점막을 절제하는 방법으로 endoscopic mucosal resection (EMR) 혹은 strip biopsy[1]라고 부른다.
- 점막절제술이라고 하는 것은 점막하층에 액체를 주입하고, 부풀린 병변을 grasping forcep으로 잡으면서 snaring을 해서 고주파 전류로 병변을 절제하는 방법이다(그림 1).
- 사용하는 주요 grasping forcep으로는 조직을 잡기 쉬운 V type alligator forcep (그림 2)과 조직의 파괴가 적은 V type forcep (그림 3)의 두 종류가 있고, 이외에도 열린 폭의 길이가 다양한 여러 종류의 겸자가 있다.
- V type alligator forcep은 점막을 제대로 잡기에 적합하다.
- V type forcep은 병변 자체를 잡을 때 자주 사용된다.

일괄 절제법

- EMR의 기본수기이다.

1. 적응증

- 일본위암학회의 "위암 치료 guideline"[2]에 의하면 EMR의 절대적인 적응증은 최대 지름이 20 ㎜ 이하이면서 궤양을 동반하지 않은 분화형 점막내암(differentiated intramucosal tumor)이다.

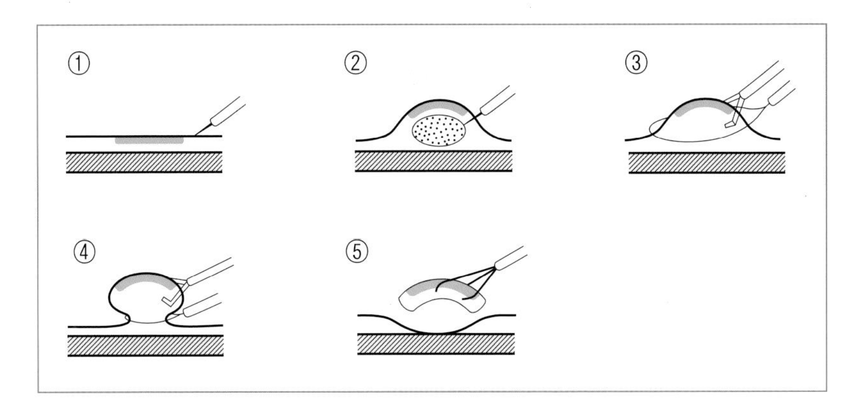

그림 1. EMR의 실제

① 병변의 점막하층을 국소주사 바늘로 찌른다.
② 생리식염수를 주입한 뒤, 충분히 병변이 부풀어 오른 것을 확인하다.
③ 병변 혹은 그 근처를 잡고 들어서 snare로 병변을 묶는다.
④ 절개, 응고 혼합 전류로 절제한다.
⑤ 절제된 병변을 회수 겸자로 회수한다(Grasping forcep으로 잡은 상태에서 회수해도 된다).

그림 2. V type alligator forcep

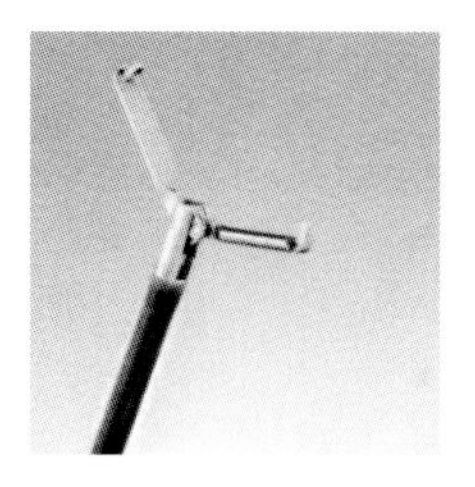

그림 3. V type forcep

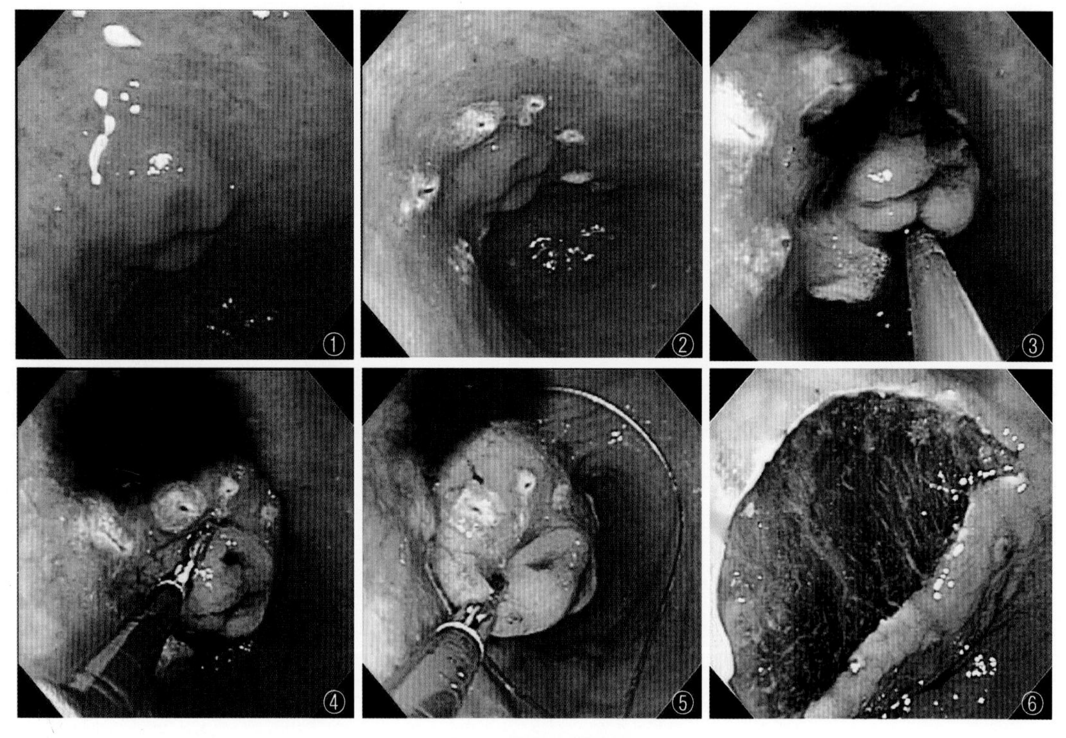

그림 4. 일괄절제의 예

① 전정부 소만에 10 ㎜ 크기의 IIa 병변이 있다.
② 시술 중에 병변의 범위를 놓치지 않기 위해서는 병변의 주위에서 최소한 5 ㎜ 이상 떨어진 전체 둘레에 marking을 해야 한다.
③ 병변의 점막하층에 indigo carmine과 극소량의 보스민이 혼합된 생리식염수를 주입한다.
④ Snare 속에 grasping forcep을 넣고, forcep으로 병변 근처를 잡는다. 이 때 병변을 들어올리기 위해서 병변과 내시경 사이에 어느 정도거리를 둔다.
⑤ 잡은 병변을 들어 올리면서 snaring을 시행한다. 이 때, snare를 너무 붙이면 snare의 선단이 위로 휘어져서 잘 잡지 못하므로 snare를 대고 누르는 힘을 적당히 조절한다. 절제 시에는 절개 · 응고의 혼합전류를 사용한다.
⑥ 절제한 후에는 충분히 공기를 넣고, 궤양 기저부를 잘 관찰하여 근층의 단열(斷裂)과 노출 혈관이 없는지를 확인한다.

2. 수기의 실제 예(그림 4)

- 처치 중에 병변의 범위를 놓치지 않기 위해서 병변 주위에서 최소한 5 ㎜ 이상 떨어진 부위의 전체 둘레에 marking을 한다.
- Marking은 바늘 모양의 메스나 snare의 선단을 이용해서 응고 전류 혹은 argon plasma coagulation

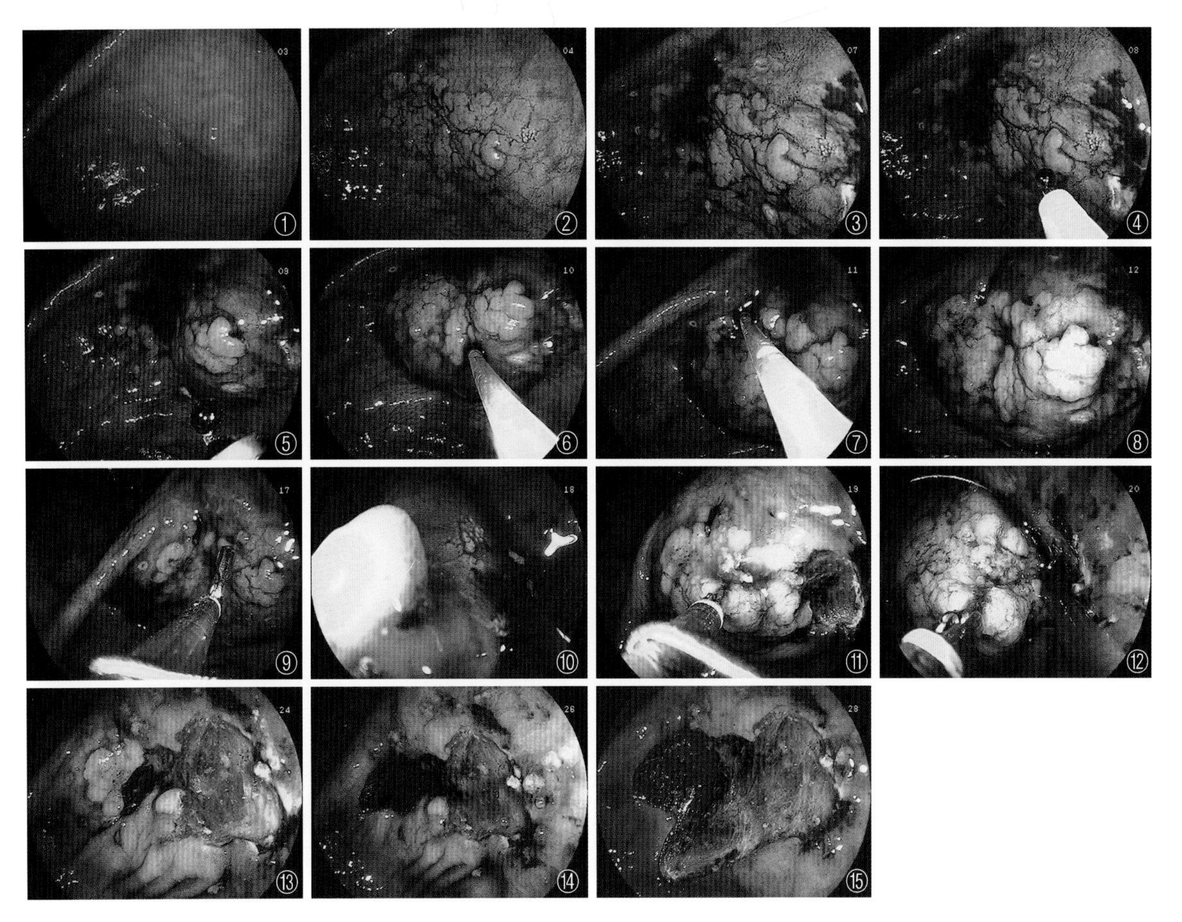

그림 5. 분할절제의 예

① 전정부 소만 후벽에 35 ㎜ 크기의 IIa 병변이 있다.
② 병변에 indigo carmine 액을 뿌린 소견
③ 시술 중에 병변의 범위를 놓치지 않기 위하여 병변에서 최소한 5 ㎜ 이상 떨어진 전체 둘레에 걸쳐서 marking을 시행한다.
④ 병변의 점막하층에 indigo carmine과 극소량의 bosmin이 혼합된 생리식염수를 주입한다.
⑤ 병변 후벽 측에 국소주입을 마친 후의 소견
⑥ 병변의 원위부에 국소주입을 추가한다.
⑦ 이어서 병변의 근위부에 국소주입을 추가한다.
⑧ 국소주입 완료.
⑨ Snare 속에 grasping forcep을 넣고, forcep으로 병변의 후벽 측을 잡는다.
⑩ 잡은 병변을 들어 올리면서 snaring을 한다. 이 때 snare를 너무 세게 대고 누르면 snare 선단이 위로 휘어지기 때문에 잘 잡을 수 없으므로 snare를 누르는 힘을 적당히 조절한다. 절제 시에는 절개, 응고의 혼합전류를 사용한다(제1 절제).
⑪ 남은 병변의 중심을 잡고 같은 방법으로 snaring을 한다.
⑫ 이 때 snare를 너무 대고 누르면 snare의 선단이 위로 휘어지기 때문에 잘 잡을 수 없으므로 snare를 대고 누르는 힘을 적당하게 조절하여 같은 방법으로 절제한다(제2 절제).
⑬ 제2 절제 종료 시의 절제부 궤양.
⑭ 전벽 측 절제 후(제3 절제).
⑮ 중심의 원위부를 추가절제한 후(제4 절제). 이상으로 4분할 절제가 되었는데, 절제 후에는 충분히 공기를 넣고 궤양 기저부를 잘 관찰하여 근층의 단열(斷裂)과 노출 혈관이 없는지를 확인하고 치료를 마친다.

중요포인트

- ☞ 병변의 범위를 놓치지 않기 위해서 병변에서 최소한 5 ㎜ 이상 떨어진 곳의 전체 둘레에 marking을 한다.
- ☞ 병변을 잡고 snaring을 할 때에 병변을 들어올리기 위해서 충분히 내시경과의 거리를 확보한다.
- ☞ Snaring을 할 때 snare를 너무 대고 누르면 snare 선단이 위로 휘어지므로 snare를 대고 붙이는 힘을 적당히 조절한다.
- ☞ Snaring이 완료되면 snare를 움직여서 근층을 잡지 않았는지를 확인한다.
- ☞ 절제 시에는 절개 · 응고의 혼합 전류를 사용한다.
- ☞ 절제 후에는 충분히 공기를 넣고, 궤양의 기저부를 잘 관찰하고, 근층의 단열이나 노출된 혈관이 없는 것을 확인한다.
- ☞ 절제표본을 회수 겸자로 회수하고, 스티로폼이나 고무판에 핀으로 늘려서 고정한다.

(APC) 등으로 시행한다.

- 바늘 모양의 메스를 직접 대고 고출력 전류를 가하면 천공이 발생할 수 있으므로 주의한다.
- 병변의 점막하층에 액체를 주입한다.
- 생리식염수가 일반적으로 사용되지만, 그 속에 indigo carmine과 극소량의 bosmin (20 ㎖당 한 방울)을 섞으면 국소주입된 부위가 잘 보일 뿐만 아니라, bosmin의 정상혈관 수축작용에 의해서 병변의 범위가 보다 명료해진다.
- Snare를 열고, 그 속으로 grasping forcep을 통과시킨다.
- 이어서 병변을 잡는다. 이 때 병변과 내시경의 거리를 충분히 확보한다.
- 병변과 내시경간의 거리를 확보하지 않으면, 잡은 병변을 당겨서 들어올릴 공간이 확보되지 않는다.
- 잡은 병변을 들어올리면서 snaring한다.
- 이 때 snare를 너무 대고 누르면 snare 선단이 위로 휘어져서 제대로 조일 수가 없으므로 snare를 누르는 힘을 적당히 조절한다.
- Snaring이 끝나면 snare를 움직여서 근층을 잡지 않았는지를 확인한다.
- 절제할 때는 절개 · 응고의 혼합 전류를 사용한다. PSD-20 (Olympus사 제품)으로 cutting mode 25W, coagulation mode 25W로 한다.
- 절제 후에는 충분히 공기를 넣어 궤양의 기저부를 잘 관찰하고, 근층의 단열(斷裂)과 노출 혈관이 없는지를 확인한다.
- 절제 표본을 회수 겸자로 회수하고, 스티로폼이나 고무판에 핀으로 당겨서 평면으로 고정한다.

분할절제법

1. 적응증

- 일본위암학회의 "위암치료 guideline"의 EMR 절대 적응증보다 크기가 큰 병변이 분할절제의 일반적인 적응증이다.
- 분할절제 시에는 절제표본을 재구성하기가 어렵고, 일반적으로 일괄절제에 비해서 국소 재발율이 높다.
- 처음 시술하는 의사가 쉽게 할 수 있는 수기가 아니므로 숙련된 시술의의 지도 하에서 시행해야 한다.
- 가능하다면 IT knife나 hook knife에 의한 점막절제, 박리법에 의한 일괄절제를 하는 것이 바람직하다.

2. 수기의 실제 예(그림 5)

- 절제수기는 기본적으로는 일괄절제와 같다.
- 되도록 적은 분할수로 절제한다.
- 반드시 marking을 전부 포함해서 절제해야 한다.
- 분할절제 시에는 절제한 궤양의 기저부를 잡지 않도록 주의한다.

- 절제표본은 반드시 전부 회수한다.
- 많은 표본을 회수할 때는 retrieval net가 유용하다.
- 절제 표본을 재구성할 때는 하나하나 절제할 때마다 회수하고, marking 등을 참고해서 재구성한다.

근치도 판정

- 근치도 판정은 절제표본의 병리조직학적 소견으로 한다.
- 기본적으로 점막하층으로 침투된 경우, 궤양이 있는 경우, 혈관이나 림프관 침투가 있는 경우에는 외과적 추가 절제술이 필요하다.
- 병리조직학적으로 절제표본의 lateral resection margin이 양성인 경우에는 절제한 부위의 궤양주변부의 추가절제와 신중한 경과관찰(예를 들면, 1, 3, 6, 12 개월 후에 내시경검사를 해서 조직검사를 하는 것)이 필요하다.
- 위암은 약 20%정도가 다발성 암이므로, 완전 절제된 증례에서도 1~2년마다 한번씩 내시경 검사로 경과관찰을 해야 한다.

시술 후 관리

- 당일 및 시술 다음날은 금식과 침상안정을 한다.
- Proton pump inhibitor 또는 H_2 blocker, 지혈제를 지속적으로 주사한다.
- 다음날 식사는 죽으로 시작한다. 중지했던 항응고제의 투여도 다시 시작한다. 항응고제 이외의 약물은 금식 중에도 투여한다.
- 치료 후에는 위궤양에 준해서 치료를 한다.

참고문헌

1) 多田正弘, 村田 誠, 村上不二夫, 등. Strip-off biopsy의 개발. Gastroenterol Endosc 1984;26:833-6.
2) 일본위암학회 편집. 위암치료 가이드라인(의사용). 동경: 금원(金原)출판;2001:8-9.

칼 럼

위암에 있어서의 절개 · 박리 EMR의 적응증

일본위암학회가 작성한 "위암 치료 guideline" (2001년 3월판)에서는 일본 국립암센터 암연구회 부속병원의 자료를 근거로 림프절 전이의 가능성이 극히 적은 위암을 아래와 같이 보고하였다.

〈분화형 암〉
궤양이 없는 경우(궤양 반흔도 포함)
· 조직학적 심달도가 m이면 크기 제한은 없다.
· 조직학적 심달도가 sm_1이면 30 ㎜ 이하, 림프관 침범(-), 혈관 침범(-)
궤양이 있는 경우
· 30 ㎜ 이하의 심달도 m암

〈저분화형 암〉
궤양이 없는 20 ㎜ 이하의 심달도 m암

위의 경우에는 림프절 전이의 위험성이 매우 낮으므로 림프절 곽청술을 필요로 하지 않는다. 따라서 이들 위암의 치료법은 가장 비침습적인 EMR이다. 분할절제를 할 때는 조직병리학적으로 충분히 진단하기가 어렵다. 따라서 무리 없이 일괄절제할 수 있는 한계가 20 ㎜ 정도이고, 궤양 반흔이 합병된 경우 육안적으로 m암의 판정이 곤란하므로 EMR의 적응증을 아래와 같이 정했다.

· 분화형 암
· 심달도 m (intramucosal cancer)
· 크기 2 cm 이하
· 궤양이 없음

그 결과 표 1의 ■ 부분은 전이가 없음에도 불구하고 EMR 적응증에서 제외되었다.

하지만 절제박리법의 개발로 인하여 보다 크고 확실하게 일괄절제를 할 수 있게 되어서 크기 제한은 제외되었다. 또한 반흔이 합병된 경우에도 UL-II이면 EMR이 가능하므로 먼저 EMR을 시행하고 심달도(深達度), 혈관-림프관 침범 여부를 확인한 뒤, 필요에 따라서 추가 절제하는 방침이 요망된다. 또한 저분화 선암에서는 변연의 침범 여부가 명확하지 않으므로 일반적으로 EMR 절제선을 결정하기가 곤란하다. 이런 경우에는 사전에 병변 주변에서 조직검사를 하여 조직학적으로 범위를 확인하고 나서 EMR을 시행하여 불완전 절제를 예방할 수 있다.

따라서 시술 전에 충분히 심달도 진단을 하고, lateral margin을 진단한 후에 절개 · 박리법을 사용해서 일괄절제를 시행하는 경우에는 표 1의 ■ 부분도 EMR의 적응증이 된다(표 2).

표 1. 전이가 없는 위암과 EMR의 적응증

	분화형			저분화형
	궤양 (-)		궤양 (+)	궤양 (-)
	2 cm 이하	2.1 cm 이상	3 cm 이하	2 cm 이하
m				
sm_1				

Guideline에서의 EMR의 적응증　　전이가 적은 위암

표 2. 절개 · 박리법에 의한 일괄 EMR의 적응증

〈분화형〉
· m암, 궤양 (-) 암은 크기에 제한이 없다.
· m암, 궤양 (+) 암은 3 cm까지
· sm_1암, 궤양 (-), 림프관 침범 (-), 혈관침범 (-) 암은 3 cm까지
〈저분화형〉
· m암, 궤양 (-) 암은 2 cm까지

3 위의 내시경적 점막절제술(EMR)
(2) Cap method

투명 캡의 선택

- Rim (캡 끝에 안으로 돌출되어 있는 구조물)이 달린 투명 캡[1),2)]은 선단의 모양에 따라서 두 종류(평편형과 사선형)로 나뉘고, 크기에는 여러 종류가 있어서 환자의 상태나 병변의 크기 및 위치에 따라서 나누어 사용한다.
- 기본적으로는 대형 캡을 사용한다.
- 작은 병변에는 중형 캡을 사용한다.
- 식도암 시술 후 문합부(anastomosis site)에서 협착이 발생한 경우에는 문합부를 통과할 수 있는 소형 캡을 선택한다.
- 사선형 캡은 대만 전벽, 후벽의 병변에 효과가 있다.
- 가장 큰 표본은 soft type의 대형 사선형 캡으로 얻을 수 있다.

캡 장착시의 요령

- 내시경 선단에 캡을 장착하고 비닐 테이프로 한군데 이상을 고정한다.
- 사선형 캡인 경우에는 캡의 가장 짧은 부위가 겸자공의 위치에 오도록 맞춘다.
- Two channel scope의 사선 캡의 경우, 전벽 병변에는 8시 방향의 겸자공을, 후벽 병변에는 4시 방향의 겸자공을 사용한다.

캡 장착 내시경 삽입시의 요령

- 캡 장착 시 식도 입구부를 삽입할 때 다소 저항이 있을 수 있다.
- 무조건으로 삽입하지 말고 후두, 하인두, 이상부(piriformis)를 관찰하면서 좌측 이상부의 후벽에서 정중앙을 향하면서 삽입하면 캡에 의해 이 부위가 눌려서 넓어지므로 쉽게 삽입할 수 있다.

병변의 관찰

- 캡을 위벽에 대고 붙이면서 병변을 캡 속으로 넣어서 정면으로 바라본다. 병변 자체가 캡에 닿지 않도록 한다. 닿아서 출혈이 되면 시야가 나빠지고 병변의 경계를 알기가 어렵다.
- 캡의 측면으로의 관찰도 이용한다.
- 캡의 지름을 이용하여 병변의 최대 지름을 가늠한다.

Marking

- 융기형에서는 병변 가까이에, 함몰형에서는 병변 경계보다 5 ㎜ 정도 떨어진 부위에 8개 이상의 marking을 전체 둘레에 걸쳐서 한다.
- 캡의 지름을 기준으로 약 5 ㎜를 가늠한다.
- Snare 선단을 sheath에서 2~3 ㎜ 꺼내서 고주파 coagulation mode로 marking을 한다.

국소주입의 요령

- 병변의 원위부에서 국소주입하는 것이 원칙이지만 캡을 장착한 상태에서는 구애받을 필요가 없다.
- 주사 바늘을 45도 정도 기울여서 찌른 뒤 약간 빼낸

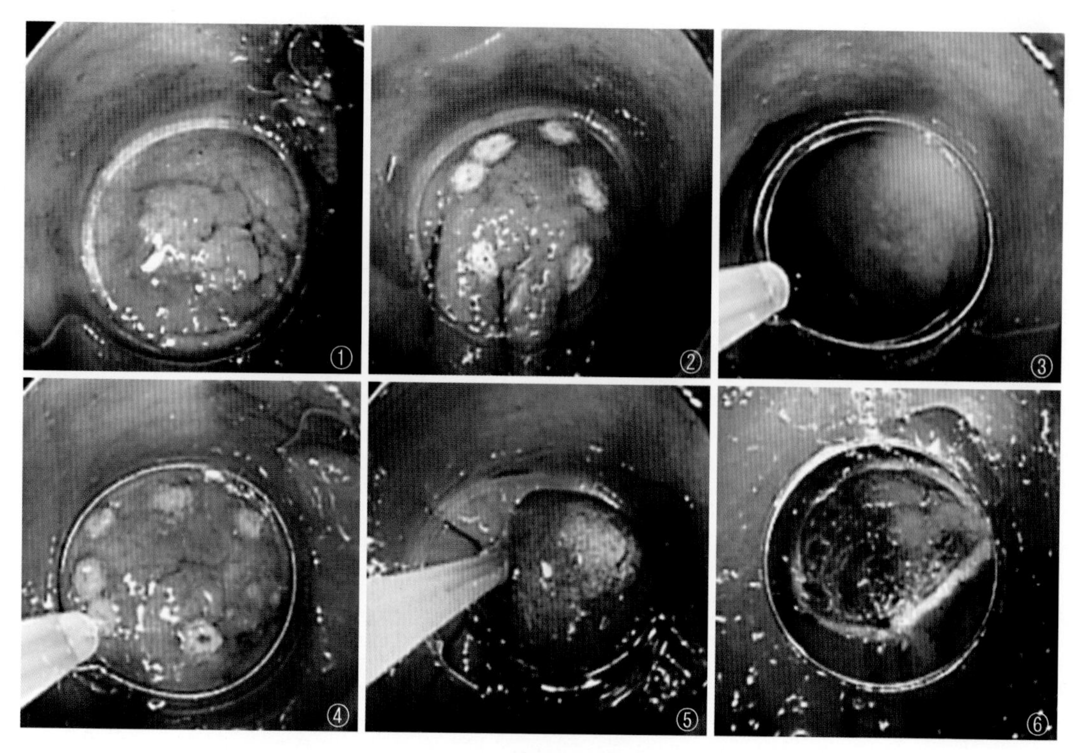

그림 1. 일괄절제의 예

① 위체 하부 전벽에 지름이 약 14 ㎜인 위 선종이 있다.
② 대형 사선형 soft cap을 장착하고 병변의 전체 둘레에 marking을 했다.
③ Pre-looping
④ Marking 전부가 캡 변연 속에 들어가서 일괄절제를 기획했다.
⑤ Full suction을 해서 흡인하고 묶었다.
⑥ 병변을 완전히 절제했다.

상태에서 보조자가 국소주입액을 주사한다.

- 주입액은 100만배 희석된 epinephrine이 섞인 생리식염수를 사용하고, 주사량은 20~30 *ml* 로 한다.
- 주사바늘의 끝이 점막하층에 있고, 점막하층에 섬유화나 암침투가 없다면 저항 없이 주입할 수 있다.
- 강한 저항이 느껴지는 경우에는 주사바늘의 끝이 근층에 있거나 점막하층에 강한 섬유화나 암 침투가 있는 경우이다.

Pre-looping의 요령

- 흡인하기 전에 캡 선단의 rim에서 loop를 만드는 조작이다.
- Snare 본체의 선단을 생검 겸자공의 바로 바깥쪽에 위치시키고 정상 부위를 가볍게 흡인을 한다. 먼저 점막을 캡 선단의 뚜껑으로 삼고, 흡인을 계속해서 점막이 조금씩 부풀어 오르는 시점에서 보조자가 snare를 연다.
- Snare는 겸자공 맞은 편의 rim에 걸려서 loop가 형성된다.
- 흡인을 멈추면 loop 앞의 snare는 느슨해져 있으므로 캡 선단의 loop를 유지시키면서 snare를 조금씩 닫고 snare 본체를 빼고 넣고 누르는 등 세밀하게 조작한다. 마지막으로 snare 본체를 rim의 바로 앞

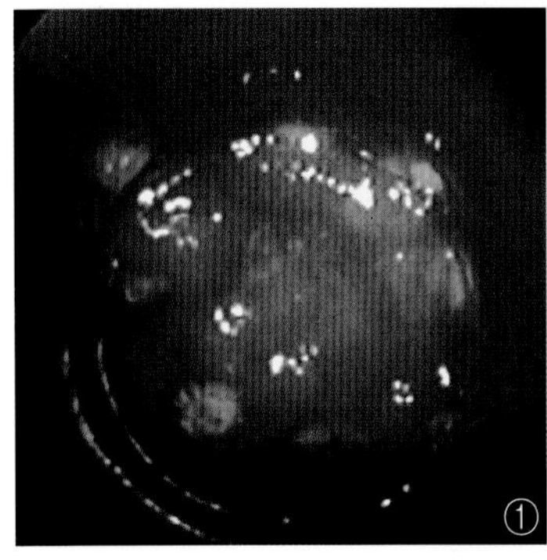
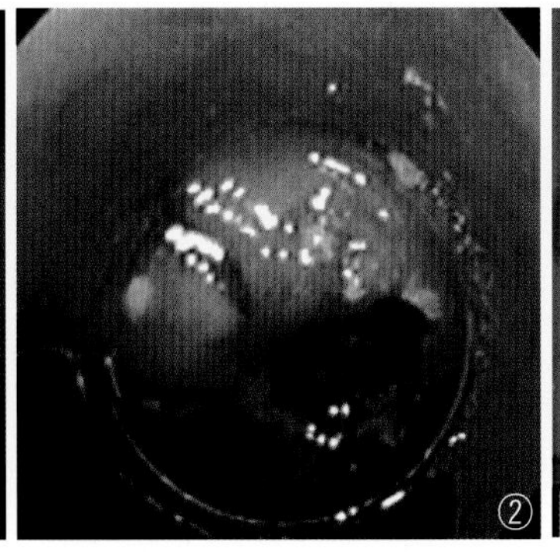
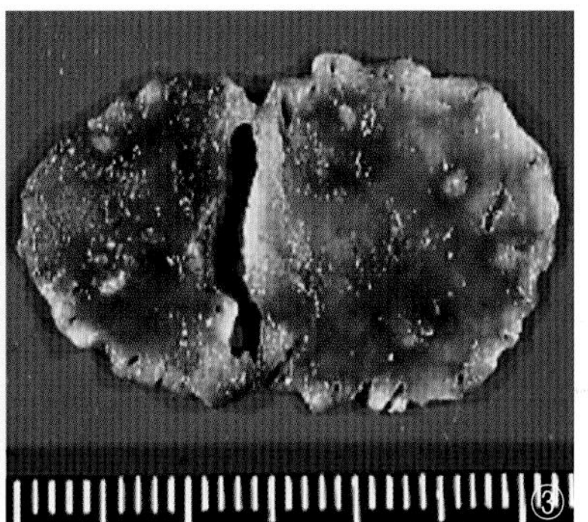

그림 2. 계획적 분할절제의 예

① 위 전정부 소만에 지름이 17 ㎜인 타원형의 IIc 병변이 있다.
② Marking을 하고 국소주입을 한 후에 캡을 장착하고 보니, marking되어 있는 부분의 반이 캡의 바깥쪽에 있어서 계획적 이분할 절제를 계획했다. 우측 병변을 제1 절제한 후의 내시경 소견이다.
③ 표본을 재구성한 결과, marking된 부위가 전부 확인되었다.

까지 붙여서 pre-looping을 완성시킨다.

- 최후 조작 도중 loop가 캡 바깥으로 빠진 경우에 loop가 아직 건재하다면 가벼운 흡인으로 점막의 융기를 만들어 캡 속으로 loop를 다시 넣는다.

흡인, 교찰(교액:絞扼)의 요령

- Marking으로 둘러싸인 목표 점막을 확인한다.
- 병변 주변의 marking 전체가 캡 안에 들어오면 일괄절제를 한다.
- 병변 주변의 marking이 캡의 바깥쪽에 위치하면 계획적 분할 절제[3]를 한다.
- 목표한 점막을 시험적으로 가볍게 빨아들여 캡 안으로 점막을 흡인하고, 흡인 압력으로 절제병변을 조절한다.
- 점막은 서서히 캡 속으로 들어온다. 너무 빨리 캡 속으로 흡인되는 경우에는 근층까지 흡인되기도 한다.
- 때로는 점막이 찢어지는 경우도 있는데, 신경 쓰지 말고 계속 흡인한다.
- 흡인해서 점막이 빨간 구슬처럼 보일 정도가 되면 시술 보조자가 snare를 닫는다. 닫힌 것을 확인하고 흡인을 멈춘다.
- Snare 본체를 조금씩 누르면서, 조금 먼 곳에서 묶인 점막을 확인한다.
- Snare를 가볍게 전후로 움직이면서 근층이 포함되지 않았는지를 확인한다.
- Snare 본체로 묶인 범위를 확인한다. 너무 넓은 경우에는 근층이 같이 묶였을 가능성이 있다.
- 고주파 전류 혼합 mode로 전류를 가하여 절제한다.
- 시간이 너무 많이 걸리거나 환자가 통증을 호소하는 경우에는 근층이 들어있을 가능성이 있다.

캡에 의한 일괄절제의 요령

- 병변의 크기와 부위에 따라서 그에 알맞은 크기와 모양의 캡을 선택한다.
- 약간 비스듬히(tangential direction) 흡인된 경우에는 시야에서 먼 쪽의 점막이 보다 많이 흡인된다.
- 절제 표본의 크기는 흡인 압력으로 조절한다. 빨간 구슬 모양으로 묶인 표본이 최대 크기가 된다.

중요포인트

☞ 병변의 크기와 부위에 따라서 캡의 종류를 선택한다.
☞ 병변 주변의 marking 전체가 캡 속에 들어오면 일괄절제를 시행한다.
☞ 병변 주변의 marking이 캡의 바깥으로 나오면 계획적 분할절제를 한다.

Cap method에 의한 계획적 분할절제의 요령

- 첫 번째 절제는 반드시 시야의 앞쪽에서 시행한다. 절제 측의 여러 개 marking을 캡 속으로 넣은 상태에서 충분히 점막을 흡인해서 묶고 자른다.
- 두 번째 이후의 절제는 반드시 추가 국소주입 5~10 ㎖을 시행한 후에 캡을 첫 번째 인공궤양 변연에 맞추고, 남아 있는 marking을 캡 속으로 넣어서 점막을 흡인하여 절제한다.
- 두 번째 이후의 흡인 압력은 목표로 하는 점막의 크기에 따라서 다르게 조절한다.
- 분할 수는 marking한 범위의 점막의 크기와 형태에 따라서 조절한다.

계획적 분할 절제 재구성하기

- 자르기 전의 marking이 들어있는 병변을 캡으로 정면으로 바라보면서 내시경 사진을 찍는다.
- 각 표본마다 적당한 수의 marking이 들어있도록 절제한다.
- Cap method에 의한 절제표본의 모양은 1회째: 난원형, 2회째: 반달형 혹은 초승달형, 3회째 이후: 은행잎 모양이 된다.
- 절제 표본의 모양으로 각각의 위치관계를 파악하여 재구성하고, 표본에 있는 표시를 절제 전의 내시경 사진과 비교해서 정확하게 재구성한다.
- 표본은 절제할 때마다 회수하여 번호를 매긴다.
- 재구성은 절제한 후에 시술자가 즉시 시행한다.

절제 후의 관찰과 시술의 요령

- 절제한 후의 인공궤양은 rim이 없는 캡을 장착한 내시경으로 세밀하게 관찰한다.
- 출혈하는 경우 캡의 측면으로부터 압박과 클립으로 확실하게 지혈을 한다.
- 궤양 기저부에서 혈관 단면이 보이는 경우에는 출혈이 없어도 예방적으로 clipping을 시행한다.
- 근층의 절제는 주로 위체 중상부 소만 후벽에서 주입량이 불충분한 경우에 잘 발생하고, 밑창이 빠진 것 같은 근층 결손부위가 보인다.
- 위의 근층은 두꺼우므로 결손 부위를 클립으로 봉합해도 된다.

증례 제시

[증례 1] 일괄절제 예(그림 1)

위체 하부 전벽의 위선종(그림 1①). 대형 사선형의 soft cap을 사용하여 marking을 시행하였다(그림 1②). 30 ㎖의 국소주입과 pre-looping (그림 1 ③,④) 후, 흡인 및 교찰을 하고(그림 1⑤), 일괄절제를 했다(그림 1⑥).

[증례 2] 계획적 분할절제 예(그림 2)

위전정부 소만에 지름 17 ㎜인 타원형의 IIc 병변(그림 2①). 30㎖의 주사 후 오른쪽에서(그림 2②) 왼쪽으로 계획적인 이분할 절제를 했다. 재구성이 가능(그림 2③)했으며, 병리조직학적으로 tub_1, 심달도 m, resection margin negative인 선암으로 판명되었다.

◘ 참고문헌

1) 井上晴洋, 遠藤光夫, 竹下公矢, 등. 투명 플라스틱 캡을 사용한 내시경적 식도 점막절제술(EMRC). Gastroenterol Endosc 1992;34:2387-90.
2) 谷 雅夫, 竹下公矢, 遠藤光夫. 투명 캡을 사용한 내시경적 점막절제술(EMRC method). 幕內博康 편집. 식도, 위의 내시경적 점막절제술- 그 한계에 도전한다. 동경; 일본메디칼센터; 1997:117-26.
3) 谷 雅夫, 井上晴洋, 神戸文雄, 등. 위의 내시경적 점막절제술에 있어서의 계획적 분할절제의 유용성. Prog Dig Endosc 1995;47:64-8.

역자 주 일본에서 사용되는 위암의 병리학적 분류는 다음과 같다.

pap - papillary adenocarcinoma
tub1 - well differentiated type tubular adenocarcinoma
tub2 - moderately differentiated type tubular adenocarcinoma
sig - signet ring cell carcinoma
por - poorly differentiated adenocarcinoma

4 위 천공에 대한 처치

- 위병변의 내시경 치료에 동반된 천공의 대부분은 EMR시에 발생하며, 그 밖에는 laser나 argon plasma coagulation에 의한 것이 있다.
- 이전에는 EMR로 인한 천공 시에는 반드시 응급 수술을 해야 한다고 생각했었지만, 최근에는 클립을 사용해서 구멍을 막는 보존적인 치료가 시행되고 있다.
- 92례의 천공 예 중에서 91예(99%)에서 클립으로 보존적인 치료가 가능했다(1994~2003년 일본 국립암센터 중앙병원, 시즈오카 암센터 보고).
- 천공에 대한 클립 봉합술은 아직까지 표준적인 치료는 아니므로 EMR 전에 충분히 설명해서 동의를 얻는 것이 중요하다.
- 흡인 · 견인법(strip biopsy, cap method 등)에서는 비교적 큰 원형의 천공이 일어나고, IT knife의 절개 · 박리법에서는 직선 모양의 천공이 많다.

원인과 대책

1. Marking, precutting, 전체둘레 절개

- 식도와 달리 위에서는 침상(針狀) knife의 marking으로 인해서 임상적으로 문제가 되는 천공은 거의 없다.
- 절개 · 박리법의 경우, IT knife를 넣기 위해서 침상 knife를 이용하여 작은 절제를 하는 동안 precutting으로 인해서 천공되는 경우가 있다. 천공을 예방하기 위해서는 침상 knife를 점막에 대고 누르지 않고, 점막 아래를 찔러서 들어 올리듯이 시행해야 한다.
- 전체 둘레를 자를 때 IT knife를 너무 눕히거나 침상 knife와 hook knife를 너무 깊이 대고 누르면 천공이 발생한다.

2. 부적절한 국소주입

- 국소주입량이 불충분한 경우에는 knife가 근층까지 들어가게 된다.
- 한 곳에 최소한 5 ml 정도의 국소주입이 필요하다.
- 국소주입액으로 50% glucose를 사용하면 시술 후에 궤양이 깊게 패여서 delayed perforation을 유발하므로 피하는 것이 좋다. 대개 생리식염수, 20% glucose, glyceol, hyaluronic acid 등을 사용한다.

고유근층의 교찰(교액:絞扼)(견인 · 흡인법)

- 고유근층을 묶은 채로 자르면 천공이 유발된다.
- 묶고 전류를 가했을 때 환자가 통증을 호소하거나 일반적인 교찰력으로 절제할 수 없을 때는 snare가 고유근층에 걸려 있을 가능성이 있다. 이런 경우에는 snare를 밖에서부터 다시 넣고, 공기를 충분히 넣으면서 근층을 묶지 않도록 다시 snaring을 한다.
- 분할 절제 시에는 반드시 국소주입을 추가한다.

고유근층의 절개(절개 · 박리법)

- 절개 · 박리법에서는 고유근층이 말려 들려가서 천공이 생긴다.
- IT knife의 경우에는 점막하층을 박리할 때 위벽과 수직방향으로 knife를 움직이면 천공이 발생한다.

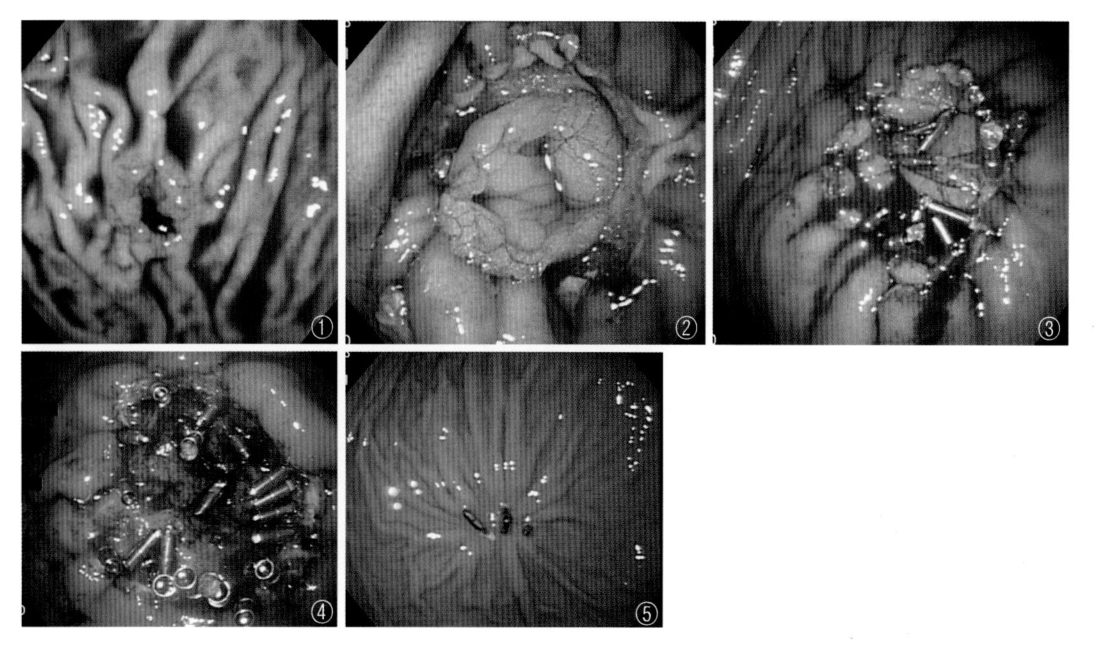

그림
① 체상부 대만에 10 ㎜ 크기의 IIa +IIc 병변이 있다.
② 체상부 대만에 EMR 후에 발생한 약 15 ㎜ 크기의 천공이 보인다.
③ 궤양 기저부와 greater omentum을 클립으로 잡는다.
④ EMR 다음날, 구멍이 유착되어 봉합되어 있는 것을 확인할 수 있다.
⑤ 6개월 후의 내시경 소견. 병변 부위는 완전히 반흔으로 변했다.

반드시 위벽의 모양을 확인하고 평행으로 움직이는 것이 중요하다.

- Hook knife의 경우에는 knife를 대고 너무 눌러서 근층이 잡히는 경우가 있다. 호흡 시에 장기가 움직이므로 신경을 써서 시행한다. 점막하층만 들어 올리면 knife가 투명하게 비치므로 그 상태에서 전류를 가한다.

Clip에 의한 봉합

- 클립으로 봉합하는 방법은 크게 두 가지가 있는데, 하나는 구멍을 클립으로 완전히 닫아 버리는 봉합술 -simple closure method로서 작은 천공인 경우에 시행한다.
- 다른 한 가지는 lesser omentum 혹은 greater omentum을 patch로 한 omental patch method라고 불리는 방법이다. 구멍이 커서 클립만으로 닫히지 않을 때 사용한다.
- 저자는 Olympus사 제품 HX-5LR-1 및 marking용 클립을 사용하고 있다. Long clip도 시판되고 있지만 잡는 힘이 약해서 별로 사용하지 않는다.

천공시의 대책

- 천공에만 국한되지 않고, EMR을 시행하는 경우에는 혈압, 산소포화도, 심전도 등의 각종 모니터가 필수적이다. 또한 만일의 경우에 대비해서 소독된 기구도 준비해 둔다.
- 식은 땀(cold sweating)의 유무, 호흡 상태 등의 환자 관찰이 중요하다.

중요포인트

☞ 천공을 일으키지 않는 것이 무엇보다 중요하다.
☞ 천공이 발생한 경우에는 당황하지 말고 환자의 전신상태를 점검한다.
☞ 복강내 공기가 있는 경우에는 바로 공기를 뺀다.
☞ 만일의 상태에 대비하여 외과수술이 바로 가능한 상황에서 EMR을 시행한다.

- 천공된 부위에서 공기가 새면 복강 안으로 공기가 들어오는데, 이것이 현저한 경우에는 호흡상태가 나빠지고 신경원성 쇼크(neurogenic shock)가 발생한다. 이것을 막기 위해서 복강내에 공기가 많은 경우에는 복부 초음파로 확인되는 대로 천자 바늘 등으로 찔러서 공기를 빼낸다.
- 복강내 공기가 원인이었다면 공기를 빼는 대로 환자 상태는 급격히 호전된다. 공기를 빼도 호전되지 않는 경우에는 다른 원인을 생각한다.
- 천공이 발생한 경우에는 복부 촉진을 자주 시행하여 복강내 공기의 정도를 확인한다.

후 치료

- 금식, 경비위관 삽입을 하고 2시간 간격으로 흡인한다. 항생제를 2일간 투여해서 보존적으로 치료한다.
- 다음날, 내시경을 시행하고 천공 부위가 유착된 것을 확인한 후, 경비위관(nasogastric tube)을 제거하고 다음날부터 식사를 시작한다.
- 때로는 국소적인 복막자극 증상이나 38℃ 이상의 열이 나기도 하지만 대개 2~3일내로 호전된다. 환자의 신체 소견을 주의 깊게 경과 관찰하는 것이 중요하다.
- 천공의 크기와 환자상태에 따라서 위 사항을 세밀하게 조정한다.

증례 제시

체상부 대만에 10 ㎜의 IIa +IIc (그림 ①) 병변에 대해서 strip biopsy method로 EMR을 시행하고 일괄 절제한 후에, 약 15㎜ 크기의 천공이 생겼다(그림 ②). 구멍을 통해서 노란 greater omentum이 관찰되었다. 이런 경우 simple closure method로 봉합하는 것보다는 greater omentum으로 닫듯이 봉합하는 omental patch method가 간편하다. 그림 ③에서 보이는 것처럼 궤양의 기저부와 greater omentum을 클립으로 잡는다. Greater omentum을 묶을 때는 greater omentum이 멀리 도망가는 경우가 있다. 그러므로 내시경으로 처음부터 greater omentum을 흡인해 놓고, 가능한 내강으로 당겨 놓으면 잡기가 쉽다. EMR 다음날에 내시경 검사를 시행하여 구멍이 완전히 막혀 있는지를 확인한다(그림 ④). 그림 ⑤는 6개월 후의 내시경 소견으로 병변 부위가 완전히 반흔으로 변한 것을 볼 수 있다.

EMR 후 심와부 통증을 호소하였고, 약간의 복막자극증상을 보였지만 점차 감소하여 7일째에 퇴원했다.

◘ 참고문헌

1) 小野裕之. 위 · 십이지장 질환에 대한 EMR 시행시의 천공의 치료. 소화기내시경 2002;14:187-92.

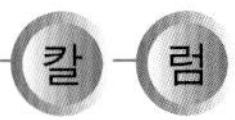

절개 · 박리법에 의한 천공의 예방과 대책

흡인법과 strip biopsy method로 인한 천공에서는 고유근층의 결손을 보이지만, 절개 · 박리법으로 인한 천공에서는 점상 혹은 선상의 천공이 발생하기 때문에 클립으로 쉽게 봉합할 수 있다. 급하게 서두르지 말고 천공된 부위를 확인하고 클립으로 묶는다.

천공이 생긴 것을 모르고 시술을 지속한 경우, 복강내로 공기가 많이 차서 호흡-순환 기능에 지장을 주는 경우가 있다. 이런 경우에는 복부 우측에 18G 정도의 medicut 주사로 찔러서 공기를 빼내는 것이 좋다.

Hook knife에서의 천공 예방에는 hook의 방향을 고유근층과 평행이 되도록 조작하고, 고유근층을 hooking하지 않는 것이 중요하다. 특히 반흔이 있는 경우에는 천공될 위험성이 매우 높으므로 너무 깊게 자르지 않도록 주의한다.

Hook knife에서의 천공은 pin hole 모양으로 아주 작으므로 일반적으로 클립 하나로 막을 수 있다(그림).

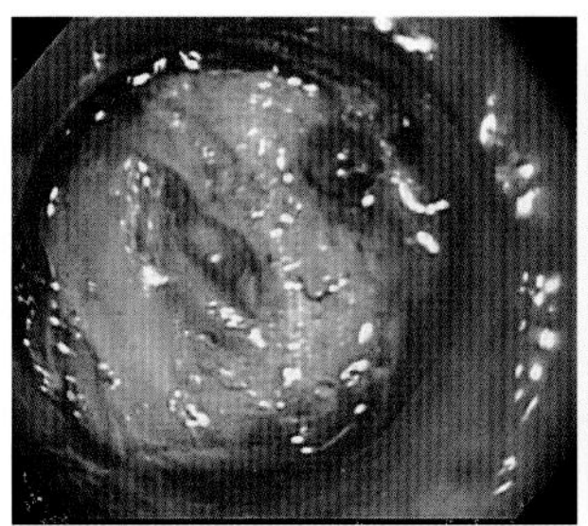
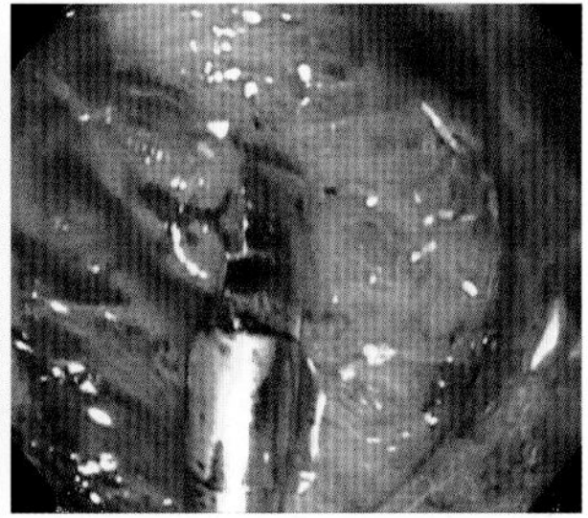

그림. Hook knife에 의한 천공

Hook knife에 의한 천공은 이처럼 가늘고 길며, 근층의 결손이 없기 때문에 soft clip 1개로 봉합할 수 있다.

칼 럼

점막내 tattooing의 요령

위축성 위염을 배경으로 한 저분화선암(poorly differentiated adenocarcinoma)처럼 침범된 범위가 불명확한 경우에는 조직검사로 암의 경계를 잘 확인해야 한다. 조직검사한 곳을 표시하기 위해서는 점막내 tattooing이 유용하다.

1. 준비해야 할 재료

injection needle, 멸균된 검은 먹물, 사포(sandpaper)

2. Injection needle의 처리

멸균된 사포를 사용하여 주사바늘 주위에 작은 흠집을 낸다.

3. 바늘의 끝에 먹물을 묻힌다.

멸균된 검은 물감에 주사바늘의 끝을 적신다. 주사바늘 주위에 흠집이 있으므로 모세혈관상처럼 흠집에 먹물이 스며든다.

4. 점막내 주사

Sheath 속으로 바늘을 넣고 겸자공으로 주사바늘을 삽입한다. 조직검사할 부위를 확인한 후에 sheath에서 injection needle을 빼서 점막을 찌른다. 3~4회 같은 부위에 찌르면 바늘의 주위에 묻은 검은 먹물이 점막내로 이동하고, pinpoint marking이 된다.

5. 주사시의 요령

주사기를 사용해서 주사하면 먹물이 광범위하게 퍼져 큰 marking이 되어버리므로, 국소주입을 일제히 시행하지 않고 바늘을 삽입하고 나서 일단 멈추는 것이 pinpoint tattooing의 요령이다.

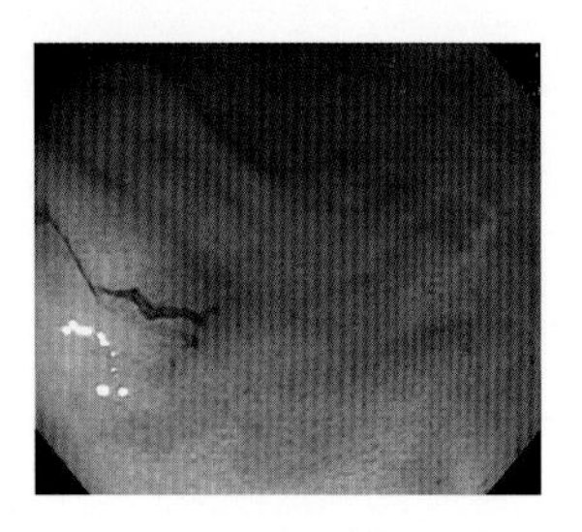

tattooing 직후

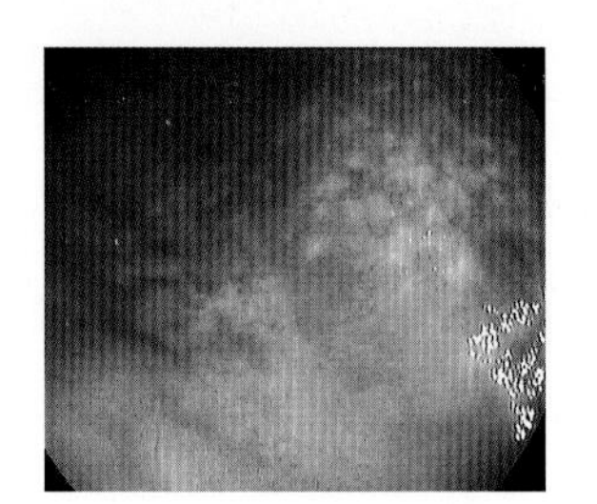

1달 후

5 경피내시경적 위루술(PEG)

- PEG는 비교적 간편하고 안전한 내시경 치료 중 하나이다.
- 경인두적 수기(pull/push method)와 인두를 거치지 않는 수기(introducer method)로 크게 나뉘고, 양측의 특징을 이해한 상태에서 선택을 해야 한다.

위루 kit의 종류(그림 1)

- 복벽에서의 모양: catheter type와 button type으로 크게 나뉜다.
- 위 속에서의 모양: bumper type과 balloon type으로 크게 나뉜다.
- Bumper type은 복벽과 위벽의 접촉 면적이 넓고, 누공이 보다 빨리 형성된다.
- Balloon type은 교환이 쉽고 안전하지만, 파손으로 인한 일탈이 많다.
- Button type은 catheter type에 비해서 자가 제거(환자가 스스로 PEG를 뽑아버리는 것)의 위험성이 낮다.
- Button type은 경인두적 gastrostomy만으로도 유치할 수 있다.

방법의 종류

1. Introducer method

- 복벽측에서 굵은 주사바늘로 위를 찌른다.
- 바깥 구멍을 통해서 복벽측에 balloon catheter를 유치한다.

2. 경인두적 삽입법(pull/push method)

- 복벽측에서 위 속으로 가느다란 주사바늘을 찌른다.
- Guidewire를 삽입하고 내시경을 사용해서 구강 밖으로 빼낸다.

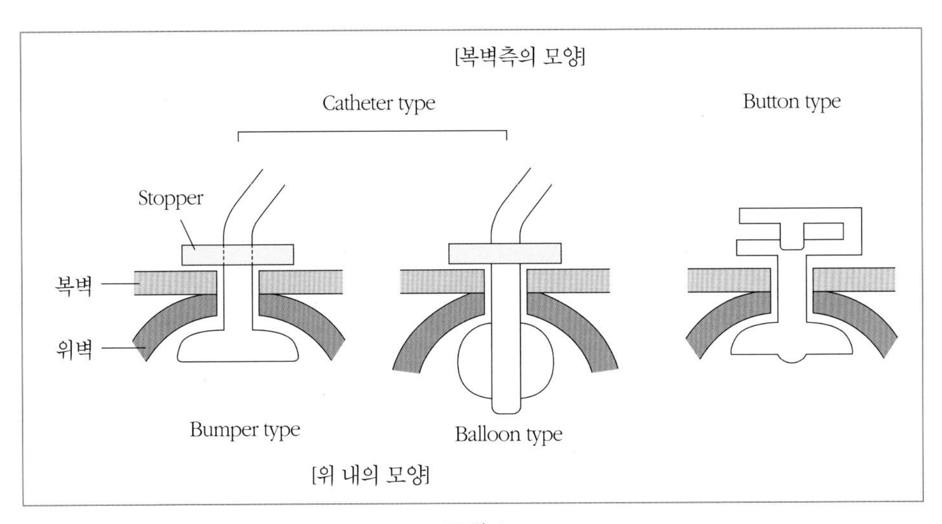

그림 1

표 1. 방법 및 형상에 따른 비교

	introducer method	pull/push method
경로	직접 복벽을 천공	인두를 통해서 삽입
내시경 삽입	1회	2회
사용 kit 지름	가늘다	굵다
주요 형상	balloon type	bumper, button type
폐색, 파손	다소 많다	적다
누공 주위의 염증	적다	많다

- 이 guidewire를 사용해서 위루 kit를 경인두적으로 유치한다.

Kit 및 설치 방법

- Kit의 형상 및 설치 방법의 특징: 표 1.
- 환자가 스스로 제거할 위험성이 높은 경우에는 catheter type보다 button type을 선택한다.
- 인두배양으로 MRSA 등이 확인되고 누공 주위에 염증이 발생할 위험이 높은 경우에는 인두를 거치지 않는 introducer method가 좋다.
- 최근에는 경인두적 삽입법이면서 감염의 기회를 낮춘 PEG kit (감염예방 kit)가 일본 샤우드 회사에서 판매되고 있다.
- 이상을 고려해서 인두배양상 MRSA 음성인 경우에는 button type kit를 경인두적 조설법으로 유치하고, MRSA 양성인 경우에는 introducer method 또는 감염예방 kit를 사용하고 있다.

누공 주위의 염증 예방

- 시술 전에 인두배양을 시행하고 감수성이 있는 항생제를 사용한다.
- 경인두적 삽입법에서는 overtube를 사용해서 kit가 직접 인두를 통하지 않도록 한다.
- Kit에 iodine gel을 바른다.
- MRSA가 양성일 경우에서는 introducer method나 앞에서 기술한 감염예방 kit의 사용을 고려한다.

시술시의 준비

〈사전 준비〉

- 환자 및 가족에게 설명을 하고 동의를 얻는다.
- 인두배양을 실시한다.

〈전처치〉

- 아침부터 금식
- 혈관 확보

〈필요인원〉

- 의사 2명(시술의, 내시경 조작의), 간호사 1명(vital sign 측정, 기구 준비)

〈필요물품〉

- PEG kit 및 처치 set
- 심전도 및 산소포화도 측정용 모니터
- 산소 cannula
- 1% epinephrine이 함유된 xylocaine
- 21G 혹은 23G needle (국소마취, 시험천자용)
- Flexible overtube 및 iodine gel (경인두 삽입법의 경우)

진정

- 본 시설에서는 midazolam 5 ㎎과 butorphanol tartrate 0.5 ㎎을 정주한다.
- 호흡억제 등을 생각해서 monitor를 장착하고, 산소와 flumazenil을 언제든지 투여할 수 있도록 준비해 둔다.

천자 부위의 결정

- 내시경을 삽입한다.
- 충분히 공기를 넣고 위벽을 편다.
- 내시경으로 위체부의 전벽을 관찰하면서, 심와부를

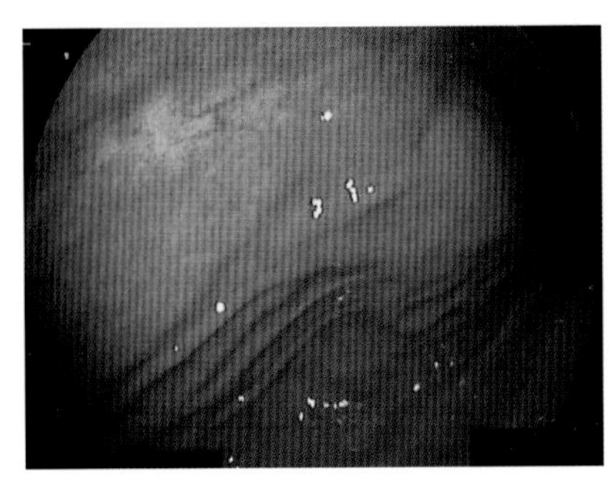

그림 2. 천자 부위의 결정
위를 충분히 펴고 복벽을 압박하면 점막하 종양 모양의 변형이 보인다.

복벽측에서 손가락으로 누르고 천자부위를 확인한다. 대부분의 경우 체하부 전벽 정도가 된다(그림 2).

- 복벽을 손으로 눌러도 위벽 측의 변형이 불충분한 경우에는 다른 장기를 잘못해서 찌를 수 있으므로 무리해서 천자하지 않는다.
- 대부분의 경우, 천자한 부위를 내시경으로 접근해서 관찰하면 복벽에서 빛이 보여 천자부위를 확인할 수 있다.

천자의 순서

각 kit마다 시술 순서가 다르므로 사용 설명서를 잘 읽어야한다.

1. Introducer method (그림 3)

- 복벽 고정

  Introducer method에서는 복벽과 위벽의 접착면이 적고, 또한 balloon 파열시 일탈할 위험성이 있어서 복벽고정을 한다.

  천자한 부위를 끼고 2~4군데를 船田(후네다)식 복벽 고정기구를 사용하여 고정한다.
- 천자한 부위를 iodine으로 소독한다.
- 1% xylocaine으로 국소마취하고 바늘이 위벽내로

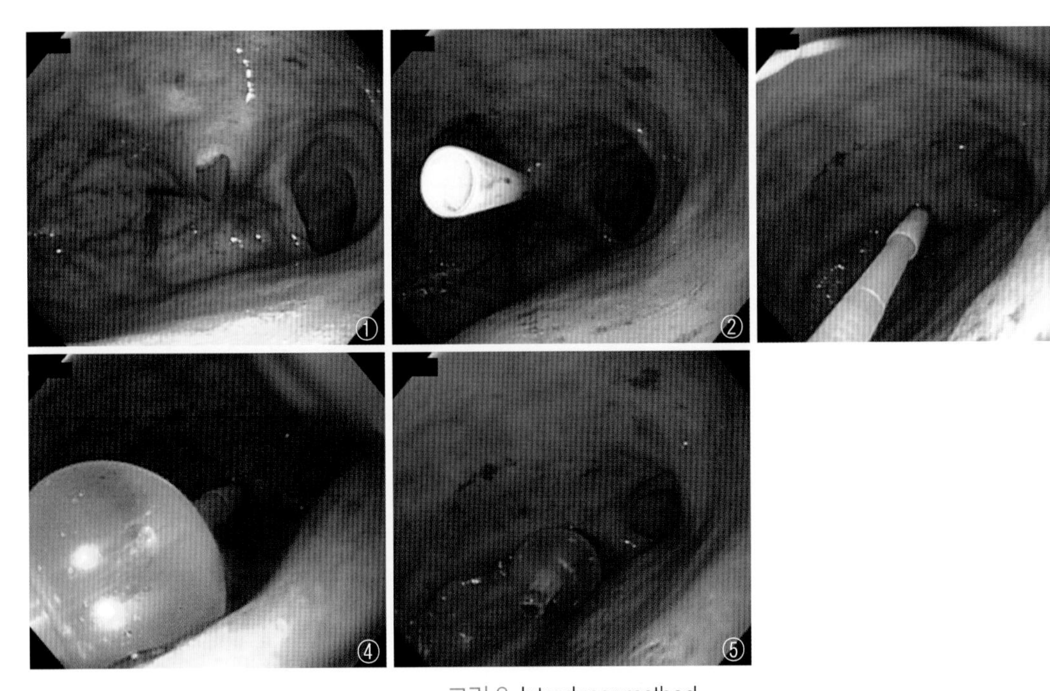

그림 3. Introducer method

① 찌른다. ② 안의 마개를 제거한다. ③ Balloon catheter를 삽입한다.
④ 증류수를 주입하고 balloon을 부풀린다. ⑤ Balloon이 위벽에 밀착될 때까지 catheter를 빼고 고정한다.

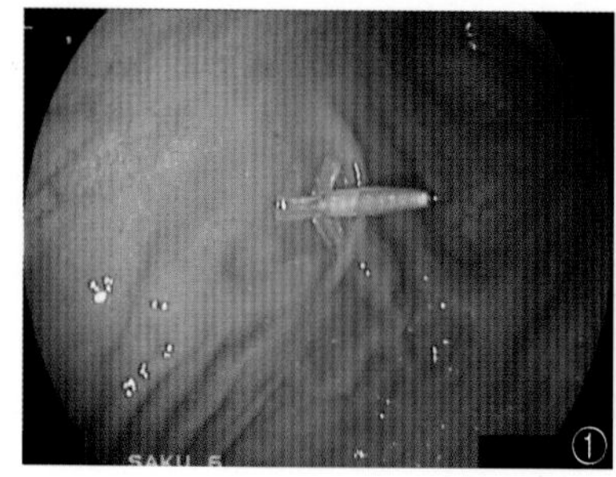
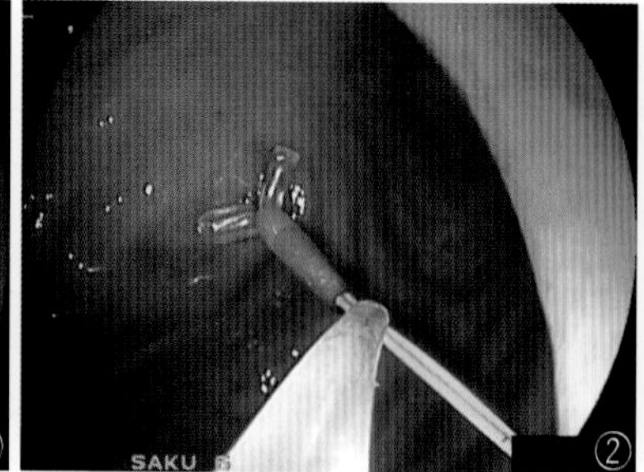
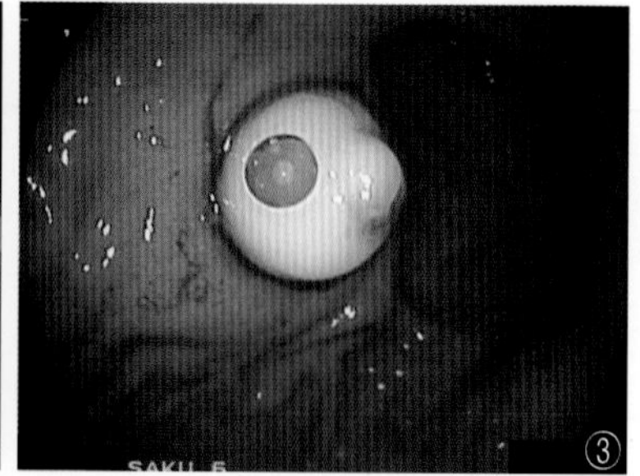

그림 4. One-step button, pull method

① 복벽과 수직인 상태에서 바늘을 찌르고, 안쪽 마개를 제거한 후에 device를 넓힌다.
② 겸자공으로 삽입한 snare로 guidewire를 잡고, 그대로 내시경을 뺀다.
③ Spacer를 사용해서 길이를 조절하고 적당히 압박한 상태에서 고정한다.

관통된 것을 확인한다.

- 천자 바늘로 찌른다(그림 3①).
- 앞의 마개를 제거한다(그림 3②).
- Balloon catheter를 삽입한다(그림3③).
- Balloon에 증류수를 주입한다(그림3④).
- Balloon이 위벽에 밀착할 때까지 catheter를 당기고 고정한다(그림3⑤).

2. One-step button, pull method (그림 4)

- Overtube의 삽입
  내시경에 overtube를 장착해 두고, 내시경을 삽입한 후 overtube를 유치한다.
- 천자 부위를 iodine으로 소독한다.
- 1% xylocaine으로 국소마취를 하고, 바늘이 위벽 속으로 관통된 것을 확인한다.
- 약 1 ㎝ 정도로 피부절개를 한다. 충분히 하지 않으면 나중에 누공 감염이 일어나기 쉽다.
- 기구로 복벽을 순조롭게 확장시킨다. 충분히 확장시키지 않으면 kit를 잡아당길 때 저항이 강해진다.
- 복벽에서 수직으로 천자바늘을 찌르고, 안의 마개를 제거한 뒤 device를 넓힌다(그림 4①).
- 겸자공으로 삽입한 snare로 guidewire를 잡고, 그 상태에서 내시경을 뺀다(그림 4②).
- Overtube로 나온 guidewire에 kit를 연결한다.
- Kit에 iodine gel을 충분히 바르고, 복벽측에서 guidewire를 당겨서 kit를 위 속에 유치한다.
- Spacer를 사용해서 bumper가 적당히 위벽을 압박하도록 조절한 뒤 고정한다(그림 4③).

누공 완성까지의 시술 후 관리

- 누공이 완성되기까지 약 2~3주가 필요하다.
- 그동안 피부상태를 관찰하여 농이 나오지는 않는지, 빠지지는 않는지를 관찰한다.
- 누공 주위의 염증을 예방하기 위해서 상처부위가 건조될 때까지 약 1주일간 매일 소독을 한다.
- 복대나 연결복 등을 이용하여 환자가 스스로 기구를 뽑지 않도록 예방한다. 환자가 기구를 뽑아버릴 위험성이 높은 경우에는 일시적으로 환자를 묶는(restrain) 방법도 검토해 본다.
- 환자가 기구를 뽑아버린 경우, 금식과 경비위관(nasogastric tube)으로 감압하고, 항생제 및 항궤양제를 투여하고 경과를 관찰한다.
- 다음날 물 100 ㎖를 2회 주입해 보고 특별한 문제가 없다면 시술 후 2일째부터 튜브를 통해 feeding을 시작한다.

중요포인트

☞ 굵은 kit를 유치하려면 원칙적으로는 경인두적 삽입법이 좋다.
☞ 인두배양에서 MRSA가 양성인 경우, 경인두 삽입법(pull/push method)을 하면 난치성 누공주위염을 유발할 위험성이 있다.
☞ 위와 같은 경우에는 introducer method나 감염예방 kit를 사용한다.

교환

- 일본 보험 규정상 4개월이 경과되어야 교환이 가능하다.
- 오염이나 폐색 등의 문제가 없으면 4개월 이상도 사용할 수 있다.
- 목표 사용기간은 대개 6개월 전후이다.

◘ 참고문헌

1) 上野文昭, 鳥尾 仁. 경피내시경적 위루술(PEG) 가이드라인. 일본 소화기내시경학회 감수, 일본 소화기내시경학회 졸업 후 교육위원회 편집책임. 소화기내시경 가이드라인. 동경: 의학서원; 1999;261-71.

유문부 협착에 대한 치료

- 근치가 불가능한 위암으로 인한 유문부 협착(그림 1)에서는 내시경적 스텐트 유치술이 가장 우선적인 치료법이다.
- 위공장(胃空腸) bypass와 비교해서 비침습적으로, 시술 후 회복에 필요한 기간이 짧다.
- 스텐트 유치에 있어서 가장 중요한 것은 delivery system을 휘게 하지 않고 협착부에 도달시키는 것이다.

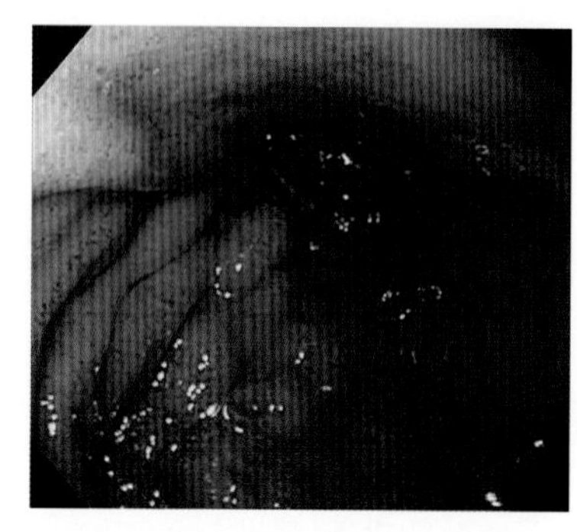

그림 1. 유문 전정부의 전주성(全周性; circular) Bormann III형 위암 증례
복막전이 및 대동맥 주위에 림프절 전이가 있어서 근치수술이 불가능했다. 복막전이 때문에 위-공장간의 bypass surgery도 불가능하여 내시경적 스텐트 유치술을 선택하였다.

내시경적 스텐트 유치술

표 1. Ultraflex esophageal stent (Boston Scientific 사)

〈Uncovered type stent〉

Release system	Catalog 번호	지름(mm)	스텐트의 길이(cm)
Proximal release	1407	18	7
	1403	18	10
	1405	18	15
Distal release	1303	18	10
	1305	18	15

〈Covered type stent〉

Release system	Catalog 번호	지름(mm)	스텐트의 길이(cm)
Proximal release	1410	17	10
	1415	17	15
	1464	22	10
	1465	22	12
Distal release	1310	17	10
	1315	17	15
	1364	22	10
	1365	22	12

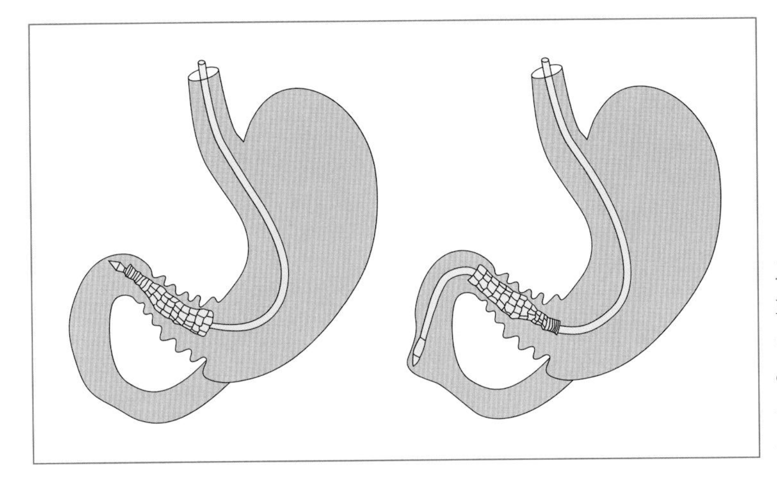

그림 2
Proximal release type stent (좌측)에서는 십이지장으로의 삽입길이가 짧아서 괜찮으나, distal release type stent (우측)에서는 삽입길이가 길어지므로 십이지장이 손상될 위험성이 높다.

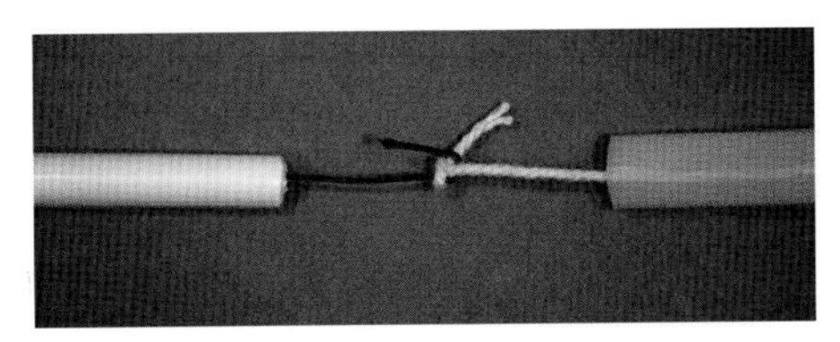

그림 3. Delivery system의 연장
Delivery system (좌측)의 근위부를 절단하여 실을 꺼내서 묶고, 연장용 plastic tube (우측)를 접속한다.

1. 시술 전날까지 시행할 것

- 경구 또는 내시경으로 gastrograffin 조영술을 시행하여 협착의 길이를 측정한다.
- 스텐트를 들여온다.
- 저자는 Ultraflex esophageal stent (Boston Scientific 사)를 사용한다.
- Ultraflex esophageal stent에는 uncovered type (스텐트가 합성수지막으로 쌓여 있지 않은 것)과 covered type (스텐트가 합성수지막으로 쌓인 것)이 있다.
- 다시 proximal release type과 distal release type으로 나뉜다.
- 그 외에 스텐트의 길이나 지름 등에 의해서 더욱 세분화된다(표 1).
- Covered type은 고정력이 약해서 위치가 변하기 쉬우므로 uncovered type stent를 사용한다.
- Distal release type에서는 삽입 길이가 길어져서 십이지장이 손상될 위험성이 높아지므로 proximal release type을 사용한다(그림 2).
- 협착 길이보다 같거나 긴 스텐트를 선택한다.

2. 당일 시행할 것

- Delivery system을 연장(延長; 묶어서 길이를 늘리는 것)시킨다(그림 3).
- 스텐트의 delivery system의 근위부를 자르고, 스텐트 속의 실을 약 5 ㎝ 꺼낸다.
- 실과 실을 묶는다.
- 길이 50 ㎝ 정도의 plastic type tube 속으로 실을 통과시킨다.
- Delivery system과 plastic tube를 묶고, 결합된 부위를 테이프로 고정한다.

3. 실제 수기 방법

1) 진정

- 환자를 투시대 위에서 left decubitus position으로 하고 진정시킨다.
- 말초정맥을 확보한다.
- 혈압계, 심전도 모니터, 경피적 산소포화도 모니터를 환자에게 장착한다.
- Nasal cannula로 분당 3 L의 산소를 투여한다.

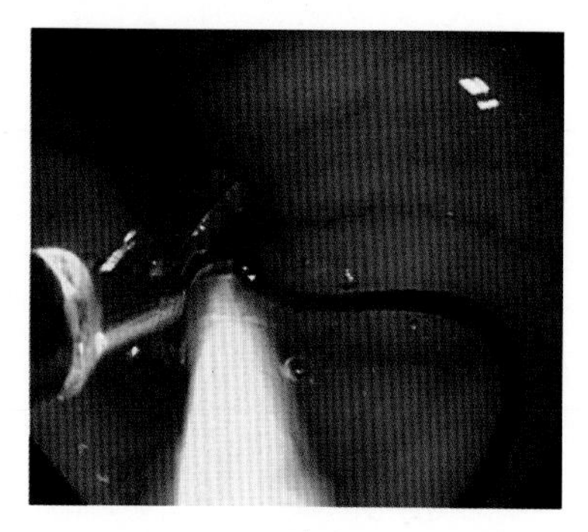

그림 4

Delivery system을 V type alligator forcep으로 잡고 내시경과 함께 넣는다. 스텐트를 잡으면 겸자가 빠지기 어려워지고 delivery system의 앞쪽에서 잡으면 미끄러워서 잡기가 힘들다. 스텐트와 delivery system의 경계 부위를 잡는 것이 좋다.

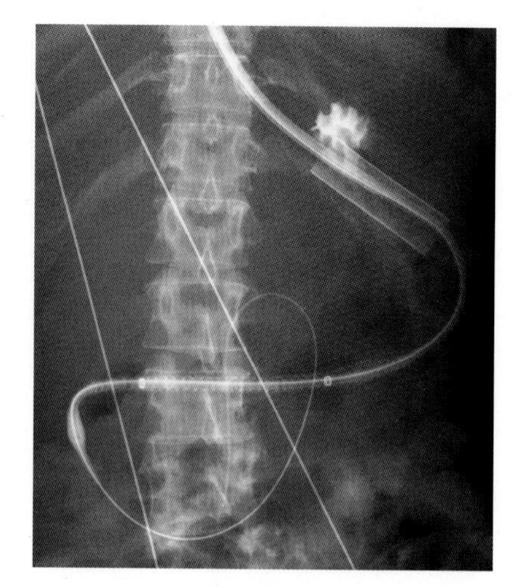

그림 5

긴 overtube를 삽입하여 스텐트가 휘어지는 것을 예방한다.

- Bite block을 환자에게 물리고 반창고로 고정한다.
- Midazolam 7.5 ㎎과 butorphanol 0.5 ㎎을 서서히 주사하여 진정시킨다.

2) 내시경 삽입

- 내시경에 flexible overtube (住友 Becklight사 제품, 품명 MD48518)를 장착한다.
- 내시경을 삽입한다.
- Overtube를 삽입한 후에 앙와위로 한다.
- Gastrograffin 조영 또는 내시경을 통해서 협착된 부위의 근위부와 원위부를 확인하면 피부 위에 금속을 부착해서 위치를 표시해 놓고 굵은 펜으로 표시한다.

3) 풍선 확장

- 협착부를 직경 12~15 ㎜의 풍선으로 확장한다.

4) Guidewire의 삽입

- 내시경의 겸자공으로 guidewire를 삽입하고, 협착부보다 원위부까지 guidewire를 넣는다.
- 가느다란 guidewire는 스텐트가 휘어버리므로, 0.035 또는 0.038 inch인 것을 사용한다.
- Guidewire가 빠지지 않도록 하면서 내시경을 뺀다.

5) 스텐트 삽입

- Guidewire에 연장시킨 스텐트를 통과시킨다.
- 스텐트를 협착부까지 진행시킨다.
- Delivery system이 위에서 휘는 경우에는 손으로 복부를 압박한다.
- 그래도 휘어진 게 풀리지 않는 경우에는 overtube를 제거한 후에 다시 내시경을 삽입하고, 겸자공으로 V type alligator forcep을 삽입해서 delivery system을 잡는다.
- 그 후에 내시경과 함께 delivery system을 넣고 진행시킨다(그림 4).
- 여전히 스텐트가 휘어져 있는 경우에는 long overtube (住友 Becklight 사제품, 품명 MD44090)를 사용한다(그림 5).
- 스텐트를 guidewire 대신으로 사용해서 long overtube를 위체부 상~중부까지 밀어 넣어 휘어지는 것을 막는다.

6) Stent release

- Proximal release type에서는 release할 때 스텐트가 근위부로 약간 움직이므로 예정부위보다 약 1 ㎝ 정도 원위부로 넣는다.
- 스텐트 위치가 결정되면 guidewire를 제거하고 release한다.

중요포인트

- ☞ Uncovered type, proximal release type stent를 선택한다.
- ☞ Delivery system을 연장시킨다.
- ☞ Overtube를 사용한다.
- ☞ 0.035 인치의 guidewire를 선택한다.
- ☞ 스텐트를 협착부까지 넣은 시점에서 손으로 복부에 압박을 가한다.
- ☞ 진행시키는 것이 곤란하다면 V type alligator forcep으로 delivery system을 잡는다.
- ☞ 여전히 곤란한 경우에는 long overtube를 사용한다.

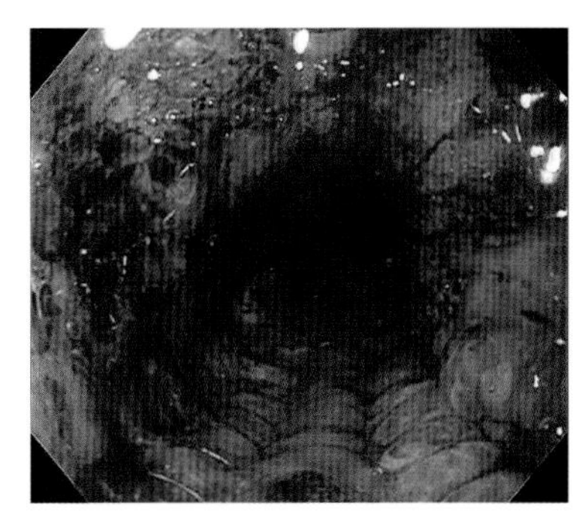

그림 6. **완성된 모습** (그림1과 같은 증례)
일반 식사를 할 수 있게 되었다.

- 천천히 release하면 스텐트의 위치가 근위부로 많이 움직이므로 재빨리 실을 당긴다.
- 스텐트가 확장되면 delivery system을 제거한다.
- Delivery system을 똑바로 잡고 뽑으면 스텐트에 걸릴 위험성이 있으므로 회전시키면서 제거한다.
- 내시경으로 스텐트가 확장되었는지를 확인한다(그림 6).
- 내시경으로 보면서 gastrograffin 조영술을 시행하고 통과되는지를 확인한다.

4. 시술 후의 관리

- 시술 당일에는 물만 마시게 한다.
- 구토가 없으면 다음날부터 유동식을 시작한다.
- 하루 단위로 식사 단계를 올려서, 구토나 만복감이 없으면 일반 상식까지 진행한다.
- 구토나 만복감이 있으면 내시경 또는 투시를 하고 스텐트가 막혔는지를 확인한다.
- 종양이 스텐트 속으로 자라서 협착 및 폐색이 생긴 경우에는 스텐트 속으로 다시 스텐트를 넣는다(stent-in-stent).
- Stent-in-stent에서는 종양이 스텐트 속으로의 자라는 것을 방지하는 covered type stent를 사용한다.
- Stent-in-stent의 경우에는 먼저 있던 스텐트에 걸리기 때문에 covered type stent라도 좀처럼 위치가 어긋나지 않는다.

◘ 참고문헌

1) 島谷茂樹, 小山恒男, 宮田佳典, 등. 암성 유문 협착에 대한 내시경적 스텐트 유치술. Endoscopic forum for digestive disease 2001;17(2):142-7.

제6장. 새로운 치료내시경 (절개 · 박리 EMR)

1. 고주파 발생 장치의 설정
2. Hook knife
3. IT knife
4. Flex knife
5. EMRSH

제6장 새로운 치료내시경(절개 · 박리 EMR)

1 고주파 발생장치의 설정

응고 모드(coagulation mode)의 선택

ERBE사의 고주파 발생장치 ICC 200 (그림 1)은 많은 모드를 설정할 수 있는 다양한 기능을 가진 장치이다. 이 장치를 잘 사용하기 위해서는 각 mode의 특징을 잘 이해하여 구분해서 사용해야 한다.

1) Forced coagulation mode (그림 2)

이 응고 모드에서는 2650 V 이상의 전압을 걸기 때문에 전기 메스와 조직 사이에서 spark가 강하게 발생하여 조직은 한순간에 건조, 응고가 된다. Marking이나 미세혈관을 절개할 때 효과적이다.

2) Argon plasma coagulation (APC) mode (그림 3)

이 모드에서는 4000 V 이상의 전압을 걸기 때문에 조직과 닿지 않아도 방전(妨電)이 된다. Argon plasma의 흐름에 따라서 전류가 흐르므로 표면을 응고시키는 것을 목표로 개발된 모드이다. Hook knife로 혈관을 잡고 조금씩 당기면서 APC mode로 한순간 전류를 가하면 강한 spark가 발생하고 한순간에 혈관이 소실된다. 직경 1 ㎜ 정도의 혈관이라면 출혈 없이 자를 수 있다.

3) Soft coagulation mode (그림 4)

이 응고 모드에서는 200 V 이하로 전압이 억제되어 있기 때문에 전기 메스와 조직 사이에서 spark가 발생하지 않는다. 그래서 조직의 온도가 약 80℃까지만 상승하므로 조직을 절개하거나 태우지 않고 변성시킬 수 있다. 이 때문에 2~3 ㎜ 크기의 굵은 혈관도 출혈 없이 변성, 소실시킬 수 있다. 절개하기 전의 혈관 응고법으로 유용하다.

절개 모드(cutting mode)의 선택

1. Autocut mode

전압(V) = 전류(I) x 저항(R) 이라는 옴의 법칙(Ohm's law)을 기억해 보면, 출력(W) = 전압(V) x 전류(I)이다. 따라서 옴의 법칙에 대입하면 $W=V^2/R$가 된다.

조직을 절개하기 위해서는 spark가 필요하고, 200 V 이상의 높은 전압을 필요로 한다. 하지만 조직의 저항은 일정하지 않으며, 전류를 가하면서 조직이 건조해지면 저항은 더 높아진다. 일반적인 절개 모드에서는 출력(W)을 일정하게 하는데, $W=V^2/R$로 알 수 있듯이 저항(R)이 증가하면 전압(V)도 증가하여, 200 V 이상이 된 시점에서는 방전되고 조직이 절개된다. 그 때문에 전류 개시부터 실제로 절개되기까지의 시간동안 time lag가 생긴다. 또한 항상 조직의 저항이 변하기 때문에 전압도 불규칙하게 변하고, 그 결과 절개가 불안정해진다.

Autocut mode라는 것은 이 전압을 일정하게 조절할 수 있는 모드로서, 조직 저항의 변동과 상관없이 항상 일정한 전압을 걸 수 있다. 그 때문에 통전할 때마다 동시에 spark가 발생하여 일정하고 깨끗한 절개를 할 수 있다.

이 전압은 effect로 조정한다. Effect는 1부터 4까지

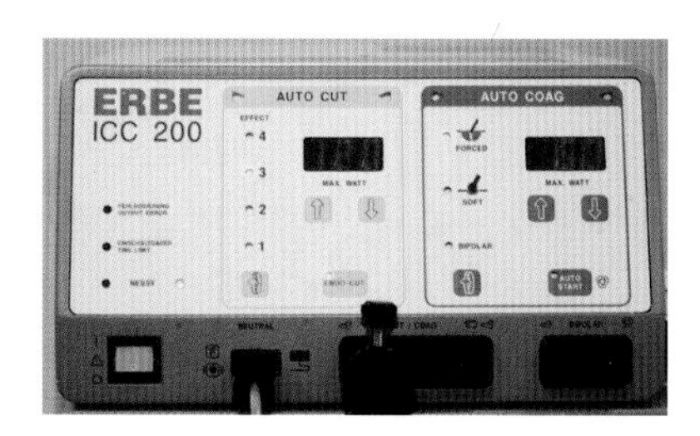

그림 1. ERBE 고주파 발생장치 ICC 200 (표준설정)

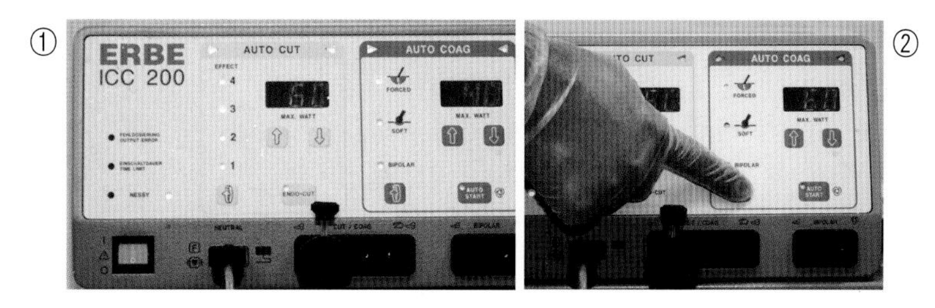

그림 2. Forced coagulation mode 설정
① Marking, 점막 절개 설정　　② 점막하층 박리 설정

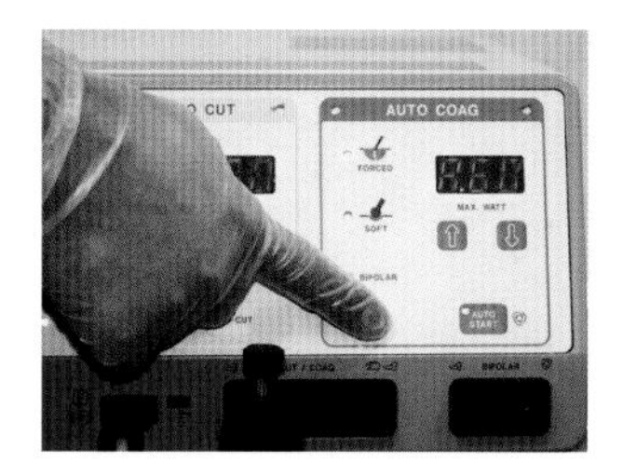

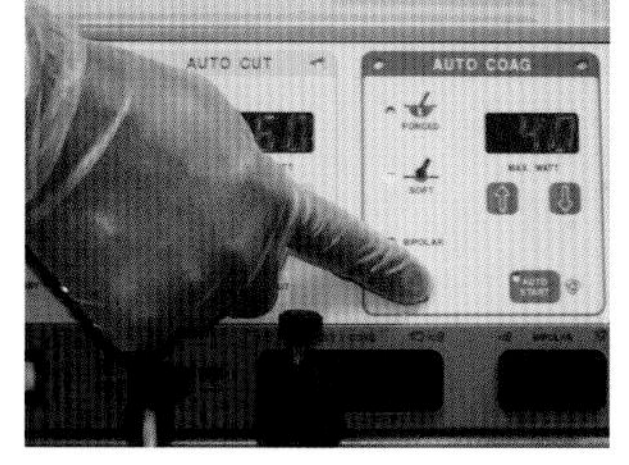

그림 3. APC mode설정　　그림 4. Soft coagulation mode 설정

설정이 가능하고, effect 1에서는 거의 spark가 나오지 않으므로 조직 손상이 거의 없는 절개를 시행할 수 있지만, 반대로 지혈 능력이 부족하다. 한편 effect 4에서는 전압이 높아서 spark가 강하고, 조직 손상이 많은 반면 지혈성능이 좋은 절개를 할 수 있다. 일반적인 점막 절개에는 effect 3이 좋지만 출혈 경향이 있는 경우에는 effect 4로 거의 출혈 없이 절개할 수 있다.

2. Endocut mode

위에서 기술한 soft coagulation mode와 autocut mode를 자동적으로 바꾸는 모드로서, soft coagulation으로 혈관을 변성시키면서 autocut로 절개할 수 있으므로, 이론적으로는 보다 출혈이 적은 절개가 가능하다. Soft coagulation은 0.75초, autocut가 0.05초, 합계 0.8초로 한 cycle이 설정되어 있다.

Snaring을 할 때 soft coagulation으로 처리한 면을 autocut로 자를 수 있으므로, 이론적으로는 출혈이 적은 절개를 할 수 있다. 하지만 점막 절개 시에 endocut를 사용할 경우에는 autocut mode로 단 0.05초 사이에 2~4 ㎜ 정도의 점막절개를 할 수 있으므로 soft coagulation으로 처리한 부분을 지나서 잘라버린다. 이 때문에 이론대로 출혈이 적은 절개는 어렵다.

오히려 0.75초마다 0.05초만 절개전류가 흐르고, 그 순간에만 절개가 되지 않으므로 연속적으로 전류를 가해도 2~4 ㎜씩 점막이 잘린다는 점이 유용하다. Autocut에서는 절단이 잘 되서 연속적으로 통전을 하면 과도한 절개로 인한 천공을 일으킬 위험이 있다. 한편 endocut mode에서는 연속적으로 통전을 해도 단속적(斷續的)으로 불과 0.05초 동안 절개전류가 흐르기 때문에 조금씩 절개가 진행된다는 장점이 있다.

각종 knife 조작에 익숙해진 시술자라면 autocut를 사용하는 쪽이 보다 빨리 절개가 되어 단시간에 치료를 마칠 수 있다. 또한 심박동과 대동맥의 박동에 영향을 받는 경우에 endocut mode를 사용하면 울퉁불퉁하게 잘려 버리므로 autocut mode로 단시간에 절개하는 것이 좋다. 단 너무 잘 잘리므로 통전시간을 조절하는데 있어서 많은 연습이 필요하다.

◘ 참고문헌

1) 小山恒男. Endoscopic surgery 절개 · 박리 EMR-Hook knife를 중심으로. 동경: 일본메디칼센터; 2003.

2 Hook knife

Hook knife (그림 1)

- 침상(針狀) knife의 선단 1 ㎜를 L자 모양으로 굴곡시킨 것으로 그 hook 부분으로 섬유와 혈관을 잡고 전류를 가하여 절제하는 것이다.
- 손동작으로 회전시킬 수 있고, 임의의 각도에서 고정시킬 수 있다. 핸들을 당기면 hook knife는 sheath 선단의 hood 속으로 들어온다. 겸자공을 손상시키는 경우는 없다.

준비 기구

- 직시경
- 선단투명 hood (D-201 series)
- Injection needle
- Glyceol
- Epinephrine
- 침상 knife, hook knife
- Overtube

절제 수기

1. 진단

- 요오드 염색과 indigo carmine을 뿌려서 병변의 lateral margin을 정확하게 평가한다.

2. Marking

- Hook knife의 배측(背側)을 사용해서 병변 주변에서 약 3 ㎜ 정도의 위치에 marking을 한다.
- 선단투명 hood를 장착하고, 보다 정확한 marking을 하도록 노력한다.

3. 국소주입

- Epinephrine이 첨가된 glyceol (위, 대장에서는 20배 희석, 식도에서는 200배 희석)을 점막하층에 국소주입한다.

4. 점막절개

- 침상 knife를 사용해서 marking을 따라 점막을 절개한다. 이 때도 선단투명 hood를 사용하면 보다 정확하고 안전하게 절개할 수 있다.

5. 점막하층박리

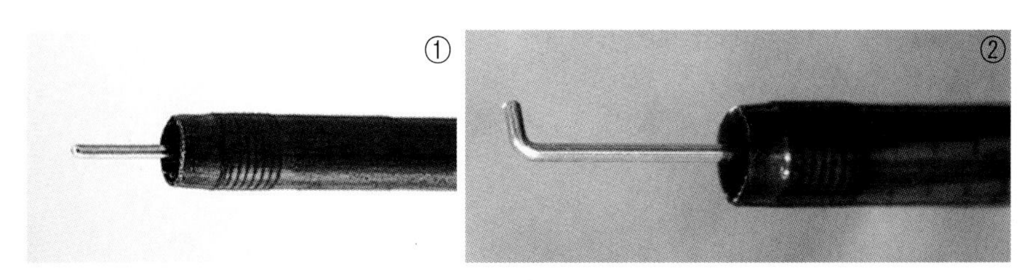

그림 1
① 침상 knife ② Hook knife

중요포인트

- ☞ 선단투명 hood를 사용해서 좋은 시야를 확보한다.
- ☞ 자르기 전에 자세히 관찰한다.
- ☞ Hook knife의 방향을 고유근층과 평행이 되도록 혹은 내강측을 향하도록 조정한다.
- ☞ 원칙적으로는 hooking한 조직을 선단투명 hood 안으로 넣고 전류를 가한다.
- ☞ 숙련된 의사는 투명 hood 안으로 넣지 않고도 hook knife를 고유근층과 평행하게 조작하여 단시간에 박리할 수 있다.
- ☞ 먼저 작은 병변을 연습하고 나서 큰 병변에 도전한다.

- Hook knife를 사용해서 점막하층의 섬유를 잡고 60W의 응고전류로 박리하고 병변을 절제한다.
- 선단투명 hood로 점막하층에서부터 점막을 누르면서 들어올리는 양상으로, 내시경 선단을 점막하층 속으로 넣으면 좋은 시야를 얻을 수 있다.

출혈대책

- 출혈 시에는 빨리 knife를 빼고, 겸자공으로 물을 넣어서 출혈 부위를 확인한다.
- Hot biopsy forcep으로 출혈 부위를 잡고 soft coagulation mode 50~60W 또는 forced coagulation mode 40W로 전류를 가하여 지혈한다.

출혈 예방

- 선단투명 hood를 사용해서 점막하층을 잘 관찰하고 절개하기 전에 혈관을 살핀다.
- 작은 혈관은 forced coagulation 60W로 잘라도 출혈을 하지 않는다.
- 1 mm 정도의 혈관을 발견했을 때는 hook knife로 잡고, APC mode 60W로 절개하면 출혈을 예방할 수 있다.
- 1 mm 이상의 굵은 혈관을 절개하는 경우에는 자르기 전에 혈관 응고법[2)]을 시행한다.
- Hot biopsy forcep으로 혈관을 잡고 40W soft coagulation으로 3~4초간 전류를 가하면 혈관이 변

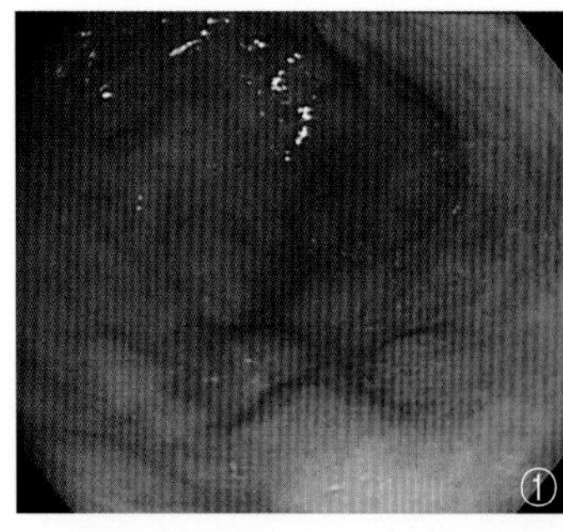

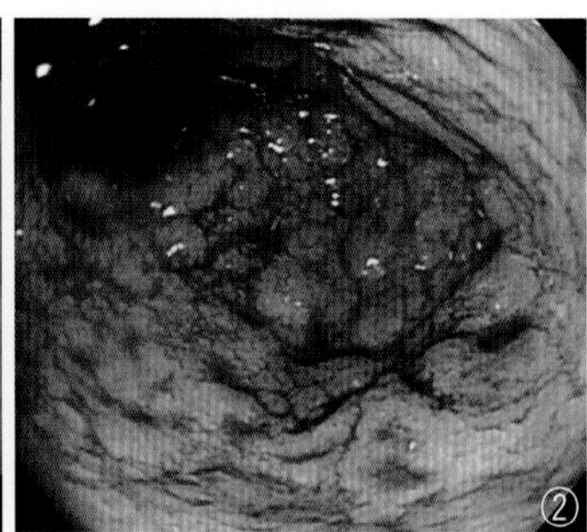

그림 2. Hook knife에 의한 절개 · 박리법

① 일반내시경: 전정부 대만에 경계가 명료한 적색조의 IIc 병변이 보인다. 중앙 부위에 조직검사로 인한 반흔이 있다.

② 색소내시경: Indigo carmine을 뿌린 모습이다. 심달도 m의 분화형 선암으로 진단되었다.

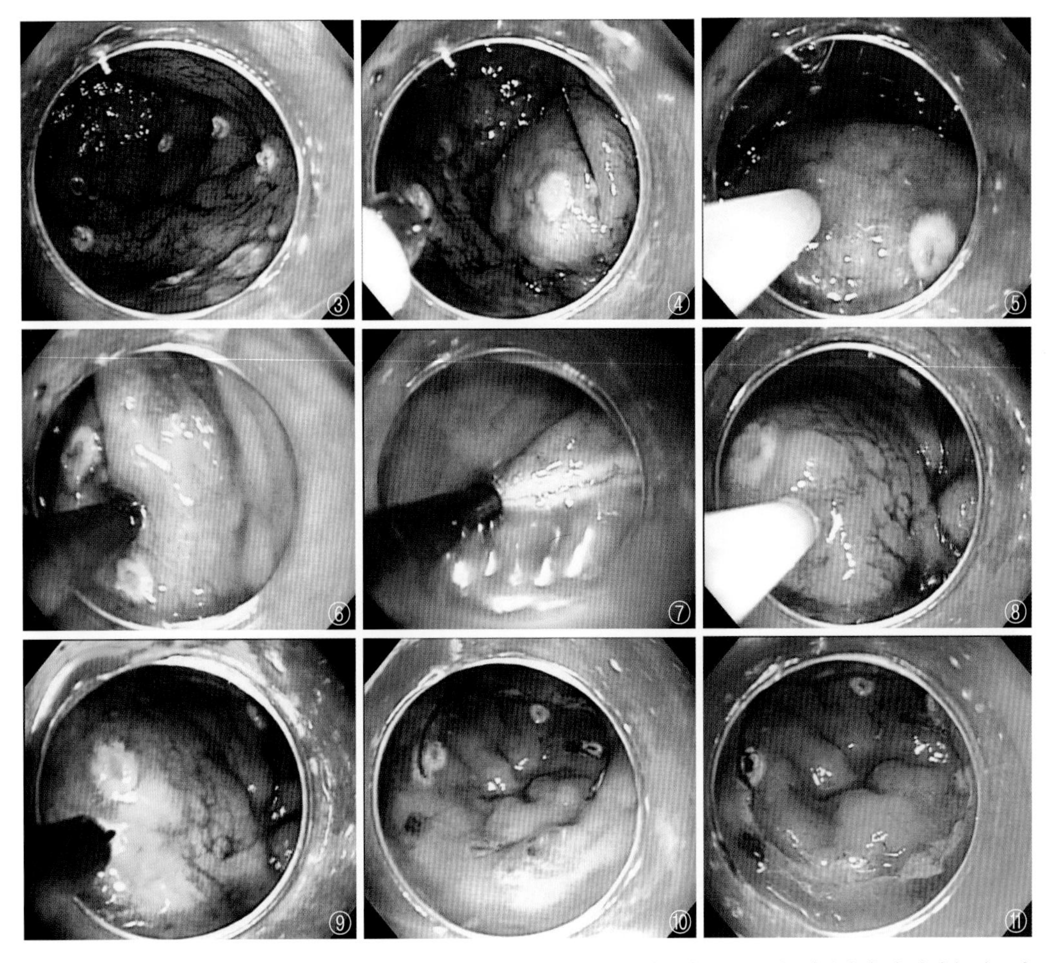

③ Marking: 병변에서 약 3 ㎜ 떨어져서 marking을 시행한다. 병변의 변연부에 marking을 시행하면 열 변성을 일으키고, 조직학적 진단에 지장을 주므로 변연에서 약 3 ㎜ 떨어져서 marking을 하는 것이 좋다.

④ 국소주입: 원위부부터 epinephrine이 첨가된 glyceol을 국소주입한다.

⑤ 약 2 ㎖의 국소주입으로 점막하 융기가 형성되었다. 연달아 국소주입을 시행한다. 골짜기 모양이 생기지 않도록 융기의 기저부에 추가 국소주입을 시행한다.

⑥ 점막 절개: 침상 knife를 최대한 꺼내어 점막에 댄 상태에서 순간적으로 전류를 가한다.

⑦ 내시경을 좌상방으로 조작하고, 점막하층에 넣은 침상 knife로 점막을 들어올리면서 전류를 가해서 점막을 자른다.

⑧ 추가 국소주입: 전벽 측에 추가 국소주입을 시행한다. 융기와 융기 사이에 골짜기가 생기지 않도록 융기의 기저부에 추가 국소주입을 시행한다.

⑨ 추가 절제: 침상 knife의 선단을 점막에 붙이고, 단번에 전류를 가해서 knife를 점막하층으로 관통시킨다. Endocut mode로 전류를 가하고, 점막을 절개한다.

⑩ 전벽 측의 점막절개를 마쳤다.

⑪ 같은 방법으로 국소주입과 절개를 하여, 전체 둘레의 점막을 절개했다. 하지만 중앙부위가 들어가 있어서 이 상태에서는 snaring이 불가능하다.

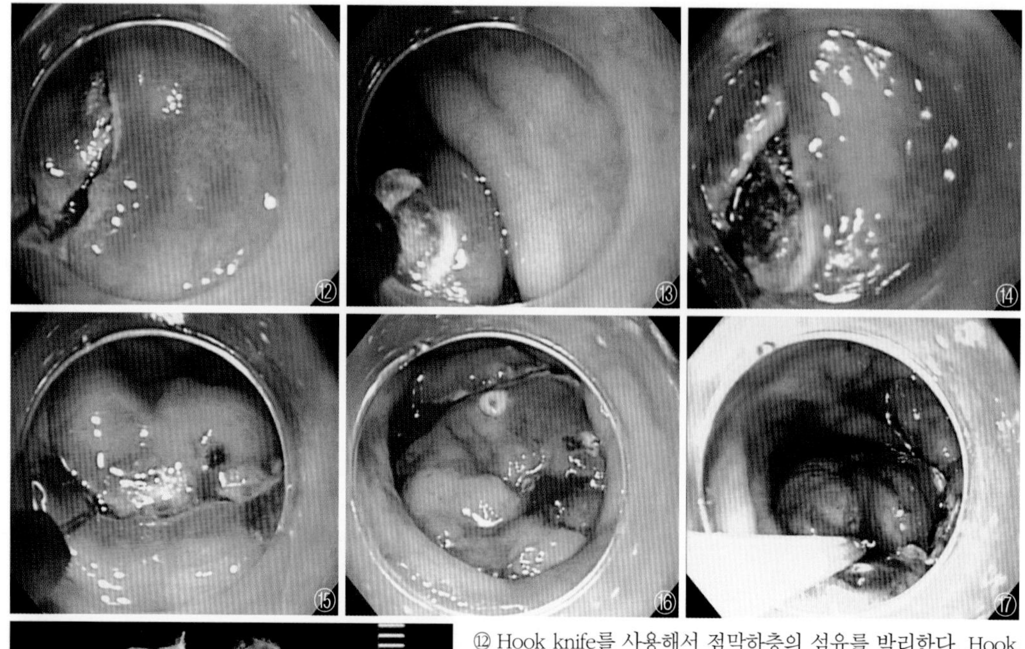

⑫ Hook knife를 사용해서 점막하층의 섬유를 박리한다. Hook knife의 방향을 점막절개의 방향과 평행이 되도록 조절하고, 점막하층의 섬유를 잡고 전류를 가하여 박리한다.

⑬ Hook knife의 선단부분을 점막을 절개한 부위에 넣고, hook knife로 점막하층의 섬유를 잡는다. Hook knife를 당기면 무엇을 잡았는지 바로 관찰할 수 있다. 고유근층을 잡지는 않았는지, 혈관을 잡지는 않았는지를 확인한다.

⑭ Forced coagulation 60W로 전류를 가하여 박리한다.

⑮ 이 조작을 반복하면 전체 둘레의 점막하층 박리를 시행할 수 있다.

⑯ 여기까지 박리하면 안전하고 확실하게 snaring을 할 수 있다.

⑰ 점막절개부 가까이에서 snare를 열어서 병변을 잡고, 전류를 가하여 절개한다. 궤양 기저부에서는 천공도 출혈도 보이지 않는다.

⑱ 고정 후의 절제표본: 경계가 명확한 부정형(不定形)의 함몰형 병변으로 최종 진단은 adenocarcinoma, tub1 (well differentiated), ly_0, v_0, resection margin negative, 종양직경 17 ㎜, 절제 길이 35 ㎜로 완전 절제로 판명되었다.

성, 소실되어 출혈을 예방할 수 있다.

시술 후 관리

- EMR 종료 후에 흉부 X선을 촬영하고 free air의 유무를 확인한다.
- EMR 당일에는 물만 마시고, proton pump inhibitor (PPI)를 정맥주사한다.
- 다음날 아침에 내시경검사를 시행하고, 출혈이 있는 경우나 노출혈관이 남아있는 경우에는 hot

biopsy forcep으로 잡고 응고처리를 한다.

- 대부분 2일째부터 PPI를 경구투여로 바꾸고, 3일째부터 유동식을 개시하고, 5일에서 7일 사이에 퇴원을 한다.

증례제시(그림 2)

61세 남자로 정기검진 목적으로 시행한 상부소화관 내시경 검사에서 위암으로 진단되었다(adenocarcinoma, IIc type, tub_1, T1 (m), 전정부 대만부 증례).

참고문헌

1) 小山恒男. 식도 EMR 수기 선택. 소화기내시경 2000;12:718-9.
2) 小山恒男, 菊池勇一, 宮田佳典, 등. 위 EMR의 확대 적응증: 일괄절제를 목표로 한 수기의 노력과 성적: Hooking knife method with intra-gastric lesion lifting method. 위와 장 2002;37:1155-61.
3) 小山恒男. Endoscopic surgery 절개 · 박리 EMR-Hook knife를 중심으로. 동경: 일본메디칼센터; 2003.

제6장 3 새로운 치료내시경(절개 · 박리 EMR)

IT knife

- IT knife는 insulation-tipped electrosurgical knife의 약칭으로, 고주파 침상(針狀) knife 선단에 절연체(絶緣體)인 세라믹 소재의 기구를 장착한 knife를 말한다. 1995년부터 임상에 응용되었다.
- 선단의 절연 chip으로 천공의 위험성을 감소시키고, ERHSE (endoscopic mucosal resection with hypertonic saline epinephrine injection) 절개법의 문제점을 해결했다.
- 절개를 하고 점막하층을 박리하는 방법을 도입한 것으로, 큰 병변과 궤양 반흔이 있는 병변에서도 일괄절제가 가능하다.

1. 장점

- 큰 병변을 일괄절제할 수 있다.
- 궤양 반흔이 있는 병변에서도 가능하다.
- 절연 chip 덕분에 천공의 위험성이 적다.
- Marking의 바깥쪽을 절개하고 나서, 내부를 절개하기 때문에 병변이 남을 위험성이 적어진다.
- Strip biopsy method로는 비교적 곤란한 소만과 후벽 등의 병변에서도 효과가 있다.
- Single channel scope으로도 할 수 있다.

2. 단점

- 수기가 어렵다.
- 출혈이 많으므로 지혈 조작에 숙달되어 있어야 한다.
- 시술시간이 길다.

부위에 따른 난이도

① 비교적 간단한 부위

전정부 전벽, 후벽, 대만

② 비교적 어려운 부위

체부의 상중부 대만, 위저부, 십이지장 구부에 걸쳐진 병변(bulb에서 반전이 되지 않는 병변)

대만이나 위저부에서는 knife가 병변과 수직이 되어서 절개와 박리가 어렵다.

준비

- 내시경은 일반적으로 사용하는 one channel scope (주로 Olympus Q240 또는 H260)을 사용하고 있다.
- 고주파 전원장치: Endocut mode를 사용할 수 있는 ERBE사의 ICC200을 사용한다.
- 처치 기구: IT knife, 침상 knife, 국소주입용 needle (disposable needle로 부드럽게 국소 주입할 수 있다), grasping forcep 등.
- 지혈용 처치구: hot biopsy forcep, APC probe, clip 등.
- 전처치용, 국소주입용 약제
- 환자 모니터 장치

전처치

- Sedation 이외의 사전처치는 일반내시경과 같은 방법으로 한다.
- 항응고제와 항혈소판 제제의 복용은 1주일 이전부터 중지하고 혈관확장제 등은 평소대로 복용한다. 위장약 등의 내복약은 당일 아침부터 중지한다.
- 내시경 검사실에서는 일반내시경검사의 사전처치

와 같은 방법으로 기포를 없애는 약제(dimethicone; 가소콜), 단백분해효소제제를 함께 복용시킨다.

- EMR을 시작하기 직전에 진정제 및 진경제를 정주한다. Scopolamine butylbromide (buscopan) 20 ㎎, diazepam 10 ㎎, pethidine hydrochloride 35 ㎎을 정주한다. 이들 약제는 연령, 체격, 전신상태 등에 따라서 용량을 조절한다.
- EMR 도중에 환자가 깼을 때는 diazepam 5 ㎎ 또는 10 ㎎을 추가한다. 국소주입 등으로 환자가 아파할 경우에는 pentazocine 15~30 ㎎을 정주한다.
- 약제 투여 후에 혈압저하나 호흡억제가 일어나기도 하므로 주의한다.

IT knife에 의한 EMR의 수기

1. EMR전 검사

- EMR전 검사 시에 병변을 세밀하게 관찰하고, 범위, 심달도, 조직형을 검토하고, EMR의 적응증인지를 확인한다.
- 병변의 범위를 확실하게 진단하기 위해서 병변 주변의 정상점막(대부분 4군데)에서 조직검사를 시행하여 조직학적으로 암이 없다는 것을 확인한다(역자 주: 그러나 현재 국내에서는 대부분의 경우에 이와 같은 조직검사를 시행하지 않는다).
- IT knife method에서는 내시경을 병변과 비스듬히(tangential direction) 유지해야 절개하기 쉽다. 정면으로 관찰하기 쉬웠던 병변도 실제로 EMR할 때는 절제하기 어려운 경우도 있다. 따라서 EMR을 시행하기 전에 내시경검사를 할 때 IT knife method로 접근하기 쉬운지 등 EMR 난이도를 확인해두는 것이 중요하다.

2. 관찰 및 marking

- 전정부 후벽 대만에 15 ㎜ 크기의 IIa 병변이 있다(그림 ①).
- 병변을 관찰하고, 위에서 기술한 대로 병변 주변에서 조직검사를 한 흔적을 확인한다. 그림 ①에서는 원위부의 생검 반흔이 보이지 않지만, 다른 세개의 생검 반흔은 확인할 수가 있었다(그림 ①, 모식도 a).
- 침상 knife를 사용해서 응고파로 marking을 한다.
- 응고의 설정은 ICC 200인 경우 forced coagulation 20W로 한다.
- 조직검사의 표시로 병변의 변연에서 약 5 ㎜ 정도 바깥쪽에 수 ㎜ 간격으로 전체 둘레에 걸쳐 marking을 한다. 이 때, 절제표본의 근위부와 원위부를 판단할 수 있도록 표시를 해두면 나중에 표본 정리를 할 때 편하다(그림 ②).

3. 국소주입

- IT knife method에서는 표시된 부위의 바깥쪽을 자르기 때문에 국소주입은 marking된 부위보다 약간 바깥쪽에서 하고, 충분한 점막융기를 만든다(그림 ③).
- 국소주입액은 생리식염수 200 ㎖당 epinephrine을 0.5 ㎎ 섞어서 만든다. 점막하층을 잘 파악하기 위해서 indigo carmine을 적당량 첨가한다.
- 큰 병변인 경우에는 국소주입량이 증가하여 혈압이 상승될 수 있으므로 epinephrine의 양을 감소시킨다.
- Hyaluronic acid이나 glyceol의 사용도 가능하다.

4. Pre-cutting

- IT knife의 ceramic 소구부(小球部)를 삽입하기 위해서 시행하는 소절개를 pre-cutting이라고 일컫는다. 침상 knife를 사용해서 절개파로 marking의 약 5 ㎜ 정도 바깥쪽의 점막을 1~2 ㎜ 정도 절개한다(cutting mode 120W, effect 3).
- Pre-cutting 시에는 cutting mode를 사용하는데, 침상 knife의 선단은 절연체가 없으므로 천공을 주의해야 한다. Pre-cutting하는 부위에 국소주입을 충분히 하는 것과 침상 knife를 너무 대고 누르지 않

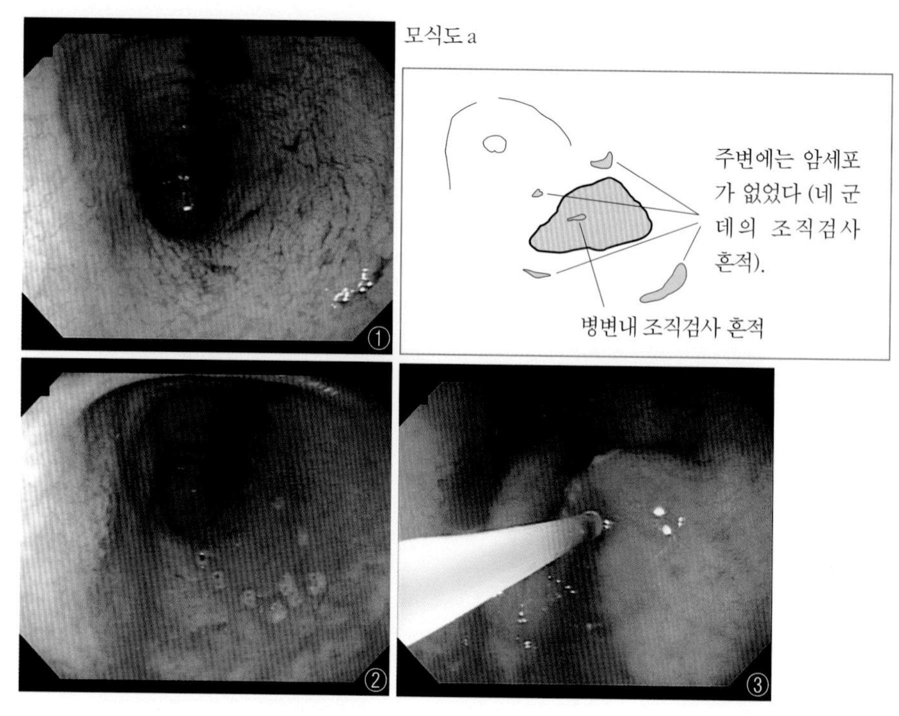

그림. IT knife에 의한 EMR

① 전정부 후벽 대만에 15 ㎜ 크기의 IIa 병변이 있다. 병변의 근위부, 후벽, 대만측에서 병변의 범위를 알기 위해서 시행한 조직검사 흔적이 보인다. 모식도 a: 병변과 조직검사 흔적의 위치를 보여준다.

② 병변의 변연에서 5 ㎜ 정도 바깥쪽에 marking을 했다. 표본 정리 시에 방향을 쉽게 알 수 있도록 근위부 가까이에서 시행한다.

③ Disposable needle을 사용해서 marking된 바깥쪽이 충분하게 부풀어 오를 때까지 주사한다.

는 것이 중요하다.

- 익숙하지 않은 경우에는 hot biopsy forcep을 사용해서 점막 근판까지 잡고, 절개파로 점막을 절제해도 된다.
- IT knife의 조작은 "잡아 당겨서" 자르는 것이기 때문에 pre-cutting은 병변의 원위부에서 시행한다. 전정부의 병변을 내려다 보면서 자르는 경우에는 병변의 원위부에서, 체부 소만의 병변을 올려다 보면서 자르는 경우에는 병변의 근위부에서 pre-cutting을 하는 것이 일반적이다.
- 병변의 크기와 부위에 따라서 내시경 조작이 어려운 경우에는 pre-cutting을 2~3차례 추가하면 절제하기가 쉬워진다.

5. 전체둘레 절개

- Pre-cutting한 부위에 IT knife의 선단을 삽입하고, endocut mode (고주파 발생장치 ICC 200, ERBE사)로 marking의 5 ㎜ 정도 바깥쪽의 점막을 전체 둘레로 절개한다.
- 이 때, 점막이 절개된 깊이가 얕으면 점막하층의 절개 및 박리가 곤란해지므로 확실하게 점막하층의 거친 결합조직이 노출되도록 절개한다.
- Knife를 움직이는 기본원리는 손을 향해서 약간 아래쪽으로 누르면서 잡아당겨서 자르는 동작이다.

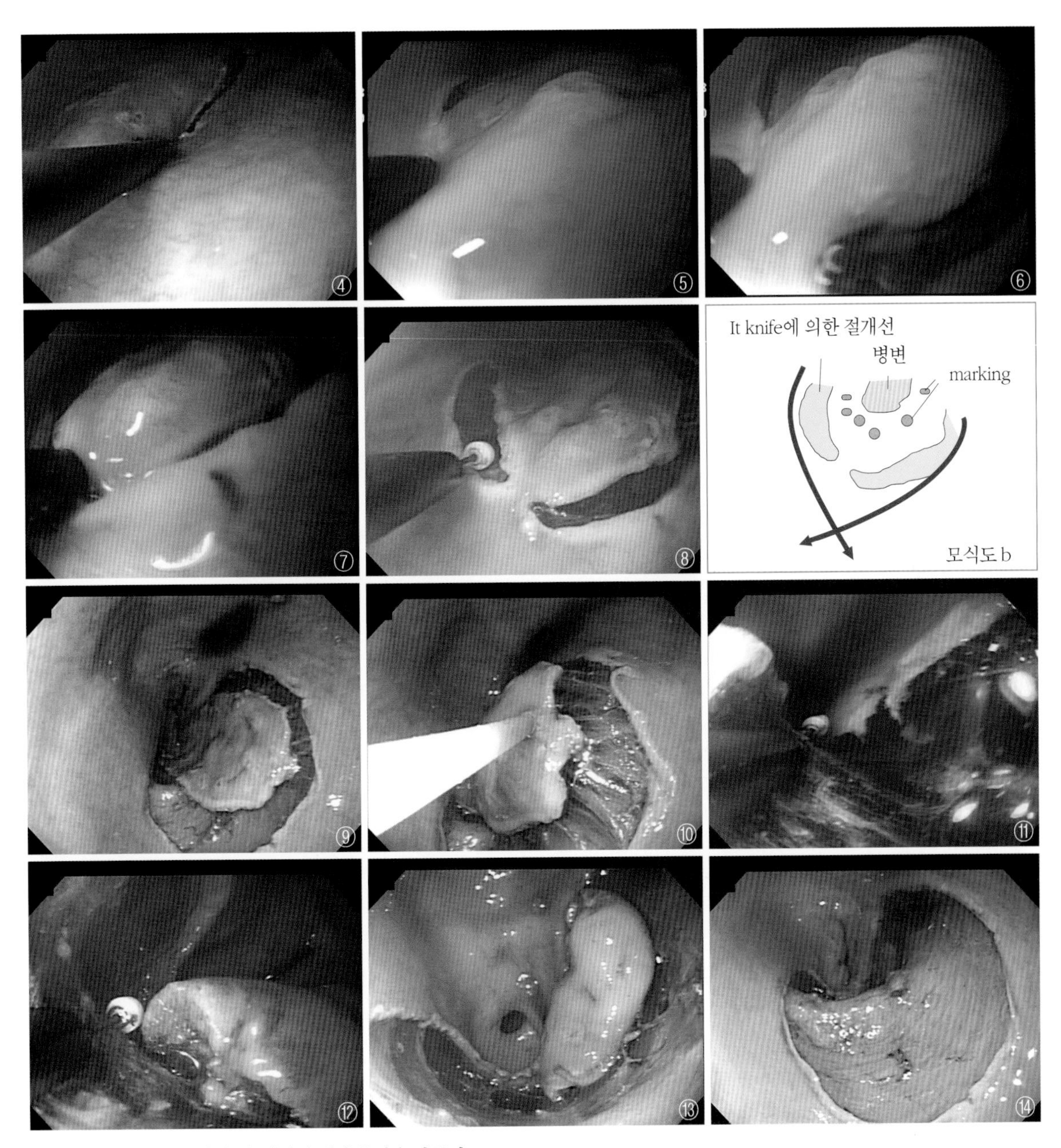

④ IT knife로 종축(긴 방향)을 따라서 병변 주변을 자른다.
⑤ 후벽을 따라서 옆으로 절개한다.
⑥ 내시경을 약간씩 비틀면서 근위부 전벽 방향으로 tension을 건다.
⑦ IT knife를 같은 양상으로 움직인다.
⑧ 남은 것이 수 ㎜라서 절개하기가 쉽다. 모식도 b: 옆으로 자르기 어려운 경우는 모식도처럼 IT knife를 절연체에 가까운 방향으로 움직여서 절개하면 비교적 쉽다.
⑨ 전체 둘레 절개를 마친다.
⑩ 다시 절개할 예정인 병변의 절편 안으로 국소주입을 한다. 점막하층이 indigo carmine에 의해서 파랗게 염색되어 있다.
⑪ 후벽측의 점막하층 박리
⑫ 대만측의 점막하층 박리
⑬ 박리가 진행되고 병변이 수축되어 있다.
⑭ 절개 후의 궤양면

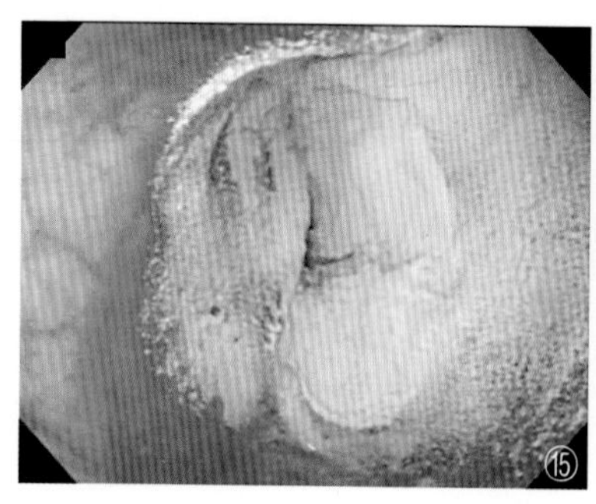
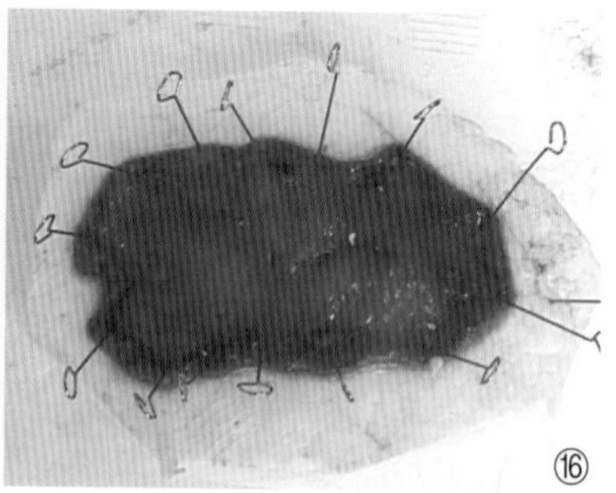

⑮ ALTO spray를 뿌린 후
⑯ 표본을 스티로폼에 가느다란 핀으로 당겨서 고정한다.

회를 뜨는 것과 비슷한데 칼의 선단에 절연체가 달려 있어서 근층보다 위로 미끄러지는 느낌으로 자른다(그림 ④).

6. 횡절개(그림 ⑤~⑧)

- 전체 둘레 절개의 경우, 처음 시술해 보는 사람이 가장 어려워하는 것은 옆으로 자르는 횡절개이다. IT knife는 긴 방향으로는 부드럽게 잘리지만 옆 방향으로는 다소 자르기가 어렵다. 숙련되면 내시경을 비틀듯이 움직여서 옆으로 tension을 가할 수 있다. 그러나 처음 하는 시술자의 경우에는 모식도 b처럼 하트의 선단을 그리듯이 두 방향에서 자르도록 한다. 그러면 가로 방향의 종(縱) 절개에 가까워져서 비교적 쉽게 자를 수 있다.

7. 점막하층의 박리

- 전체 둘레 절개를 마친 후(그림 ⑨), 병변 전체가 융기되도록 다시 국소주입을 한다. 되도록 병변에는 주사바늘을 찌르지 않고, marking 가까이에 찌르도록 한다.
- 국소주입으로 점막하층이 부풀어 오르면 파랗게 염색된 점막하층을 확인한다(그림 ⑩).
- Endocut mode (cutting mode 120W, effect 3, coagulation mode 50W)로 점막하 박리를 시행한다.
- 박리를 어디부터 할 것인지를 선택해야하는데 기본적으로는 전체 둘레 절개 시와 마찬가지로 원위부에서 근위부를 향해서 절개 박리한다(이는 내시경으로 내려다보는 경우에 해당하는 것으로서, 체부 소만 등에서 내시경을 retroflexion했을 경우에는 근위부에서 원위부로 한다). 이 병변의 경우에는 그림 ⑪처럼 먼저 후벽 측에서 박리한다. 약간 원위부에 IT knife의 선단 chip을 걸고, 위 후벽의 굴곡과 평행으로 움직이면서 근위부의 대만 방향으로 당기는 장면이다.
- 어느 정도 박리가 되면 반대 측을 박리한다. 그림 ⑫처럼 대만의 원위부 측면을 따라서 같은 양상으로 근위부의 대만 방향으로 박리한다. 그림과 같이 후벽이 6시 방향으로, 대만이 9시 방향으로 오도록 내시경 축을 비틀면서 점막하층에 tension을 가한다.

8. 절제

- 점막하층의 박리를 충분히 시행하고, snare로 일괄 절제할 수 있는 크기까지 병변이 축소되면(그림⑬), 충분히 국소주입을 한 후, snare로 절제한다(그림 ⑭). 박리가 불충분한 상태에서 절제해 버리면 잔재 병변이 남는 경우가 있다.
- Snare를 사용하지 않고 IT knife로 점막하층을 완전히 박리해도 좋다.

중요포인트

☞ IT knife method를 시작하는 초보자는 경험자의 지도 하에 먼저 전정부 등의 쉬운 병변부터 시도하는 것이 좋다.
☞ 절개 · 박리 중의 출혈 시에는 방치하지 말고 바로 지혈을 한다. 출혈에 의해 시야가 나빠지면 시술하기가 곤란해지므로 합병증도 발생하기 쉽다.

9. 지혈 확인

- 표본 회수 후, 다시 내시경을 삽입하여 지혈 여부를 확인한다.
- 출혈부위 및 지혈의 확인에는 수산화 알류미늄 젤 · 수산화 마그네슘배합제를 산포(strawberry-milk sign)하는 것이 유용하다.
- 출혈이 있는 경우에는 IT knife, hot biopsy forcep, APC 등을 사용해서 지혈한다.
- 본원에서는 지혈여부를 확인한 후에 thrombin 및 ALTO (sodium alginate) spray를 뿌리고 내시경을 제거한다(그림 ⑮).

10. 표본의 고정

- 회수한 표본은 재빠르게 스티로폼이나 코르크 판에 고정시킨다. 되도록 많은 핀으로 늘려서 고정시킨다(그림 ⑯).
- 표본을 고정한 뒤, 모든 marking이 표본 속에 들어 있는지를 확인한다. 근위부 및 원위부를 표시한 후, 포르말린 액에 넣고 고정한다.

11. EMR 후의 환자관리

- EMR 당일에는 금식을 하고, 식사개시(대부분 시술 후 2일에 해당) 전까지 수액요법을 시행한다. EMR 당일 및 시술 다음날까지는 proton pump inhibitor (PPI)를 정맥 주사하고, thrombin 액, 알긴산 나트륨, 수산화 알류미늄 젤-수산화 마그네슘배합제를 복용시킨다. 시술 2일 후에는 PPI를 경구제제로 바꾸고 thrombin 액 복용을 중지시킨다.
- 식사는 시술 후 1일째에 내시경으로 확인하여 출혈이 없다면 검사 후부터 물을 마시게 하고, 시술 후 2일째부터 식사개시를 하고 있다. 하루 간격으로 미음, 죽, 밥으로 점차 올려 나간다.
- EMR 종료 시에 나중에 출혈이 될 것으로 예상되는 경우에는 출혈 유무를 확인하기 위해 경비위관을 삽입한다.

◘ 참고문헌

1) 小野裕之, 後藤田卓志, 近藤 仁, 등. IT knife를 사용한 EMR-적응증의 확대. 소화기내시경 1999;11:675-81.
2) Ono H, Kondo H, Gotoda T, et al. Endoscopic mucosal resection for treatment of early gastric cancer. Gut 2001;48:225-9.

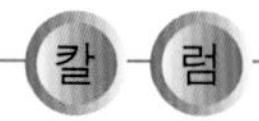

IT knife에 의한 점막절개의 요령

IT knife는 당겨서 자르는 것이므로 올려다 보았을 때는 근위부에서, 내려다 보았을 때는 원위부에서 pre-cutting를 시행한다.

1. Precut

충분히 국소주입을 한 후에 침상(針狀) knife를 사용해서 pre-cutting을 시행한다. 침상 knife의 선단을 점막에 댄 상태에서 autocut effect 3, 60~120W로 일시적으로 전류를 가하면 점막에 pinhole이 생겨서 침상 knife의 선단이 고정된다. 다음으로 up angle을 조작하고 침상 knife의 선단이 위로 향하도록 힘을 주면서 다시 일시적으로 전류를 가하고 pre-cutting을 시행한다.

위 조작만으로도 천공이 발생했다는 보고가 있기 때문에 천공을 예방하기 위해서는 충분한 양의 국소주입을 시행해야 한다. 전류를 가하는 시간을 일시적으로 짧게 하는 것도 요령이다.

침상 knife의 조작에 익숙하지 않아서 자신이 없으면 Doi (土井) 등의 보고처럼 hot biopsy용 forcep으로 점막에 구멍을 내어 pre-cutting 대신으로 응용해도 된다.

2. 장축 방향으로의 점막절개

IT knife의 선단부를 점막하에 삽입하여 칼 부분을 점막에 대고 누르면서 endocut effect 3, 120W로 점막을 절개한다. 이 때, marking이 시야에 들어오지 않고 자르는 방향을 놓치는 경우가 있다. 자르는 방향을 확인하면서 단속적(斷續的)으로 점막절개를 시행한다.

3. 단축방향으로의 점막절개

단축방향으로 절개할 때는 knife의 날을 점막에 접촉시키기가 어렵다. 날이 점막에 흔들릴 정도로 내시경을 비틀면서 전류를 가한다. 이 때, 화면에서 knife가 보이지 않을 정도로 충분히 비트는 것이 요령인데, blind procedure가 되므로 방향이 어긋나지 않도록 조심하면서 조금씩 점막절개를 시행한다.

IT knife로 점막을 자르기가 어려운 경우에는 침상 knife나 flex knife, hook knife 등으로 바꿀 것을 권한다.

4 Flex knife

- 기존의 적응증을 초과하는 큰 병변과 궤양 반흔을 동반한 병변 등, 확대 적응증에 해당하는 병변은 절개 · 박리법으로만 확실하게 일괄절제를 할 수가 있다.
- Flex knife는 안전하고 확실한 일괄절제를 하기 위해서 개발된 절개용 knife이다(2003년 현재 polypectomy 시도 단계로서 아직 시판되고 있지 않다).
- 세경(細徑)snare에서 유래된 것으로 그 장점을 살리고 단점을 극복해서 만든 것이다.
- 유연하고 조작하기 좋아서 절개 · 박리법을 처음 시작하는 사람일지라도 다른 시술기구에 비해 사용하기가 쉽다.
- 위, 아래, 옆, 사선 및 다양한 방향으로 자를 수 있지만 특히 옆으로 자르기가 쉽다.
- Marking부터 절개, 점막하 박리까지 이것 하나로 할 수 있는데, 섬유화된 부분이나 굴곡이 있는 부분에서는 scissor type forcep이나 flex knife를 병용해야 빨리 처리할 수 있는 경우도 있다.

세경 snare의 장점과 단점 (그림 1①)

1. 장점

- 가늘고 부드러워서 조작하기가 쉽다.
- 자유자재로 선단의 길이를 조절할 수가 있다.
- 여러 방향에서 바라보면서 절개를 할 수 있다.
- 선단이 날카롭지 않고, 어느 정도 굵어서 적당히 응고를 시키면서 절개할 수 있다.

2. 단점

- 사용 중에 길이가 변하는 경우가 있다.
- 길게 빼면 wire 사이에 틈이 생긴다.
- 반흔이 있는 부위나 거리가 먼 병변에서는 사용하기 어렵다.
- 장시간 사용하면 선단이 솜털처럼 일어난다.

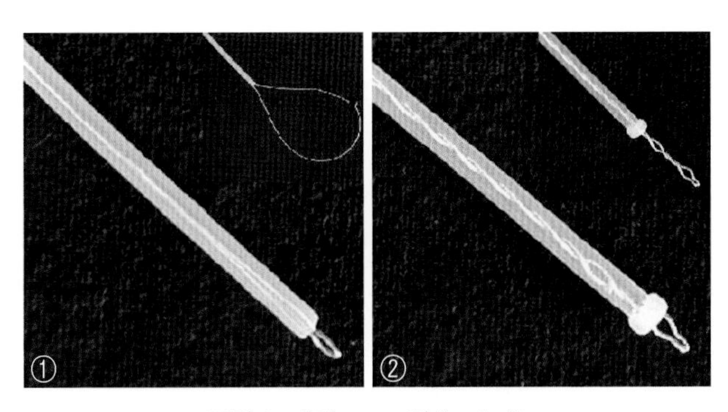

그림 1. 세경 snare와 flex knife
① 세경 snare (SD-7P-1, Olympus사 제품)
② Flex knife (prototype)

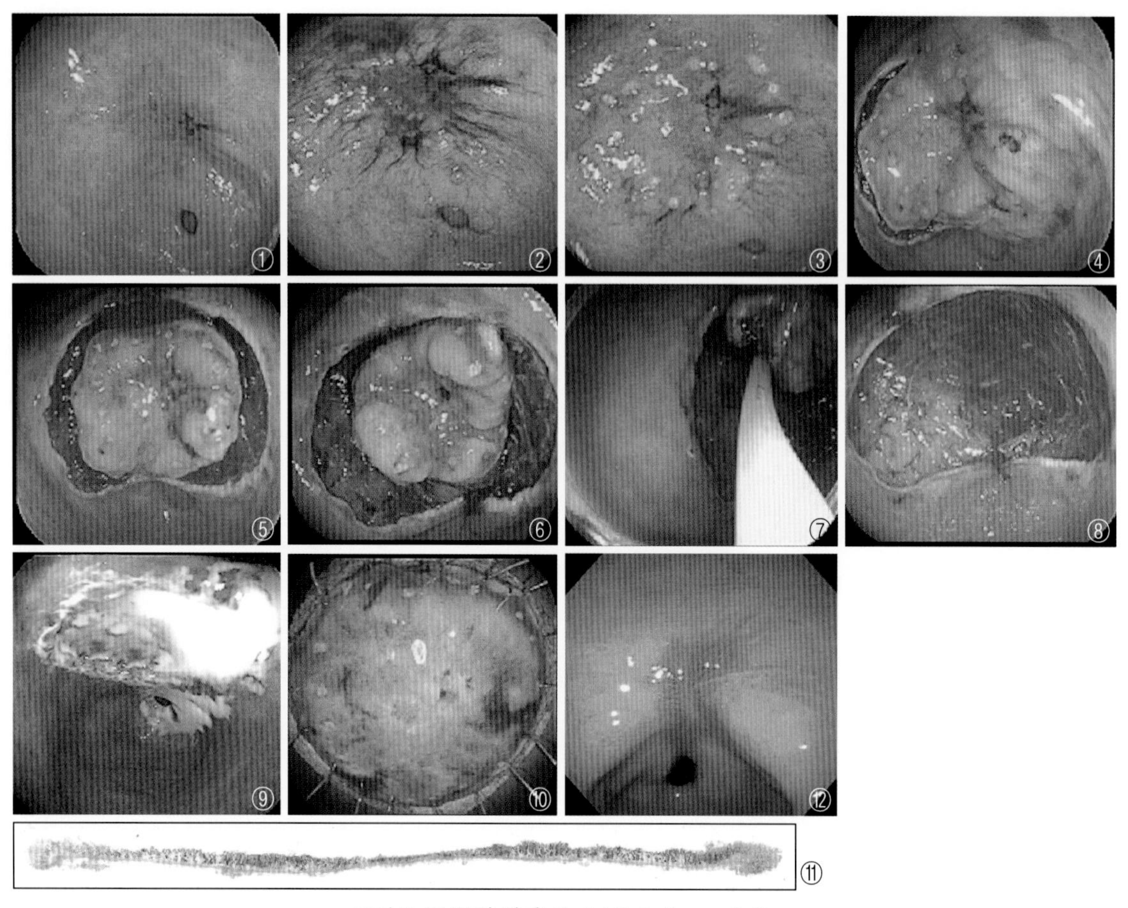

그림 2. EMR의 실제(위 전정부 소만 0-IIc 병변)

① 일반내시경으로 관찰한 모양 ② Indigo carmine을 뿌린 후 ③ Marking
④ 국소주입 및 변연 절개(병변 전체에 국소주입을 하기 전에 먼저 절개하기 시작한다) ⑤ 전체 둘레 절개
⑥ 점막하 박리(변연부의 점막하층을 박리하면 병변이 중심부로 모인다)
⑦ Snaring ⑧ 절제 후의 궤양 기저부
⑨Coating agent 도포 후(본 예에서는 sucralfate를 사용했다) ⑩절제 표본
⑪단면 절제상 ⑫2개월 후의 내시경 사진(궤양이 반흔으로 변했다)

Flex knife의 개선점(prototype; 그림 1②)

- Stopper를 붙여서 길이가 쉽게 변하지 않도록 했다.
- Wire를 꼬아서 틈이 생기지 않도록 했다.
- Teflon sheath의 선단을 굵게 해서 점막층 밑으로 말려 들어가지 않도록 했다.
- 선단을 가공해서 솜털처럼 잘 일어나지 않도록 했다.

EMR 수기의 실제(그림 2)

1. 고주파장치와 mode의 설정

- ICC 200 (ERBE사 제품)을 사용하여 설정을 변경시키면서 절개, 박리, 응고 지혈을 시행한다.
- Marking 및 변연 절개는 endocut mode effect 3, 60~80W로 한다.
- 점막하 박리는 forced mode 40~60W로 한다.

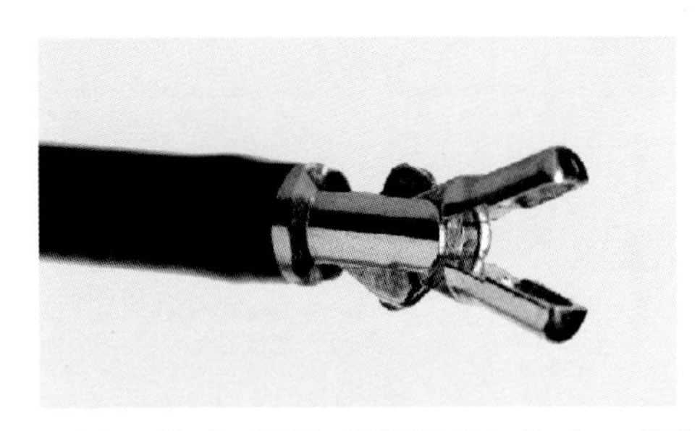

그림 3. 고주파 지혈겸자(HDB2422, Pentax 제품)

- 응고지혈은 soft mode 30~80W로 지혈 겸자(그림 3) 또는 hot biopsy forcep을 사용하여 시행한다.

2. 색소 산포와 marking

- 병변 주변을 가소콜으로 충분히 씻은 뒤, 5배 희석된 indigo carmine을 뿌린다.
- 금속부분이 약간 보일 정도로만 flex knife의 선단을 유지하면서, 병변으로부터 수 mm 바깥쪽에 대고 누르면서 Endocut를 한번 밟으면 깔끔하게 marking이 된다.
- 선단을 너무 많이 내지 않고, foot switch를 지나치게 길게 밟지 않는 것이 중요하다. Endocut의 출력음이 들리는데도 marking이 되지 않는 경우에는 선단의 길이를 확인하거나 각도를 변경시켜 본다.

3. 국소주입

- 대개는 20% glucose에 소량의 bosmin과 indigo carmine을 섞은 것을 사용한다.
- 병변이 크고 시간이 오래 걸릴 것 같은 경우나, 식도나 대장처럼 벽이 얇은 부위인 경우에는 sodium hyaluronate (hyaluronic acid natrium)를 앞에서 기술한 용액처럼 희석해서 사용한다.
- 현재 시판되고 있는 두 종류의 sodium hyaluronate는 점도가 높고 분자량도 다르므로 2배 희석된 제품(일본 科硏제약)이나 4배 희석된 제품(일본 중외제약)을 대신 사용하는 것이 좋다.
- 국소주입량은 한 부위당 1~2 *ml*씩으로 3~4군데 국소주입하고 절개를 시작한다. 1 *ml* 정도 주입해도 융기가 되지 않는 경우에는 바늘이 근층을 통과했을 가능성도 있으므로 바늘을 뺐다가 다시 찌른다.

4. 변연의 절개

- Knife의 선단을 2 mm 정도 꺼낸 상태에서 점막면에 수직에 가까운 각도로 누르고 endocut로 절개를 시작한다.
- 절개가 시작되면 능숙하게 선단의 날을 다룬다. 날을 절개하기 시작한 곳에 걸고 당기는 것이 요령이다.
- 잘라서 올릴 때는 약간 길게, 당겨서 자를 때는 약간 짧게 knife의 선단을 조절한다.
- 절개를 할 때는 박리시의 중력으로 인해서 병변이 젖혀진다는 사실을 예측하여 병변의 윗부분부터 절개를 한다.
- 큰 병변일 경우, 전체 둘레를 절개하는 데 시간이 오래 걸리면 절개가 끝날 무렵에는 융기가 사라지는 경우가 있으므로 2 cm 정도 절개를 하고 곧 박리로 들어간다.

5. 점막하 박리

- Indigo carmine의 파란 색소가 보이는 부분을 박리한다(점막하층의 하부 1/3 수준에서 자르는 기분으로 한다).
- 대개 박리를 할 때는 변연 절개시와 마찬가지로 knife의 선단을 2 mm 정도 뺀 상태에서 근층에 거의 평행이 될 정도로 하여 forced mode로 박리한다.
- 익숙해지면 knife 선단을 약간 길게 빼서 단번에 자를 수 있는 절제면적을 늘리고 박리에 필요한 시간을 단축시킬 수 있다.
- 딱딱하게 응고된 조직이나 섬유화 조직을 박리할 때는 knife 선단을 1 mm 정도 뺀 상태에서 tension을 걸던지 scissor type forcep이나 hook knife 등의 다른 절개용 기구를 병용한다.

중요포인트

☞ Flex knife는 절개 · 박리법을 안전하고 확실하게 시행하기 위해서 개발된 절개용 knife이다.
☞ 세경 snare에서 유래된 것으로, 그 장점을 살리고 단점을 극복하기 위해서 만들어졌다.
☞ Marking부터 절개, 점막하 박리까지 이것 하나로 가능하다.
☞ 조작하기가 쉬워서 절개-박리법을 처음 시행하는 사람일지라도 비교적 쉽게 다룰 수 있다.

- 국소 주사제의 파란 색소가 빠지고 편평한 박리면이 희미해지면 다시 국소주입을 한다.

6. 시술 중의 지혈

- 혈관이 보이면 지혈 겸자 또는 hot biopsy forcep으로 예방적 지혈을 시행하고, 출혈되지 않도록 하는 것이 중요하다.
- 출혈의 경우에는 맹목적으로 응고를 시키지 않고, 물로 씻어서 출혈부위를 확인하고 출혈을 일으킨 혈관만을 처리하도록 최선을 다한다.
- 소량 출혈인 경우, knife의 선단을 조금씩 떨어트리는 기분으로 forced mode 상태에서 단시간의 방전 응고를 하면 지혈되는 경우가 많다.
- 비교적 굵은 혈관에서 출혈하는 경우에는 지혈 겸자 또는 hot biopsy forcep으로 혈관을 잡고, 조금씩 tension을 걸면서 soft mode로 응고를 하면 지혈된다. 대부분 1회~수회의 전류를 가하면 충분하다.

7. 절제

- 충분히 점막하 박리를 시행한 후에 snaring을 시행한다.
- 병변에서 먼 부위부터 근층과 평행이 되도록 snare를 건다.
- Snare로 잡은 뒤에는 반드시 여러 차례 묶여 있는 부분을 풀어서 근층이 같이 묶이는 것을 방지한다.
- Endocut mode로 서서히 절제하고 적당히 응고를 시키면서 병변을 절제한다.
- Snaring이 잘 되지 않으면 병변이 분할되어 잘리는 경우가 있으므로, 실제로는 끝까지 snare를 걸지 않고 점막하 박리를 시행한 뒤에 일괄절제를 한다.

8. 절제창(切除創; opening of the incision)의 처치

- 궤양의 기저부를 물로 씻고 출혈이나 노출혈관의 유무, 천공의 유무를 세밀하게 관찰한다.
- 노출된 혈관이 보이는 경우에는 지혈 겸자 또는 hot biopsy forcep을 사용해서 soft mode로 응고처치를 한다.
- 마지막으로 전용 sucralfate 산포용 tube (그림 4)를 사용해서 궤양기저부에 sucralfate를 뿌린다.

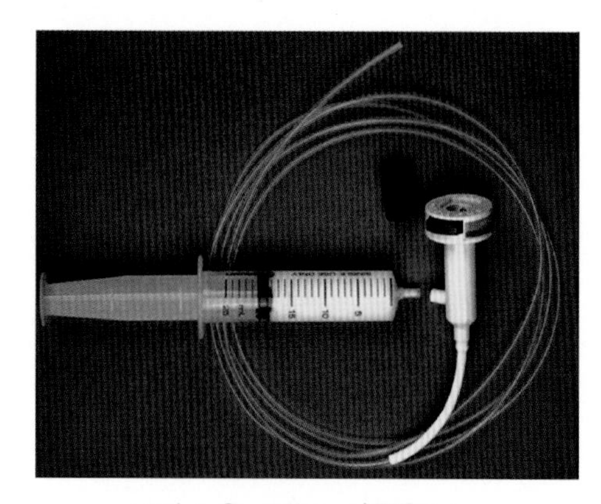

그림 4. Sucralfate 산포용 tube
클립 회전 장치(Olympus사 제품)의 outer sheath를 이용한 sucralfate 산포용 tube (저자가 직접 만든 것)

9. 절제 표본의 회수와 평가

- 병변의 절제 정도를 병리학적으로 판정하는 것이 가장 중요하다는 사실을 인식하고 절제표본을 조심

스럽게 다룬다.

- 병변의 점막하층을 triangular forcep으로 잡고 조직을 회수한다.
- 병변을 코르크판에 핀으로 늘려서 고정하고, marking이 포함되어 있는지, 병변이 제대로 잘렸는지를 확인한다.
- 병리학적으로 검토한 결과, 전이의 가능성이 있다고 판단되는 경우에는 추가적으로 위 절제를 시행한다.

시술 후의 관리와 흐름

- 다음날 채혈과 흉복부 X-ray 촬영을 시행하고, 문제가 없으면 유동식부터 개시하여 1일째에 3분 죽(죽과 물이 3:1의 비율로 섞인 죽), 5분 죽(죽과 물이 5:1의 비율로 섞인 죽), 죽으로 올려 나간다.
- 1주일 후에 내시경으로 확인하고, 문제가 없으면 퇴원한다.
- EMR 후에 생긴 궤양은 크기, 부위와 상관없이 약 2달 안에 치유되므로, 2개월 동안은 proton pump inhibitor와 sucralfate 복용을 지속한다.
- 궤양 치료 후에는 이시성(異時性, metachoronous) 다발성 암에 주의하고, *Helicobacter pylori* 의 제균과 함께 일년에 한번씩 내시경을 시행한다.

◘ 참고문헌

1) 矢作直久, 藤城光弘, 角嶋直美, 등. 조기위암에 대하여 세경 snare를 사용한 EMR의 요령. 소화기내시경 2002;14:1741-46.
2) Fujishiro M, Yahagi N, Oka M, et al. Endoscopic spraying of sucralfate using the outer sheath of a clipping device. Endoscopy 2002;34:935.

제6장 새로운 치료내시경(절개 · 박리 EMR)

5 EMRSH (Endocopic Mucosal Resection using Sodium Hyaluronate)

- 국소주입액에 sodium hyaluronate를 섞으면 오랫동안 점막의 융기를 유지시킬 수 있다.[1)]
- 선단세경 투명 hood (그림 1)를 병용하면 needle knife로 점막박리하기가 쉬워진다.[2)]
- Snaring에 의존하지 않고도 절개 · 박리법으로 확실히 일괄절제를 할 수 있다.[3)]
- 이 방법에 의한 절개 · 박리법으로 수평단면뿐만이 아니라, 수직단면까지도 절제할 수 있다.

Sodium hyaluronate의 특징

- 높은 점도와 보습성을 지녀서 오랜 시간동안 지속되는 융기를 형성할 수 있다.[1)]
- 혼합된 epinephrine이 국소 정지시간을 연장시켜서 출혈 조절에도 유리하다.
- 고분자량의 물질로서 저농도로 사용되므로, 높은 점도에도 불구하고 등장액(等張液)으로도 사용할 수 있고 조직을 손상시키지 않는다.
- 관절내 주입액으로 오래전부터 임상에서 사용해 온 결과, 독성(부작용)과 항원성이 없고 안전하다.

수기(그림 2, 3)

1. 시술 전 투약

- Pethidine hydrochloride, diazepam 등을 주입하여 진정시킨다.
- 혈관을 확보하고, 심전도와 산소포화도를 측정한다.
- 내시경의 삽입과 제거를 쉽게 하기 위해서 overtube를 사용한다.

2. Marking

- 식도와 위의 점막절제술을 하는 동안 병변의 경계가 희미해지는 경우가 많아서 병변 주변의 marking이 필요하다.

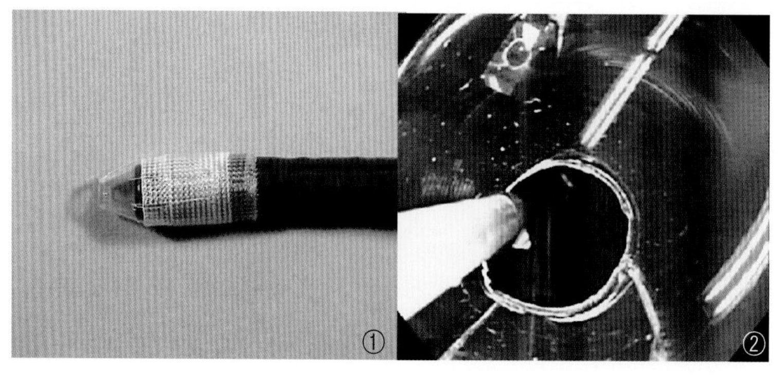

그림 1

① 내시경 선단에 장착된 선단 세경 투명 hood (시험 제작)

② 선단 세경 투명 hood를 장착한 경우의 내시경 화면. 겸자공을 통해서 needle knife가 나와 있다.

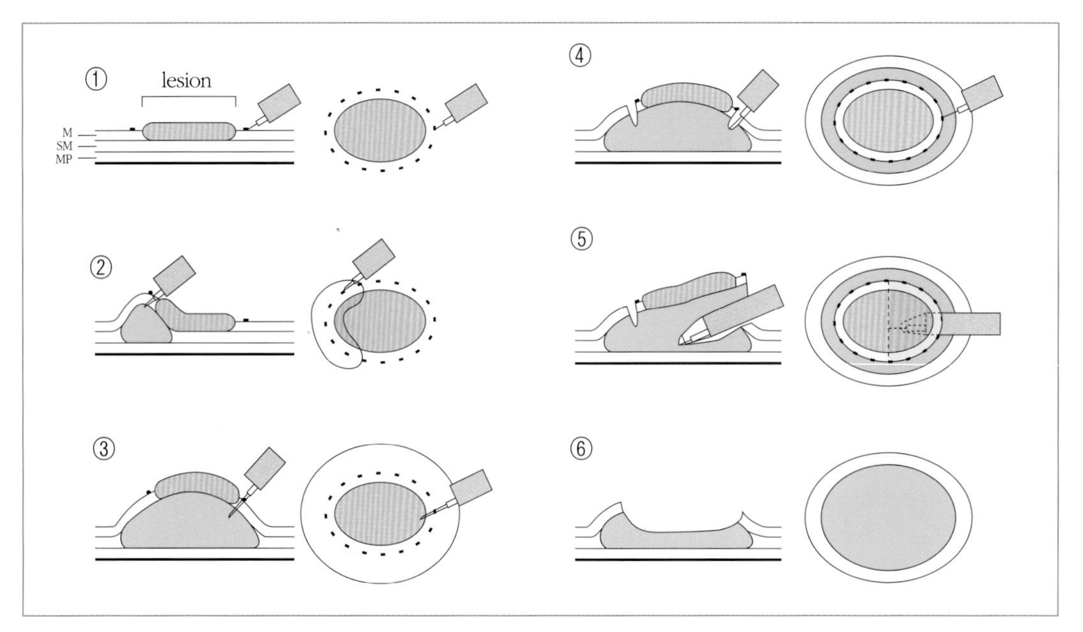

그림 2. 선단 세경 투명 hood를 병용한 EMRSH에 의한 절개, 박리법의 순서

① Needle knife 선단으로 40W의 soft coagulation을 사용해서 병변주변에 marking을 한다.
② Indigo carmine과 epinephrine을 소량 혼합한 0.5% sodium hyaluronate용액(상품화된 것 1.0%를 2배 희석해서 사용)을 점막하에 주입한다.
③ Sodium hyaluronate 국소주입을 추가로 시행하고, 주변 점막을 포함하여 종양이 충분히 근층에서 떨어지도록 융기시킨다.
④ 최대출력 120W, effect 3의 endocut mode를 사용해서 needle knife로 주변 점막을 절개한다.
⑤ 내시경 선단에 선단 세경 투명 hood를 장착하고, 점막 절개창에 hood 선단이 기어들어가듯이 점막하층을 절개한다.
⑥ Snare에 의존하지 않고 점막하 박리를 완성시켜야 일괄절제를 확실하게 할 수 있다.

- Marking은 needle knife 선단으로 40W soft coagulation을 사용한다.
- Marking은 needle knife 선단을 점막에 가볍게 대고 한다.
- 대장에서는 국소주입 후, 종양 경계가 희미해지는 일은 거의 없어서 대개 marking은 필요하지 않다.

3. 국소주입

- 적당한 국소주입으로 점막 융기를 잘 형성하는 것이 성공의 비결이다.
- 주입시의 저항을 낮추기 위해 tube 지름이 큰 국소주사바늘(NM-200L-0423: Olympus사 제품)과 세경(細徑) syringe (5 *ml*)를 사용한다.
- 1회 국소주입량은 2~3 *ml*가 적당하다.
- 융기가 잘 형성되면 그 부분을 잡고 찔러서 융기를 넓혀 나간다.
- 근층내 주입을 피하기 위해서 융기가 형성되지 않으면 주입을 중단한다.
- 대장의 경우에는 먼저 적당히 층을 확인해야 hyaluronate를 국소주입하기가 쉽다.
- 점막절개를 시작하기 전에 충분한 점막 융기를 만들어 둔다.

4. 점막 절개

- Endocut mode를 사용해서 needle knife로 절개한다.
- Endocut mode를 사용할 수 없는 경우에는 고주파 전원의 foot switch를 밟는 시간을 짧게 하고, 즉시 절개를 진행해 나간다.

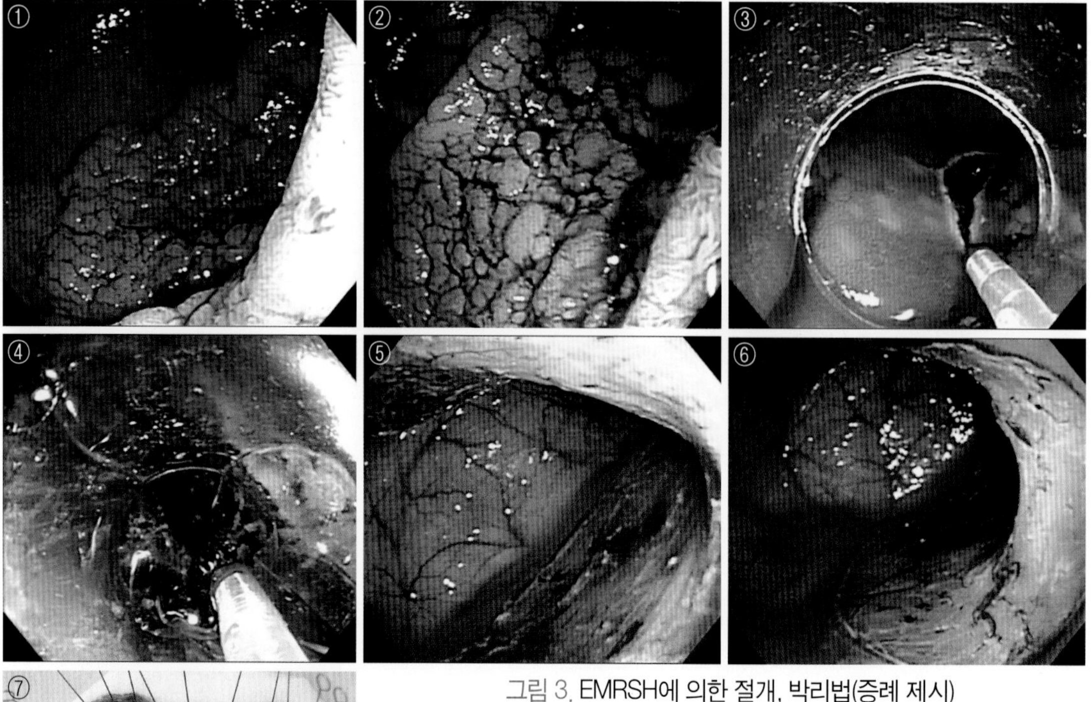

그림 3. EMRSH에 의한 절개, 박리법(증례 제시)

S 결장에 있는 lateral spreading tumor (LST)를 EMRSH 절개-박리법으로 일괄절제했다.

①② S 결장에 있는 LST의 내시경 사진. 과립상의 편평 융기형 종양이 장 지름의 반 이상에 걸쳐 넓혀져 있고, 한 시야에 들어오지 않는다.

③ Needle knife에 의한 점막절개. Sodium hyaluronate로 충분히 점막융기를 해야 안전하게 점막절개를 할 수 있다.

④ 점막 절개 후, 선단 세경 투명 hood의 선단이 기어들어가듯이 절개창을 열고, 점막하 조직을 절개한다. 파랗게 염색된 점막하 조직이 선단 세경 투명 hood를 통해서 잘 보인다.

⑤⑥ EMR 종료 시의 내시경 사진. 점막이 크게 결손되었지만, 출혈, 천공 등의 합병증은 보이지 않는다.

⑦ 일괄 절제된 종양의 육안적 소견(절제 표본: 74 x 64 ㎜).

- 점막하에 충분히 hyaluronate를 국소 주입해야 한다.
- Hyaluronate로 충분히 점막 융기가 형성되어 있는 한, 통상적인 needle knife (KD-10Q-1: Olympus)로 안전하게 절개할 수 있다.[4]
- 대부분의 needle knife는 IT knife와 달리 눌러서 자르고, 당겨서 자르고, 옆으로 자르는 등 어느 방향에서나 쉽게 자를 수 있다.
- 깊게 잘려서 근층까지 자르는 것을 피하기 위하여 항상 sheath 부분이 절개창(切開創)에 말려 들어가지 않도록 주의한다.
- 원통 모양의 투명 hood를 장착하면 점막절개가 쉬워진다(후벽측으로의 접근이나 절개 깊이 조절에 유용하다).
- Hyaluronate에 의해 형성된 융기는 다소 단단하기 때문에 hood 선단의 가벼운 압박으로는 쉽게 무너지지 않으므로 needle knife로 점막 절개를 안전하게 시행한다.
- Hood로 누르면서 절개하거나 수직으로 knife가 닿

중요포인트

- ☞ 적절한 깊이로 충분히 국소주입을 하여서 점막융기를 확실하게 만드는 것이 중요하다.
- ☞ 점막 절개 시 needle knife sheath 부분이 절개창에 말려들지 않도록 한다.
- ☞ 점막하층의 절개는 3차원적인 개념으로 한다.
- ☞ 점막하층의 절개 시 needle knife는 근층과 평행하게 움직이도록 한다.

을 때는 너무 깊게 자르지 않도록 주의한다.

5. 점막하층의 절개

- Counter traction 대신에 sodium hyaluronate에 의한 점막하층의 융기와 선단 세경 투명 hood에 의한 절개창의 전개 및 중력을 이용한다.
- 종양의 구석을 깊게 자를 때는 원통형 hood의 단으로 절개창을 열듯이 걸어서 당기고, 점막하층의 섬유에 덧그리듯이 응고파로 자른다.
- 내시경의 반전(retroflexion)으로 관찰할 수 있는 경우에는 반전 조작으로 깊이 자를 수 있다.
- 종양 옆에서 접근할 때는 IT knife를 사용하는 것이 좋다.
- 종양 앞에서 접근할 때는 선단 세경 투명 hood를 장착하고, 절개창에 말려 들어가지 않도록 창을 열면서 needle knife로 절개해 나간다.
- Needle knife로 점막하층을 절개할 때는 30W의 forced coagulation으로 한다.
- Hyaluronate 주입으로 부풀어 오른 점막하층은 응고파로 쉽게 자를 수 있다.
- 응고파에 의한 절개는 절개파에 비해서 응고 심도(coagulation depth)가 깊어서 지혈 효과가 우수하다.
- Hyaluronate로 충분히 점막하층을 융기시킬 수 있으므로, 응고파를 사용해도 점막층과 근층에 영향을 미치는 열변성은 최소한으로 막을 수 있다.
- 혈관이 있으면 40W의 argon plasma coagulation (APC) mode로 변경하여 출혈 예방효과를 높인다.
- 출혈 없이 절개하는 요령은 needle knife를 천천히 움직이는 것이다.

6. 지혈

- Forced coagulation, APC mode를 사용한 절개법에서 출혈 예방은 기본이다.
- 큰 혈관은 APC mode를 사용한 needle knife로 비접촉형 방전으로 처리한다.
- Needle knife와 혈관 사이의 미묘한 거리의 조절에도 선단 세경 투명 hood가 유용하다.
- 출혈한 경우에는 바로 hood 선단으로 압박하고, 일시적으로 지혈을 하고 물에 담가서 출혈부위를 확인한 뒤, APC probe로 변경해서 지혈한다.
- APC로도 지혈되지 않는 경우에는 clip을 사용하지만, 이후의 처치에 방해가 되지 않도록 점막에서 약간 떨어져서 묶는다.

7. 천공

- 올바른 orientation을 갖는 것이 천공의 예방에 중요하다.
- 점막의 융기가 불충분하면 재빨리 국소주입을 추가한다.
- 근층은 하얀 명주실과 같으므로 잘려 나가지 않도록 한다.
- 근층을 잘라버린 경우에는 조금 박리한 시점에서 클립으로 봉합한다.
- EMR로 인한 천공은 적절한 처치(클립에 의한 봉합술, 복강경하 봉합술 등)로 해결할 수 있어서, 개복수술까지 안 해도 되는 경우가 많다.[5)]

참고문헌

1) Yamamoto H, Yube T, Isoda N, et al. A novel method of endoscopic mucosal resection using sodium hyaluronate. Gastrointest Endosc 1999;50:251-6.
2) Yamamoto H, Kawata H, Sunada K, et al. Successful en bloc resection of large superficial tumors in the stomach and colon by using sodium hyaluronate and small-caliber tip transparent hood. Endoscopy 2003;35:690-4.
3) 山本博惠. 조기 위암에 대한 sodium hyaluronate를 사용한 EMR (EMRSH)의 요령. 소화기내시경 2002;14:1759-66.
4) Yamamoto H, Kawata H, Sunada K, et al. Success rate of curative endoscopic mucosal resection with circumferential mucosal incision assisted by submucosal injection of sodium hyaluronate. Gastrointest Endosc 2002;56:507-12.
5) 山本博惠. 내시경 절개의 합병증- 천공과 그 대책. 조기 대장암 2002;6:129-34.

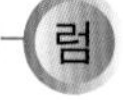

침상(針狀) knife에 의한 점막 절개의 요령

침상 knife는 장축 방향으로도 단축 방향으로도 자를 수 있는 가장 자유로운 도구이다.

1. 단축 방향으로의 점막 절개

병변 원위부의 점막에 침상 knife를 대고, 일시적으로 전류를 가해서 바늘 부분만을 점막하층에 찌르고 고정한다. 다음에 내시경을 비트는 기술과 up down 각도 기구를 사용해서 자르고 싶은 방향으로 tension을 건다.

2. Cutting mode

처음 시작하는 사람은 effect 3, 120W endocut를 사용한다. Endocut에서는 0.75초의 soft coagulation과 0.05초의 autocut가 교차적으로 가해지므로, 0.8초 단위로 0.05초 동안만 점막이 잘리기 때문에 천천히 자를 수 있다.

숙달된 시술자는 effect 3, 60~80W의 autocut를 사용한다. Autocut는 전류를 가하면서도 충분히 전압을 얻을 수 있으므로 점막 절개를 깨끗하게 할 수 있다.

3. 바늘의 길이

침상 knife의 길이를 조절하기가 어려우므로 항상 최대한 (약 4 ㎜) 밖으로 뺀다. 칼의 중앙부 (약 2 ㎜ 부위)에서 선단부가 가장 잘 잘리고, 칼의 기저부는 쉽게 잘리지 않는다. 그래서 칼의 기저부까지 점막하층에 넣지 않고, 중간 부위까지만 점막하층에 넣은 뒤에 중간 부분을 점막에 대면서 자르는 것이 요령이다. 이 미세한 조작에는 선단투명 hood가 반드시 필요하다.

4. 장축 방향으로의 점막절개

침상 knife를 점막에 대고, 일시적으로 전류를 가하고 바늘 끝을 고정한다. 다음에 약간 up 각도로 조절하고, 점막을 내강 쪽으로 잡고 들어올리듯이 전류를 가한다. 기본적으로 앞부분부터 끝의 먼 부분을 향해서 자른다. 반대 방향으로 자르면 깊이 잘리기 쉬워서 천공이 발생할 위험성이 있다.

5. 비스듬히(tangential direction) 자르기 힘든 경우

병변의 근위부와 원위부의 점막을 절개할 때는 좌우 방향으로 절개하기 때문에 down으로 각도를 거는 경우가 있다. 강하게 down으로 조절을 할 경우 천공이 발생할 위험이 있으므로, 이 경우에는 hook knife를 사용하는 방법이 안전하다.

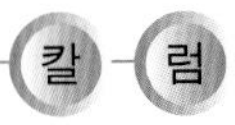

세경(細徑) snare, flex knife에 의한 점막 절개의 요령

Flex knife는 sheath 선단부가 두꺼우므로 점막에 대고 눌러도 자를 때 점막하층까지 날이 들어갈 염려가 없다.

1. 절개 개시

세경 snare와 flex knife의 길이를 1-2 ㎜로 조정한다. 점막이 정면으로 보이는 경우에는 1 ㎜, 접선 방향인 경우에는 2 ㎜ 정도로 조정하면 자르기가 쉽다. Sheath를 점막에 가볍게 대고 누르면서 전류를 가하여 절개한다. 대개는 endocut mode effect 3, 80W로 사용한다.

2. 장축 방향으로의 점막 절개

침상 knife와 달리 knife 길이를 1-2 ㎜ 정도로 짧게 사용하기 때문에 침상 knife처럼 앞에서 뒤를 향해 점막을 절개할 수 있을 뿐만이 아니라, 뒤에서 앞으로 내려 자르는 점막 절개도 안전하게 할 수 있다. 이 때, sheath 부분까지 점막하층에 넣으면 천공이 발생할 수 있으므로 sheath 부분은 점막에 대고 knife 부분만 점막하층에 들어가도록 조절하는 것이 요령이다.

3. 단축 방향으로의 점막절개

Knife 길이를 1-2 ㎜로 조절하면 자유롭게 여러 방향으로 점막절개를 할 수 있다. 단축 방향으로의 점막절개나 병변이 정면으로 보이는 경우에서도 점막절개를 쉽게 할 수 있다.

4. 점막 절개가 얕을 때

Knife 길이를 1-2 ㎜로 조정하기 때문에 때로는 절개가 얕아서 병변이 충분히 수축하지 않는 경우가 있다. 이 경우에는 세경 snare나 flex knife의 길이를 1 ㎜로 조정하여 얕은 부분의 위를 다시 자르면 깊게 절개할 수 있다.

5. 튕겨 나가는 것을 주의

세경 snare나 flex knife는 유연하므로 자를 때 튕겨 나가서 반대측 점막을 손상시키는 경우가 있다. 너무 강한 tension을 걸지 말고 조금씩 절개하는 것이 요령이다.

점막하 종양(submucosal tumor; SMT)에 대한 내시경적 적출술의 요령

내강 발육형 SMT가 커지는 경향을 보이는 경우에는 내시경적 적출술의 적응증이 된다. 3 ㎝ 이상이 되면 회수가 곤란해지므로 2 ㎝ 전후가 가장 좋은 적응증이다.

[증례제시] 66세, 남성

Fundus의 gastrointestinal stromal tumor (GIST)를 경과 관찰하던 중, 크기가 커지는 경향을 보여서 내시경적 적출술의 적응이 된다고 판단했다(그림 1).

1) Endoscopic ultrasonography (EUS)로 고유근층이 유지된 것을 확인한다.
2) SMT 기저부에 국소주입을 한다.
3) 점막절개를 한다(그림 2).
4) Hook knife나 IT knife를 사용해서 점막하층의 섬유를 잡고 SMT를 직각으로 내려다본다.
5) SMT의 심부(深部)를 관찰하고 고유근층과 SMT의 사이에 섬유가 들어있는 것을 확인한다(그림 3). SMT가 고유근층 속으로 들어가 있는 경우에는 천공의 위험이 높으므로 상황에 따라서 절제를 중단한다.
6) SMT의 가장 깊은 곳을 박리할 수 있으면 남은 부분은 snaring을 해서 절제해도 좋다.
7) SMT 정점부(가장 높은 곳)를 점막에 붙인 상태에서 절제하였다. 종양은 25 × 25 ㎜ GIST로, capsule 속에 들어있었고 deep resection margin도 음성이었다.

SMT의 적출술은 일반 EMR보다 한층 더 깊은 박리가 필요하고, 천공의 위험성이 높으므로 신중하게 박리해야 한다.

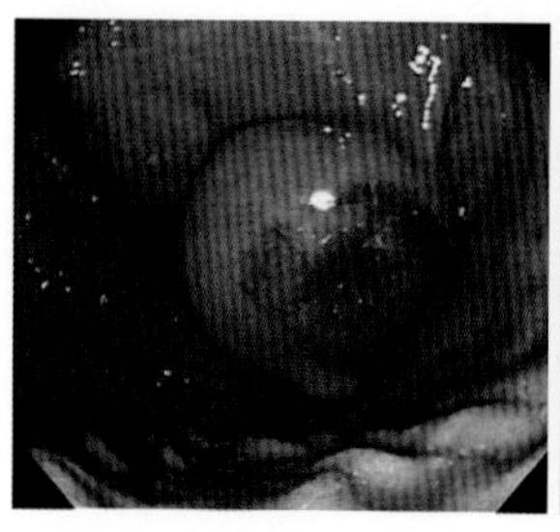

그림 1

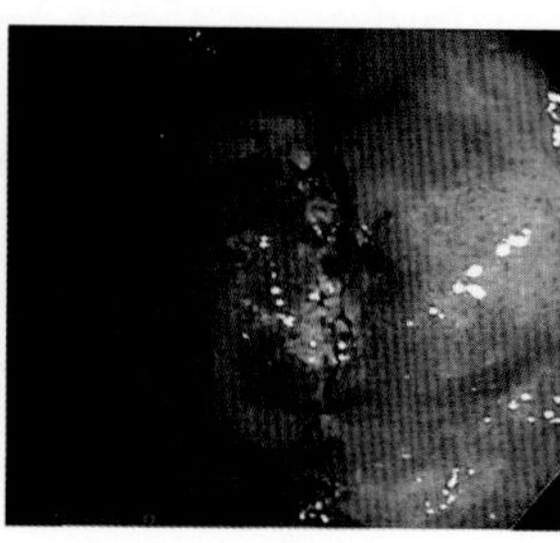

그림 2

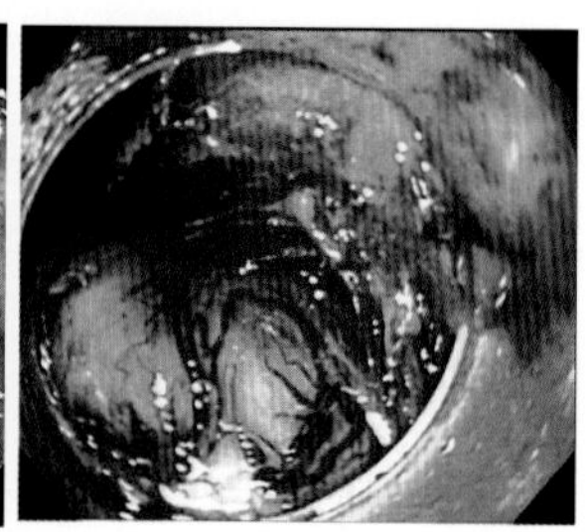

그림 3

제7장. 대장

1. 전처치

2. 대장 용종절제술(polypectomy)

3. 대장의 내시경적 점막절제술

(1) Endoscopic mucosal resection (EMR)

(2) Two channel method

(3) Snare 선단 자입법(先端 刺入法)

4. 대장 출혈에 대한 처치

5. 대장 천공에 대한 처치

1 전처치

대장내시경 검사의 수요가 높아짐에 따라서 대장질환에 대한 진단과 치료가 발달하고 있는데, 이들의 질적 수준을 향상시키기 위해서는 사전처치가 매우 중요한 역할을 한다.[1] 본문에서는 현재 시행되고 있는 사전처치법과 그 내용에 대해서 설명하겠다.

Golytely method

전처치법은 barium enema 검사를 시작으로 한때는 Brown 변법이 주류를 이루었지만, 현재는 Davis 등[2]에 의해 고안된 polyethylene glycol-electrolyte lavage solution (PEG-ELS; Golytely 액)을 사용한 Golytely method가 주로 시행되고 있다.

- 역자 주: 국내에서는 polyethylene glycol을 4000 *ml*의 물에 녹여서 복용하는 방법과 sodium phosphate 제제를 45 *ml*의 물에 녹여서 취침 전과 검사 당일에 복용하는 방법이 많이 사용된다.

1. 장점과 단점

PEG-ELS는 sodium lactate와 polyethylene glycol을 주성분으로 한 것으로, 비흡수성, 비분비성이기 때문에 심기능, 신기능 등의 순환계에는 영향을 미치지 않고, 장내세균총의 균형에도 거의 영향을 미치지 않는다.

- 많은 양의 액체로 장관 속을 씻어내는 원리로서 세정 효과를 높이는 것이다.
- 전날의 식사제한과 하제의 투여가 필요하지 않다.
- 분말로 판매되고 있으며, 물을 첨가해서 2000 *ml*로 만들어서 사용하므로 편리하다.
- 내시경 삽입 시 장관과의 마찰이 적고 잘 미끄러진다.
- 바닷물 냄새가 나고, 맛이 없으며, 필요량이 많아서 잘 마시지 못하는 환자도 있다.
- 냉감(冷感), 오심, 구토, 복부팽만감, 복통 등의 부작용이 생기는 경우가 있다.
- 장관폐색증, 소화관 천공, 중독성 거대결장증(toxic megacolon)에서는 금기이다.

2. 외래, 원내에서의 실시방법

1) Golytely액 2000 *ml*에 가스콘 수용액 3 *ml*와 essence를 소량 첨가하고 처음부터 차갑게 식힌다.
2) 오전 8:30까지 내원하도록 하여, 부작용을 포함하여 설명을 한 후에 마시게 한다.
3) 효과적인 장운동을 유발하기 위해서 컵에 덜어서 200 *ml*씩 마셔 나간다.
4) 마신 뒤 15분에서 1시간 후부터 변이 나오기 시작하고, 5~8차례 변을 보게 된다. 남은 대변덩어리 없이 옅은 황색의 물이 나오는 것을 확인한 시점에서 검사를 시작한다.
5) Golytely액 전량을 섭취했는데도 불구하고 대변이 남아 있거나, 배변이 안 되는 경우에는 담당의의 판단 하에 500 *ml* 단위로 Golytely액을 추가하던지 관장을 한다.
6) 마시는 중에 부작용이 나타나는 경우나 Golytely액 전량을 마신 뒤에도 변이 안 나오는 경우에는 장마비(ileus) 등을 의심하여 X-ray 검사 등의 적절한 조치를 취한다. 경우에 따라서는 검사를 중단하기도 한다.

3. 자택에서의 실시방법

- 자택에서 Golytely액을 마시고 사전처치를 하는

방법
- 대상은 대장내시경검사를 받아본 사람이나 비교적 연령이 젊은 사람으로서 병원의 근교(1시간 정도 이내의 거리)에 거주하고, 장마비 등의 폐색을 일으킬 가능성이 없다고 생각되는 사람이다.

1) 피험자에 대해서는 사전에 Golytely 분말, 가스콘 수용액 3 *ml*, essence를 주고 조절하는 방법을 가르쳐 준다.
2) 검사 당일, 오전 6:00부터 마시기 시작해서 외래-원내법(2번 참조)처럼 마시게 하고, 배변도 자가 검증하도록 한다.
3) 배변, 장연동음이 가라앉으면 내원하도록 한다.
4) 간호사가 배변상황 등을 물어보고, 양호하다고 판단되면 검사를 준비한다.
5) 배변이 불충분하다면 담당의가 판단하여 500 *ml* 단위로 Golytely액을 추가하거나 관장을 한다.

※ Golytely 액에는 당분이 포함되어 있는 flavor 등의 첨가가 금지되어 있는데, 그 이유는 가연성 가스의 발생을 방지하기 위해서이다(뒤에서 기술). 하지만 마시기 쉽게 하기 위해서 우롱차를 첨가하는 곳도 있다. 구체적으로는 Golytely 분말을 적당한 양의 물로 녹인 뒤, 우롱차 350 *ml*를 추가해서 전체 양을 2000 *ml*로 하는 방법이다. 매번 이렇게 해서 바꾸면 냄새를 개선시킬 수 있다.

대량 등장(等張) magcorol법

Magcorol은 염류 하제인 구연산 마그네슘이 주성분으로, 이전부터 Brown 변법에서 사용되어 왔지만 다음과 같은 문제점이 있었다.
- 사전처치 효과가 불충분하다.
- Magcorol액은 삼투압이 높아서 탈수를 유발하기 쉽고, 순환계에 영향을 미친다.
- 구연산의 양이 많고, 신맛이 강하다.

이것을 개선한 것이 대량 등장 magcorol법[3]이다. 단, 부작용으로 혈청 마그네슘 수치가 상승될 수 있으므로 마그네슘제를 복용하는 환자는 주의를 요하고, 신부전 환자에서는 금기이다. 기타 부작용으로는 배뇨장애, 권태감, 구음장애, 오심, 구토, 근육 경직, 근력 저하 등이 있고, 고마그네슘혈증을 일으키기도 한다.

<대량 등장 magcrol법의 실제 예>

1) Magcorol P 1포(100 g)를 1800 *ml*의 물에 녹인다.
2) 검사를 시작하기 4시간 전부터 200 *ml*씩 1시간 정도에 걸쳐서 전량을 마신다.
3) 마신 뒤 2~3시간 이내에 변이 나오기 시작하고, 대변덩어리가 없는 엷은 황색물이 나오는 것을 확인한 시점에서 검사를 개시한다.
4) 배변이 없는 경우에는 담당의사가 판단하여 2,400 *ml*까지 증량하던지 관장을 한다.
5) 부작용이 나타났을 때는 즉시 투여를 중지하고 채혈을 해서 전해질과 신기능을 확인한다.

양호한 사전처치를 하기 위한 노력

1. 음식물 제한

사전처치를 하기 전에는 세정성을 높이기 위해서 식사를 제한하는 것이 중요하다. 변이 남아 있는 상태에서는 흡인 겸자공이 막혀서 내시경 삽입 및 관찰 시에 번거로워질 뿐만 아니라, 병변의 발견과 치료에도 지장을 준다. 또한 식사의 내용에 따라서 가연성 가스(수소, 메탄 등)가 장내에서 생성될 수 있으므로, 고주파장치에 의한 발열로 인화, 폭발할 위험성도 있어서 충분한 설명이 필요하다.
- 검사 1~2일 전부터 야채, 해초, 곤약(구약나물 가루로 만든 일본 식품)등의 식이섬유는 먹지 않는다.
- 버섯류, 씨가 있는 것은 소화가 잘 안 되므로 먹지 않는다.
- 콩류[4], 고기류[5]의 섭취와 당질은 장내세균

중요포인트

☞ 검사전의 식사제한에 대해서 이해시킨다.
☞ Golytely액 2000 ml를 마시는 것이 기본이지만, magcorol법이나 검사식이 병용법 혹은 하제의 사전투약을 병용하는 경우도 있다.
☞ 사전처치 중에는 다른 의료진과 협력하여 배변상황을 확인하면서 추가 처치 등을 검토한다.
☞ 사전처치에 따른 부작용이나 금기를 충분히 알아둔다.

(Clostridium 등)을 통하여 수소가스를 발생시킨다는 보고도 있다.

2. 검사식 병용법

최근 일본에서는 대장 검사식이 몇 가지가 레토르트(retort; 조리된 식품을 살균하여 밀봉한 것) 식품으로 판매되고 있다. 이는 앞에서 기술한 제한된 식사에 해당하는 것으로서 영양적, 미각적, 시각적으로 우수한 제품이다. 단, 검사자가 자비로 구입해야 한다는 단점이 있다.

구체적으로는 검사전날에 이 검사식이를 섭취하고, 전날 밤에 sodium picosulfate (laxoberon) 10 ml, magcorol 1 P를 복용한다. 그러면 변이 나오고, 마지막으로 당일 Golytely액 1000 ml 마시고 세정한다. Golytely액을 마실 수 없는 경우에는 고압(高壓)관장을 하는 것으로 대체한다. 세정효과는 다소 약하지만 내시경으로 씻어내면서 볼 수 있는 경우도 많다.

3. 보조하제

변비 성향이 있는 피험자에 대해서는 일반적인 하제로서 sennoside, 산화마그네슘, senna, sodium picosulfate 등을 검사 수일 전부터 복용시킨다. 또한 소화관기능 조절제로 trimebutine maleate나 itopride hydrochloride를 사용하는 것도 효과적일 것으로 생각된다.

◘ 참고문헌

1) 田中信治, 春間 賢. Golytely method. 丹羽寬文 편집. 대장내시경 handbook. 동경: 일본 메디칼센터; 1999:39-43.
2) Davis GR, Santa CA, Morawski SG, et al. Development of a lavage solution associated with minimal water and electrolyte absorption or selection. Gastroenterology 1980;78:991-5.
3) 岩井淳浩. Magcorol method. 丹羽寬文 편집. 대장내시경 handbook. 동경: 일본 메디칼센터; 1999:44-7.
4) Levitt MD, Bond JH Jr. Volume, composition, and source of intestinal gas. Gastroenterology 1970;59:921-9.
5) 岩井淳浩. 사전처치와 장관내 가스. 丹羽寬文 편집. 대장내시경 handbook. 동경: 일본 메디칼센터; 1999:48-51.

소아에 대한 전처치

내시경 의사로서 때로는 소아의 대장내시경 검사를 의뢰받는 경우가 있다. 대상이 되는 것은 복통이나 하혈 등의 증상이 있는 경우로, 질환으로는 궤양성 대장염, 크론병, juvenile polyp 등의 대장 폴립 등이 있다. 그러나 난처하게도 소아의 경우에는 성인과 달리 이해도가 떨어지고, 비협조적이며, 체격과 체력이 작아서 관장 세정이라는 전처치가 문제가 되고, 책에도 거의 기술되어 있지 않다. 단, 소아에서는 단계적인 식사의 종류 및 양도 성인과 다르고 장의 길이도 짧아서 전처치를 비교적 쉽게 할 수 있다.

필자 자신도 소아과 의사의 지시 하에 유아에게 Golytely 액과 magcorol 희석액을 200 *ml* 정도 분유로 먹이거나 경비장관 (nasogastric tube)으로 투여한 경험이 있다. 확실히 세정력은 우수했지만 투여할 때 문제가 있었고, 안타깝게도 연령별, 체중별의 투여량을 상세하게 기술한 문헌도 거의 없어서 명확하지 않으므로 소개할 수 없다.

문헌 검색을 한 결과, 일반적으로 표 1~3에 표시한 대로, 사전처치 법은 Brown법에 준해서 시행하는데

표 1. 소아 대장내시경에 있어서의 전처치

1. 3세 미만의 유소아
   - 검사당일
     1) 오전 0시부터 맑은 물만 허용
     2) 검사 3~4시간 전부터 금식 및 정맥주사
     3) 검사 1~2시간 전에 글리세린 관장 1~2 ml/kg
2. 3~6세 소아
   - 검사전날
     1) 저녁부터 Sodium picosulfate (laxoberon) 5~10 gtt/kg
     2) 취침 전 teleminsoft 1개 투입
   - 검사당일
     1.과 마찬가지로 시행
3. 아동기 및 사춘기
   - 검사전날
     1) 성인과 마찬가지로 식사제한
     2) 저녁부터 magcorol 100~200 ml나 sodium picosulfate (laxoberon) 10~20 ml
     3) 취침 전 solven*2정
   - 검사당일
     1) 검사 7~8시간 전부터 금식
     2) 검사 1~2시간 전에 글리세린 관장 30~50 ml

*현재는 제조 중지된 약제임 [문헌 1]

표 2. 대장내시경 검사전의 식사제한

검사전날	
아침식사	가볍게 한다.
10시	쥬스 종류를 마신다.
점심식사	아래의 표에서 적당히 골라서 계획을 세운다.
15시	쥬스 종류를 충분하게 마시고, 완화제(물약)를 마신다.
저녁식사	아래의 표에서 적당하게 골라서 계획을 세운다.
취침전	좌약을 한개 사용해서 배변시킨다.
검사당일	
아침식사	쥬스 종류를 마신다.
내원후	검사 1~2시간 전에 글리세린 관장을 시행한다.

먹어도 되는 식사
우동, 닭고기, 흰살 생선, 두부가 들어 있는 맑은 장국, 요구르트, 젤리류, 갈탕 (갈분에 설탕을 넣고 뜨거운 물을 부어 휘저은 일본 음식), 얼음 사탕, 콩소메 스프(서양식 맑은 스프), 덩어리가 없는 쥬스, 사이다, 차, 물
먹으면 안 되는 식품
지방류, 야채류, 계란, 우유, 크림, 카라멜

[문헌 1]

소아에서는 쉽다고 기록되어 있다. 다만 소아에서는 탈수가 발생하기 쉬우므로 혈관 확보 및 정맥주사를 병용하는 것이 바람직하다. 또한 소아 자신뿐만 아니라, 보호자에게도 검사의 필요성과 방법, 사전처치에 대한 협조를 부탁하는 것도 하나의 요령이다.

◘ 참고문헌

1) 長島金治 편집. 유소아 소화관내시경 handbook. 동경: 일본메디칼센터; 1982:85-92.
2) 多田正大, 北村千都, 平田 學, 등. 중급자(中級者)를 위한 소아 대장내시경. 소화기내시경 1994;6:895-900.
3) 黑田浩明, 高橋英世. 소아 내시경의 특징과 주의점. 임상소화기내과 1996;11:1787-93.

표 3. Tada 등의 소아 사전처치법

검사전날	
아침식사	식빵, 과일젤리, 투명 쥬스, 사이다 등
점심식사	콩소메 스프, 요구르트, 투명 쥬스, 사이다 등
저녁식사	갈탕, 투명쥬스, 사이다 등
오후 8시	sodium picosulfate (laxoberon) 투여*
검사당일	
아침식사	투명 쥬스, 사이다 등
오후 8시	글리세린 관장

* laxoberon 투여량	
1세미만	5방울
1~3세	10방울
4~6세	14방울
7~10세	20방울

[문헌 2]

대장 용종절제술

Snare로 병변의 기저부를 묶고 고주파 전류로 절제하는 방법이다(그림 1).[1)]

적응증

- 융기성 병변. 특히 유경성, 아경성 폴립이 좋은 적응증이다.
- 원칙적으로 일괄 절제할 수 있는 크기의 병변
- 암이 의심되는 무경성 병변은 침투 암일 가능성도 있어서 점막절제술을 선택한다.

용종절제술의 수기와 합병증 대책

1. 절제 전

- 병변 전체를 관찰하고 snare로 묶을 위치를 확인한다.
- 용종 두부(頭部)가 중력에 의해 떨어지도록 체위를 변경하는 것도 중요하다.
- 병변을 겸자가 나오는 방향 또는 정면으로 볼 수 있는 위치에 오도록 한다.
- 유경성 병변 속에는 영양을 공급하는 혈관이 들어

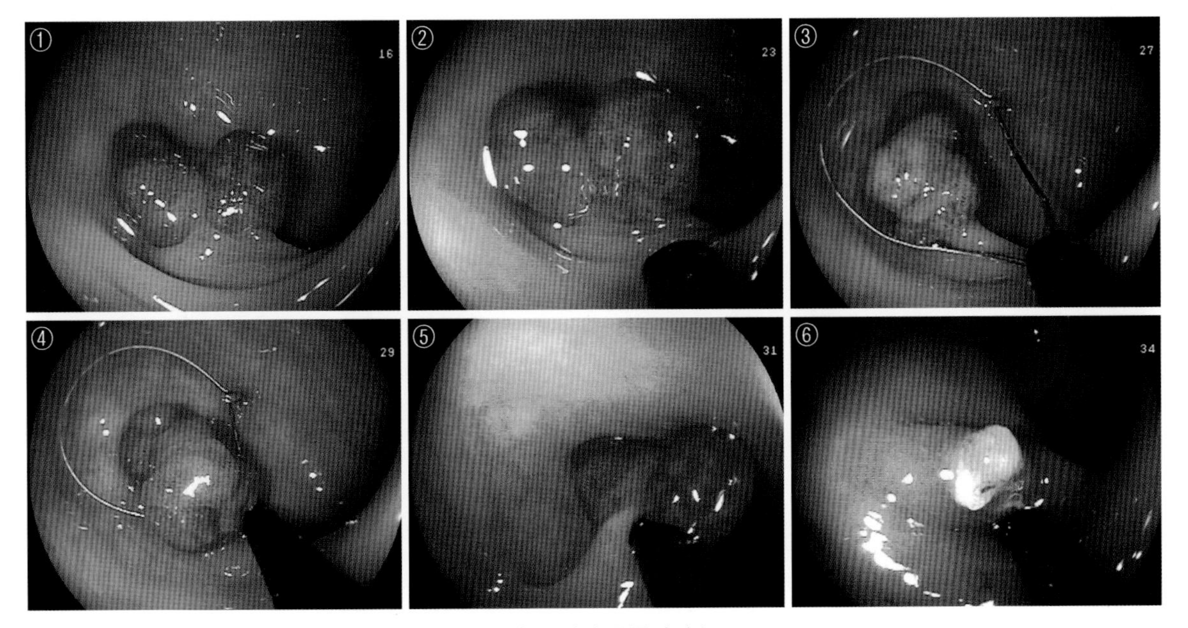

그림 1. 대장 용종절제술

① 지름 10 ㎜ 크기의 아유경성 용종
②③ 병변을 정면으로 바라보면서 병변에 snare를 건다.
④⑤ 용종 기저부를 snare로 잡고, 내강측으로 들어올려서 절제한다.
⑥ 용종절제술 후의 궤양 기저부에 출혈이나 노출혈관이 없는지를 확인한다.

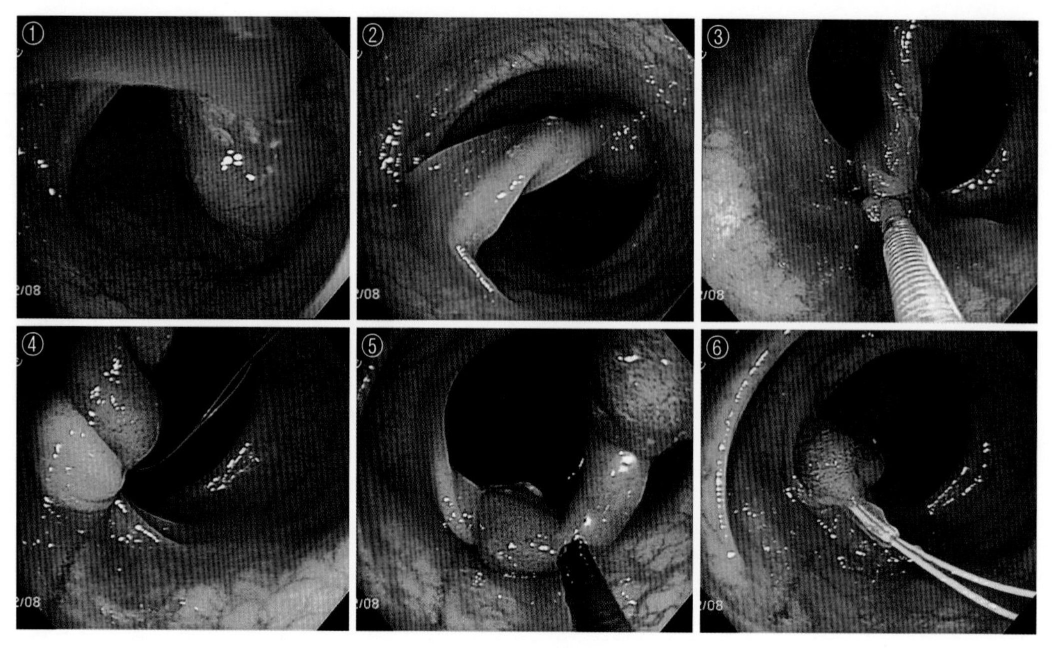

그림 2. Detachable snare

①② 지름 20 ㎜ 크기의 유경성 용종
③ 용종줄기가 장과 부착되어 있는 근방에 detachable snare를 건다.
④ 혈관을 조이면 혈액의 흐름이 차단되면서 용종줄기의 색조가 변한다.
⑤ Detachable snare와 용종 두부의 중간부위를 snare로 조인다.
⑥ 절제 후 detachable snare로 출혈을 막을 수 있었다. Detachable snare는 저절로 분리되어 대변과 함께 체외로 배출된다.

있어서, 절제 후 출혈의 가능성이 높기 때문에 detachable snare (그림2)가 유용하다.[1]

- 용종줄기가 가는 경우 용종줄기를 클립으로 묶는 것도 효과가 있다.
- 출혈을 예방하기 위해서는 환자의 질환과 항응고제 등의 복용력을 문진하는 것이 중요하고, 시술 전에 약물복용을 중지하는 등의 적절한 대책이 필요하다.

2. 절제 시

- Snare를 용종 기저부에 묶고 저항을 느끼는 시점에서 멈춘다. 이 때 기계적 절제(너무 세게 묶여서 저절로 떨어져 나가는 것)가 되지 않도록 주의한다.
- 병변의 일부가 다른 정상점막과 닿으면 고주파전류가 그 부위에 집중되어 천공을 유발할 수 있으므로 주의해야 한다.
- 정상점막과의 접촉을 피할 수 없는 경우에는 오히려 병변을 가능한 넓게 정상점막과 접촉시켜서 전류가 한 곳에 집중적으로 몰리는 것을 피한다.
- <u>통상적으로 응고전류 단독 혹은 응고 · 절개 혼합전류로 병변을 절제한다</u>. PSD-20 (Olympus 사)로, cutting mode는 25W, coagulation mode는 25W으로 한다.
- 과도한 통전은 천공의 원인이 되기 쉽다.
- 불충분한 통전은 출혈의 원인이 되기 쉽다.
- 전류를 가하는 시간이 길어도 절제가 되지 않는 경우에는 snare를 열어서 다시 고쳐 잡아야 한다.

3. 절제 후

- 병변이 남지 않도록 주의하고, 필요하다면 추가처치(resnaring, ablation method)를 한다.

중요포인트

☞ 내시경을 자유자재로 조절할 수 있는 상태를 유지하고, 병변을 겸자가 나오는 방향 또는 화면 중앙에 오도록 하는 것이 중요하다.
☞ 통전량과 절제시간을 넘기지 않는 것이 매우 중요하다.
☞ 출혈 시에는 detachable snare 및 clipping이 유용하다.
☞ 정확한 심달도 진단이 가능한 절제표본을 만들도록 한다.

- 절제부에 oozing이 있거나 동맥성 출혈과 노출 혈관이 보이는 경우에는 클립이 유용하다.[2]
- 절제부의 oozing에는 고주파 snare 선단을 수 ㎜ 꺼내서 ablation을 하는 것도 유용하다.
- 순수 ethanol 국소주입은 대장벽이 얇기 때문에 천공을 일으키기 쉬우므로 사용할 때는 주의를 한다.
- 대장의 출혈에는 순수 ethanol보다도 aethoxysklerol 국소주입이 안전하고 유용하다.[3]
- 과도한 응고로 인한 조직괴사 때문에 절제한 다음 날 이후에 심층(深層) 혈관이 노출되어 뒤늦게 출혈이 발생할 수도 있으므로 주의한다.
- 뒤늦은 출혈의 예방에는 clipping이 유용하다.

절제병변 다루기

- 절제병변은 grasping forcep과 retrieval net 등을 사용해서 확실하게 회수한다.
- 절제병변의 절단면에 아주 적은 양의 hematoxylin과 검은 먹물 등을 소량 뿌려서 절단면을 표시한다.
- 용종절제술 표본은 절단면을 포함해서 최대 할면(割面)을 중심으로 2 ㎜ 간격으로 자르는 것이 원칙이다.
- 용종절제술로 분할절제를 한 sm암의 병리조직학적 근치도는 판정하기가 어렵다.
- 병변을 올바르게 자르지 않으면 sm암을 m암으로 오진하거나, 정확한 sm 침투도를 평가할 수 없고, 근치도를 진단할 수 없어서 임상적으로 큰 지장을 준다.

참고문헌

1) 田中信治. 조기대장암의 내시경치료. 多田正大 편집. Practical 내과 시리즈 12 대장질환- 최신 진단기술과 치료전략. 동경: 南江堂; 2001:62-7.
2) 田中信治. 내시경 수기에 있어서의 요령- 대장에 있어서 내시경 절제 후의 clip 결찰술. 소화기내시경 2000;12:930-1.
3) 岡 志郎, 田中信治, 春間 賢, 등. 대장내시경 치료에 있어서의 합병증에 관한 검토-히로시마 소화기내과 치료연구회 설문조사 집계. 히로시마 의학 2000;53:1035-42.

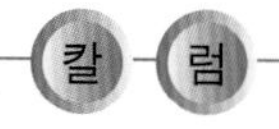

국소주입의 요령

EMR의 성공과 실패 사이에는 몇 가지 차이점이 있는데, 그 중에는 국소주입도 포함되어 있다. 국소주입은 단순히 주사바늘을 찌르고 주입액을 넣는 단순 조작으로 보일 수도 있지만, 여기에도 교과서에 나오지 않는 "숨겨진 비결"이 있다. 여기서는 약간의 요령만 소개하도록 한다.

1. 병변의 위치를 "면(面)"으로 인식한다.

병변의 위치를 "내시경 화면의 5시 방향에 오도록 한다"는 것은 이미 모든 책에 쓰여져 있고, 필자도 그렇게 기술하였다. 이상적으로는 분명히 정답이지만 장관의 내강은 반듯한 관이 아니다. 주름이나 장관 자체의 굴곡이 있고, 병변이 존재하는 부위가 반드시 내시경과 접선(接線) 방향으로만 만나지는 않는다. 그러므로 병변이 존재하는 부분을 점막면으로 잡아야 한다. 다음에 국소주입하는 부분에 따라서 이 면이 어느 방향을 향하고 있고, 어느 정도 내시경을 바라보고 있는지가 중요하다. 예를 들면 병변이 12시 방향에 있어도 병변을 포함한 점막면이 정면에 있으면 국소주입 및 점막절제술을 할 수 있다.

2. 국소주입하는 부위와 예측

1번에서 병변의 위치를 면으로 인식했는데, 이 면으로 국소주입한 후의 융기된 형태를 예측해 본다. 어떻게 부풀려야 병변이 가장 높은 부위에 오고, snare를 걸기가 쉬워지는지를 상상할 수 있다면, 국소주입을 해야 할 위치가 이해될 것이다. 여러 개의 병변을 국소주입할 때는 첫 주입 부위를 예측할 수 있다면, 두번째 이후에는 같은 방법으로 하면 된다.

3. 주사바늘을 찌르는 방법

바늘을 뺀 상태에서 조금씩 주입액을 내보내면서 점막을 찌르는 것이 기본이지만, 병변의 "면"이 내시경을 바라보고 있지 않은 경우에는 sheath로 점막을 누르면서 좋은 위치까지 선단을 움직여서, 그곳에 주사바늘을 찌르는 방법이 효과가 있다. 이때 sheath를 강하게 누르지 않도록 조심하는 것과 국소주입액을 넣어도 점막이 부풀어 오르지 않는다면 sheath를 천천히 빼는 것도 좋다고 생각한다.

4. 국소주입 후의 미세조정

마지막으로 국소주입액의 움직임을 조절하는 방법에 대해서 설명한다.

1) 단순하게 주사바늘을 찌르고 주입하면 찌른 부위를 중심으로 부풀어 오른다.
2) 1)의 상태에서 국소주입을 하면서 바늘을 빼면 융기를 한층 더 선명하게 만들 수 있다.
3) 1)의 상태에서 강하게 대고 누르면서, 바로 앞의 점막을 적시듯이 내시경을 약간씩 당기면서 주입하면 뒤쪽으로 주입액이 퍼진다.
4) 1)의 상태에서 바늘을 들어올리고, 내시경 전체로 약간 뒤를 눌러서 바로 앞의 점막에 닿지 않게 하면 앞쪽 부분으로 주입액이 퍼진다.
5) 1)의 상태에서 주사바늘을 약간 기울여서 들어올리고 누르면, 좌우방향으로 부풀어 올리는 방법을 변화시킬 수 있다.

국소주입의 요령을 소개했는데, 이처럼 세밀한 작업을 하려면 내시경을 자유자재로 조절할 수 있어야 한다. 또한 국소주입을 하면서 냉정하게 판단할 수 있는 여유가 필요하다.

제7장 대 장

3 대장의 내시경적 점막절제술
(1) Endoscopic mucosal resection (EMR)

역사적으로 내시경적 점막절제술은 위(胃)에서부터 시작한 수기로서,[1)~3)] 점차적으로 대장병변으로까지 보급이 되었다. 하지만 위와 달리 대장은 벽이 얇고 유연하기 때문에 천공 등의 합병증도 발생하기 쉬우므로 안전하고 정확하게 시술하기 위한 노력과 주의가 필요하다.[4),5)]

EMR의 적응증

- 표면형 종양을 중심으로 정상점막을 포함해서 완전절제가 바람직하다고 판단되는 병변
- 병리학적으로는 선종부터 점막하층에 경도 이내로 침투한 조기암까지 또는 carcinoid tumor 등의 점막하 종양
- 내시경 진단으로 병변과 절제단면의 평가만 가능하다면 분할절제도 인정되므로 종양의 크기에 대한 적응증은 언급하지 않겠다.

EMR을 시작하기 전에

- 시술자 자신이 수기, 대처법에 정통해야 한다. 또한 처음 배우는 의사들은 경험자의 감수와 지도를 받아야한다.
- 피험자의 동의를 얻을 것.
- 피험자의 항응고제 복용 여부를 확인해 둘 것(약을 끊는 기간에 대해서는 다른 항목을 참조).

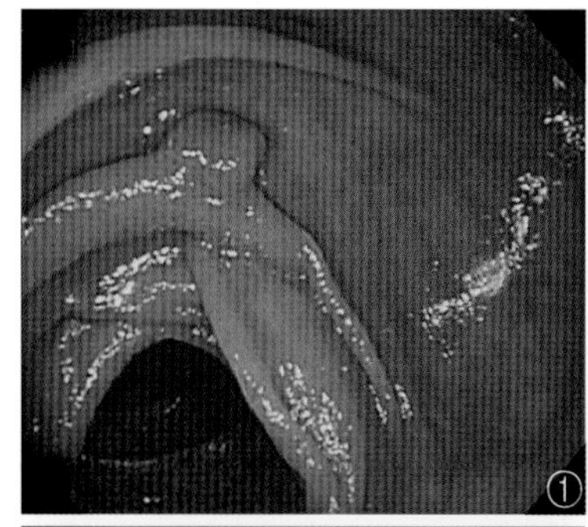
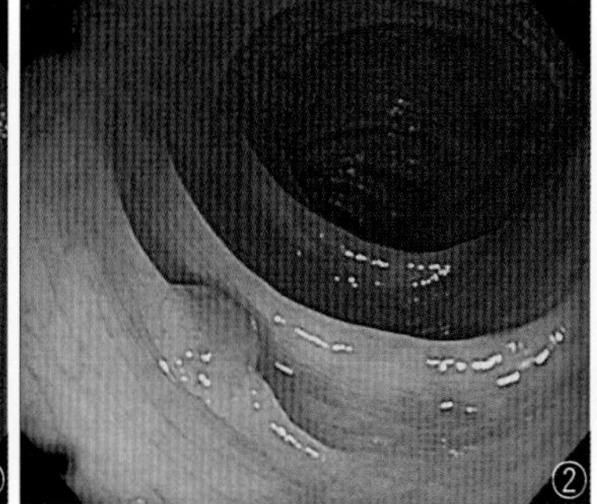
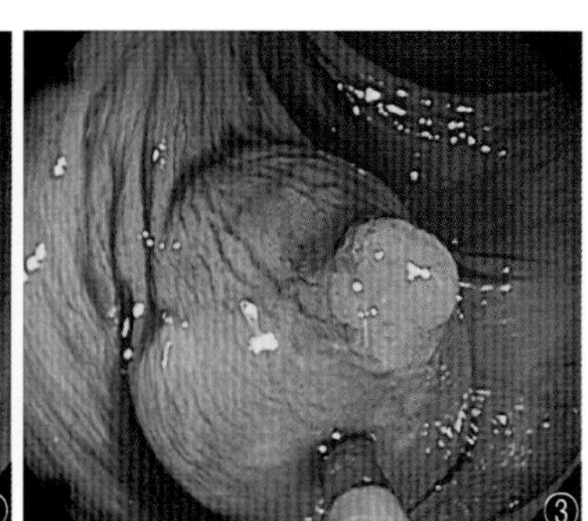
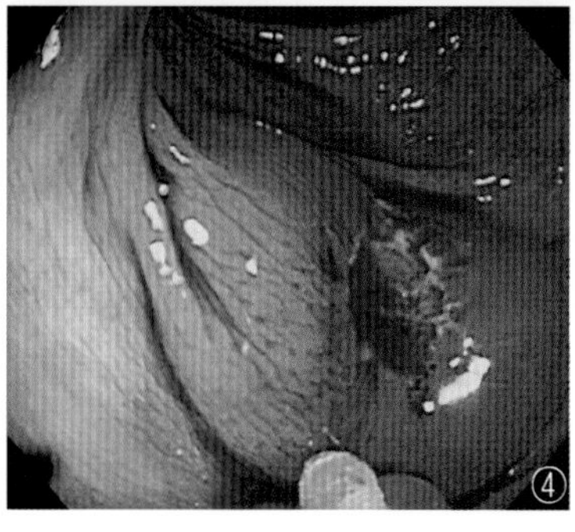

그림 1. 위치 정하기

① 장관 내강의 12시 방향에 크기가 7 ㎜인 Is형 병변이 있다.
② 병변이 화면의 아래쪽에 오도록 내시경에 우측 조작을 걸었다. 이 증례에서는 7시 방향이 한계였다.
③ 각도를 조작하고자 내시경을 약간 왼쪽으로 돌렸다. 처치기구의 방향에 맞도록 병변을 화면의 5시 방향에 오도록 하고, 국소주입을 하였다.
④ 이렇게 유지하면서 무사히 EMR을 성공시켰다.

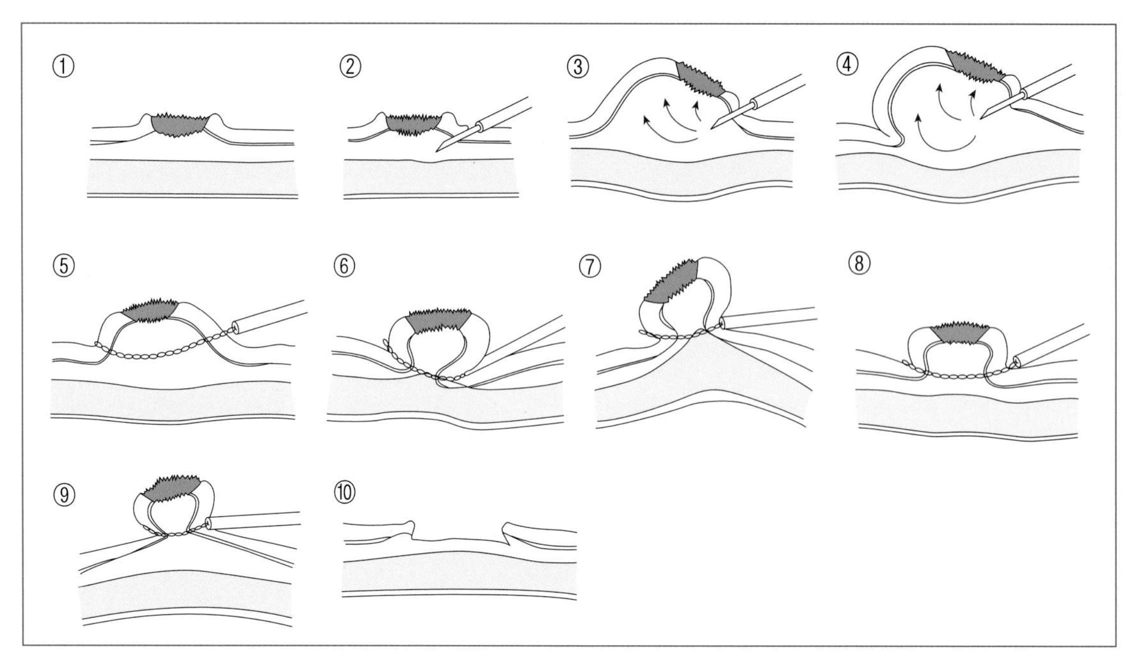

그림 2. 대장 EMR의 수기 [문헌 5]

① 병변을 진단하고, EMR 적응증인지를 판단한다.
② 병변주위의 정상점막을 주사바늘로 찌른다.
③④ 생리식염수 등을 주입해서 융기를 만든다. 이 때 병변이 가장 높은 곳에 오도록 국소주입의 방향을 미세하게 조정한다.
⑤ 병변 전체가 융기되었는지를 확인하고, 공기를 약간 흡인해서 정상점막이 포함된 병변을 snare loop 속으로 넣는다.
⑥ 흡인하면서 snare에서 저항이 느껴질 때까지 천천히 조여 나간다. 이 때 snare가 미끄러지지 않도록 주의하고, snare가 빠진 경우에는 다시 처음부터 반복한다.
⑦ 공기를 넣으면서 snare를 들어올리고, 제대로 잡았는지를 확인한다.
⑧ 잡은 부분이 미끄러지지 않도록 하면서 snare를 약간 느슨하게 하고, 근층이 snare 속에 들어 있으면 내보낸다.
⑨ 다시 snare에서 저항이 느껴질 때까지 묶는다.
⑩ 절개 전류로 단번에 자른다.

- 수기의 흐름이나 처치기구 조작에 숙련된 보조자가 있을 것.
- 처치기구는 여유분까지 준비해 놓을 것.
- 시술자가 loop를 형성하지 않고 직선에 가깝게 내시경을 충분히 조절할 수 있을 것.
- 장관의 연동운동이 정지되어 있는 상태일 것.
- 병변 주변에 있는 남은 변이나 저류액을 되도록 흡인, 제거하여 시야를 확보할 것.
- 필요하다면 사전에 혈관을 확보해 둘 것.

준비할 것

- Disposable needle (23G, 선단의 길이 4 ㎜)
- Disposable syringe 10 *ml*
- 국소주입액(생리식염수, glyceol)
- 때로는 indigo carmine, bosmin을 소량 넣어도 좋다.
- Snare (needle attached snare, snare master, spiral snare 등)
- Snare의 크기는 병변의 크기에 맞추어서 선택한다.
- 회수기구(5각형 grasping forcep, 3각형 grasping

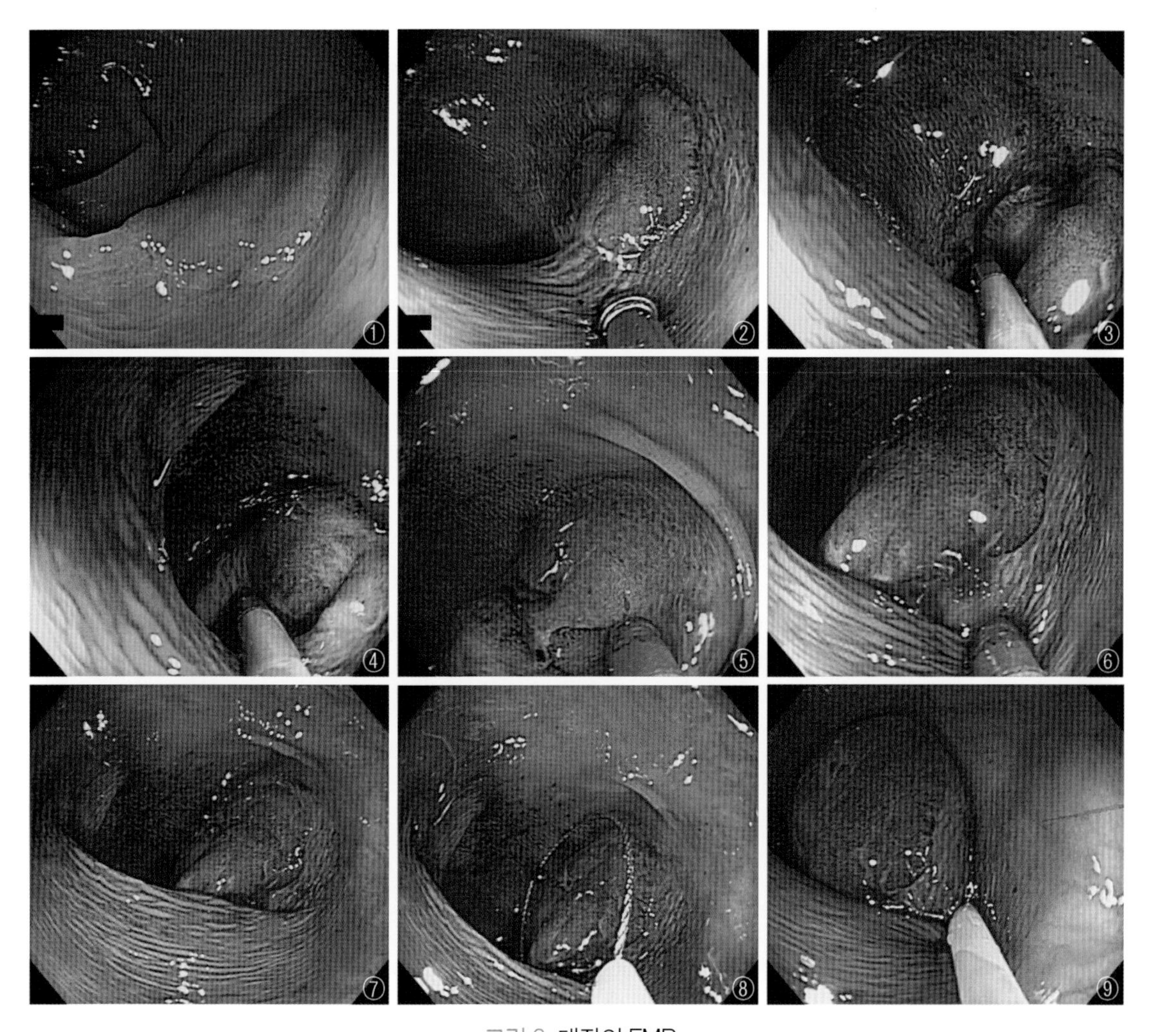

그림 3. 대장의 EMR

① 증례는 46세 남자로 횡행 결장 간만곡부에 비과립형 lateral spreading tumor가 있다. Indigo carmine을 뿌리고 확대내시경으로 관찰한 후에 EMR 적응증이라고 판단하였다.
② 병변은 다소 컸으며, 좌측에 장 주름에 의한 굴곡이 있어서 확실히 병변을 융기시켜야겠다고 생각했다(색소 산포용 tube를 함께 사용했다).
③ 여러 차례 국소주입을 할 것으로 예측하고, 국소주입 후의 융기가 오래 유지되는 glyceol을 선택하였다. 좌측의 근위부를 국소주사 바늘(클리스코 CNNS-23G-230-K)로 찔렀다.
④ 찌른 부위를 주사바늘로 약간 들어 올리면서 glyceol을 주입하면 근위부에서도 병변을 충분히 융기시킬 수 있다.
⑤ 1번째 국소 효과에 지장을 주지 않도록 주의하면서, 병변의 우측에 2번째 국소주입을 시행하여 전체 병변을 들어올린다.
⑥ 마지막으로 원위부의 융기를 확인하고 국소주입을 한다.
⑦ 병변 전체를 확인한다. 주름 때문에 융기가 불충분하게 보이지만 실제로는 충분했다.
⑧ 병변에 따라서 점막을 누르는 것이 도움이 되기도 한다. 주름의 저항에 흔들리지 않도록 Olympus사 제품의 snare master size 15 ㎜ (SD-210U-15)를 선택했다. 시야를 확보하기가 어려운 경우에는 병변의 근위부 및 좌측의 절제 변연을 충분히 잡으면서 snare를 수평으로 건다.
⑨ 공기를 약간 흡인하면서 병변을 snare loop 속으로 확실히 넣었다. 이 때 snare를 약간 전후좌우로 움직이면 효과적이다.

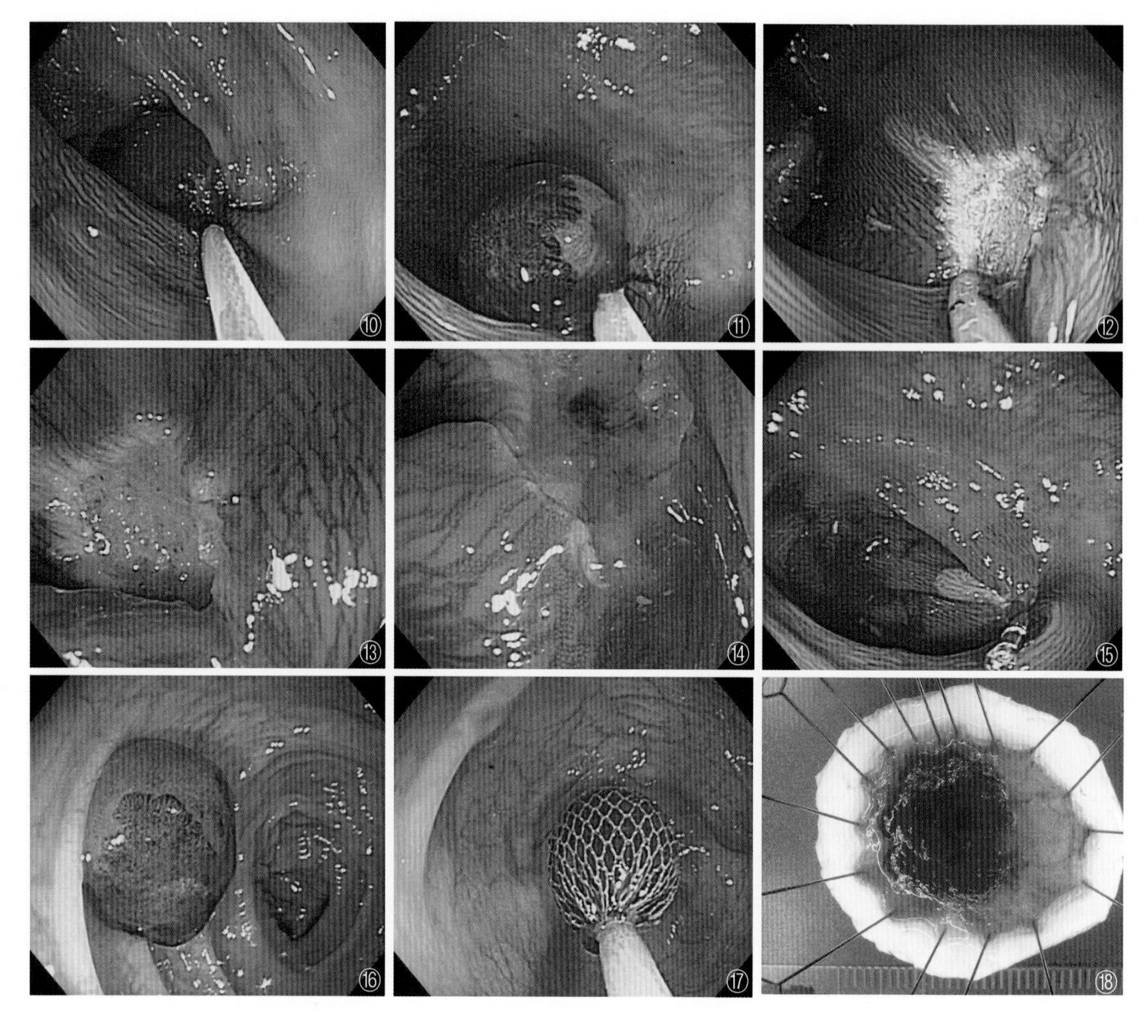

⑩ 병변이 loop 속으로 들어와 있는지를 확인하고, 공기를 흡인하면서 천천히 저항이 있을 때까지 snare를 묶는다.

⑪ 묶은 뒤에 공기를 넣어 장관내강을 넓히고, 약간 snare를 느슨하게 했다가 다시 묶는다. 보고 확인할 수 있는 범위 내에 변연이 충분히 들어있다는 것을 확인할 수 있었다.

⑫ 절개 setting은 Olympus UES-20 cutting mode 40W로 했다.

⑬⑭ 절제단면의 남은 병변에 대해서는 확대내시경으로 확인하였다. I형 pit pattern만 있다는 것을 확인했기에 완전절제로 판단했다.

⑮ Clip (HX-600-090L)을 사용해서 절제부를 봉합했다.

⑯ 절제편을 확인하고, 회수하기 쉬운 부위까지 이동시켰다.

⑰ 절제편을 잃어버리지 않도록 retrieval net (Olympus 00711182) 속으로 넣어서 회수했다.

⑱ Stainless pin을 사용해서 절제편 전체를 펴고, 20% 포르말린 용액 속에 넣고 고정했다 (자세한 것은 146쪽의 컬럼: 현미경 관찰법 참조). 절제편은 27 × 22 ㎜로, 종양 크기는 17 × 16 ㎜이었다.

중요포인트

☞ 시술자, 보조자 모두 수기를 숙련하고, 교만하지 않은 자세로 겸손하게 시술한다.
☞ 내시경의 모양, 장관내의 상황, 시야 등의 환경 정비를 한다.
☞ 확실한 위치를 정해서 국소주입부터 봉합, 회수까지 수기를 순조롭게 진행시킨다.
☞ 합병증 발생시에는 당황하지 않고 냉정하게 대처하고, 인력을 확보한다.
☞ 환자와 보호자에게 책임감을 가지고 충분히 설명을 한다.

forcep, retrieval net)

- 지혈 및 sewing set (clip 장치, argon plasma coagulation, heat probe 등)

EMR의 수기(그림 1-3)

1. 위치 정하기(그림 1)

- 처치기구를 조작하기 가장 쉬운 위치 즉, 화면(monitor)의 오른쪽 아래인 5~6시 방향에 병변이 오도록 한다.

2. 국소주입

- 주사용 생리식염수 혹은 glyceol을 주사기에 채우고, injection needle의 선단까지 flushing해서 공기를 뺀 채로 둔다.
- 병변 근위부의 점막 밑을 바늘로 찌르고, 주입해서 융기를 만든다. 이 때 병변이 정점보다 약간 원위부에 오도록 한다.
- 일반적으로 바늘로 찌르는 위치는 병변의 근위부이지만, 병변이 융기되는 것을 보면서 주입량을 조절하고 별도의 부위에 국소주입을 추가한다. 또한 내시경을 사용해서 주사바늘을 미세하게 조정해서 주입방향을 바꾸면 병변의 융기를 조절할 수 있다.
- 큰 병변일 때는 여러 부위에 국소주입을 한다.
- 계획적으로 분할절제를 하는 병변에서는 절제할 부위를 차례대로 융기시키는 것이 유리할 때도 있다.

3. Snaring

- 병변주변의 정상점막을 포함한 융기된 부위에 snare를 건다.
- 약간 흡인한 상태에서 snare의 움직임을 확인하면서 저항을 느낄 때까지 묶는다.
- 묶고 있는 상태에서 다시 공기를 넣고, 장관 속을 다시 펴서 snare를 일단 가볍게 풀었다가 다시 묶는다.
- 근층이 들어있다고 의심되면 snare를 느슨하게 해서 병변을 놓는다.

4. 절개

- 고주파 장치는 Olympus 사 제품 UES-20 cutting mode 출력 40W로 맞춘다.
- Snare를 약간씩 들어올리면서 단번에 절제한다.
- 강한 저항이 느껴지거나 쉽게 잘리지 않는 경우에는 고유근층이나 혈관이 들어있을 가능성이 있으므로 snare를 풀어서 다시 잡는다.
- 항상 합병증을 염두에 두면서 시행한다.
- 병변이 남은 경우에는 다시 EMR와 hot biopsy로 절제하던지 APC 등으로 태운다.
- 조건이 나쁠 때는 고민하지 말고 중단한다. 그만 두는 용기도 필요하다.

5. 봉합

- 절제된 단면에 잔재병변이 남아 있지는 않은지를 내시경으로 확인한다.
- 클립 선단으로 절제면에 상처를 내거나, 선단이 절

단면에 걸리지 않도록 주의하면서 clipping을 한다.
- 절단면의 끝에서부터 차례대로 봉합한다.

6. 회수

- 절제한 부위에 출혈이 없다는 것을 확인한다.
- 절제편 주변의 저류액을 되도록 흡인, 제거해서 시야를 확보한다.
- 5각형 grasping forcep으로 절단면을 신중하게 다루고 내시경과 함께 빼고 회수한다.
- 절제편이 여러 개 존재하는 경우에는 5각형 grasping forcep 등으로 절제된 조작들을 1군데 모아 놓고, net type 회수기구로 한번에 빼낸다.

7. 합병증에 대한 대책

- 당황하지 말고 인력을 확보한다. 냉정하게 판단하는 것이 중요하다.
- 환자의 상태와 활력징후를 관찰하면서 혈관을 확보한다.
- 출혈이 발생한 경우에는 출혈된 부위를 신중하게 찾고 클립이나 APC 등으로 지혈한다.
- 천공이 의심되는 경우에는 clipping이 가능하다면 시행하지만, 무리하지 말고 윗사람의 지시에 따른다.
- 환자와 가족에 대해서 책임감을 가지고 제대로 설명하고 대응책에 대해서 신속하게 설명한다.

8. 시술 후 관리

- 1주간의 음주, 온천 등의 긴 목욕, 운동, 여행, 출장의 금지
- 출혈이 없고, clipping으로 봉합한 경우에는 귀가시킨다. 때로는 지혈제(tranexamic acid)를 처방한다.
- 출혈 또는 출혈 위험성이 있는 경우에는 하루 동안 입원해서 지혈제(carbazochrome sodium sulfonate 50 ㎎, tranexamic acid 250 ㎎)를 정맥주사로 점적 투여한다.
- 식사는 당일 밤부터 죽으로 시작한다.
- 귀가 후에 출혈이 발생한 경우에는 즉시 응급실로 내원하도록 설명한다(응급내시경 처치에 대해서는 앞의 대장 출혈에 대한 처치를 참조).

맺음말

안전하게 EMR을 성공시키기 위해서는 시술자뿐만 아니라 보조자와 다른 의료진과의 teamwork이 필요하다. 그러기 위해서는 시술자가 수기를 충분히 이해한 다음, 침착하게 하나하나의 상황을 파악하여 정확한 지시를 하고, 정해진 순서를 따른다. 또한 장래 시술자가 될 가능성이 있는 보조자는 단순히 보조하는 것이 아니라 simulation을 목적으로 보조에 임해야 한다.

◘ 참고문헌

1) Rosenberg N. Submucosal saline wheal as safety factor in fulguration of rectal and sigmoidal polyp. Arch Surg 1955;70:120-122.
2) Deyhle P, et al. A method for endoscopic electroresection of sessile colonic polyps. Endoscopy 1973;5:38-40.
3) 多田正弘, 등. 새로운 위 조직검사법 "strip biopsy"의 개발. 위와 장 1984;19:1107.
4) 工藤進英. 대장 내시경치료. 동경: 의학서원; 2000:77-118.
5) 山野泰惠. 대장의 검사법. EMR의 요령. 조기대장암 2001;5:201-203.

대장 점막하층(sm) 암의 치료내시경의 근치기준

일반적으로 대장의 sm암은 10% 전후에서 림프절 전이를 동반하므로 국소적 절제만으로는 근치가 되었다고 할 수 없다. 따라서 내시경으로 절제한 병변이 sm암인 경우나 전이의 가능성이 높은 경우에는 추가적인 외과적 장 절제술과 림프절 곽청술이 필요하다.

이전에 sm 침투도 미세분류는 점막하층을 삼등분하는 상대적 분류(sm1, sm2, sm3)가 주류를 이루었다. 하지만 이 상대적 분류에서는 근층이 결여된 EMR 표본의 경우에는 sm 침투도를 정확하게 대변할 수 없으므로, 최근에 들어서는 sm 침투 실제거리에 의한 절대적 분류를 사용되는 일이 잦아졌다.

많은 증례를 수집해서 세밀하게 분석해 본 결과, 침투 선진부(先進部)의 조직학적 분화도 혹은 적출소견 등을 고려한 일정 원칙하에서 점막하층으로의 실제 침투거리가 1,000~1,500 ㎛ 정도인 sm암에서는 전이가 거의 없다는 것이 명확해져서 전이가 없는 대장 sm암의 영역은 점차 확대되는 추세이다.

이와 같은 배경을 바탕으로 대장암 연구회의 "대장 sm 암 다루기 project 연구위원회" 에서는 sm 실제 침투거리에 의한 sm 침투도의 상대적 분류를 기본으로 한 대장 sm 암의 최신 취급 방침을 활성화 시키고자 현재 대장암 취급 규약의 개정작업이 진행 중이다.

3 대장의 내시경적 점막절제술
(2) Two channel method

- 다양한 대장 종양의 EMR을 안전, 확실, 신속하게 하기 위해서는 많은 노력이 필요하다. 그 중 유용한 수단의 하나로서, two channel scope을 사용한 two channel method가 있다.
- Two channel method를 사용한 내시경, grasping forcep 등이 계속 개발되고 있다.

Two channel method의 의의

- 대장 종양의 내시경치료(polypectomy, EMR)는 병변의 부위, 형태, 크기에 따라서 처치가 곤란한 경우가 있다.
- 병변이 snare로 걸기 쉬운 dome 모양이 아니라 편평하게 융기된 경우나, 병변이 snare로 걸기 어려운 위치에 있으면 EMR은 어려워진다.
- 이상과 같은 경우에 2개의 channel을 이용한 two channel method가 유용한 경우가 있다.

Two channel method의 수기[1]

- 병변을 융기시키기 위해서 국소주입을 하는 경우나 snare를 걸 때, 상황에 따라서 two channel을 적절하게 선택하여 사용한다.
- 일반적인 two channel method EMR 수기는 융기된 병변을 겸자로 잡아서 들어올리고, 그 후에 병변의 주변점막을 snare로 묶고 절제하는 것이다(그림 1).
- Grasping forcep을 사용하기 때문에 평편한 병변도 융기의 양상과 상관없이 EMR을 할 수 있다.
- 병변 이외의 장소를 잡고, 누르거나 잡아당김으로서 적절하게 EMR을 할 수 있다.
- 병변을 잡지 않아도 한 쪽의 겸자공으로 생검 겸자 등을 사용하여 snare를 걸기 쉬운 위치에 병변이 오도록 방향을 바꿀 수 있다(그림 2).
- 유경성의 병변에 detachable snare를 사용하는 경우, two channel method을 이용한다면 용종 줄기의 근원 부위에 확실하게 detachable snare를 걸 수 있다(그림 3).[2]

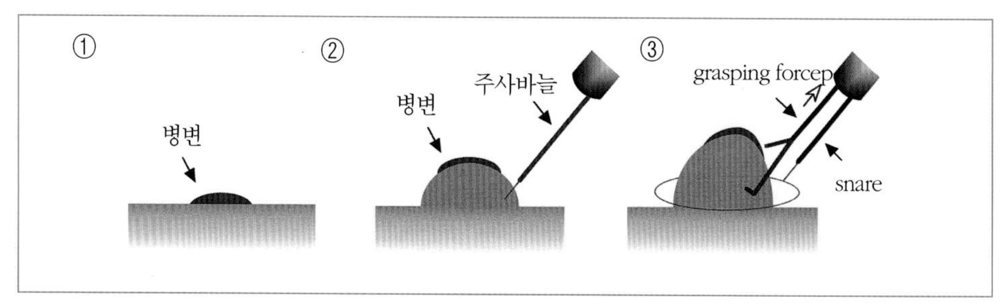

그림 1. 일반적인 two channel EMR method [문헌 3을 개편해서 인용]
병변(①)을 주사바늘로 융기시킨다(②). 융기된 병변을 겸자로 잡은 후에 들어 올리고(↗ 방향으로), 그 후에 병변과 그 주변 점막을 snare로 잡고 적출한다(③).

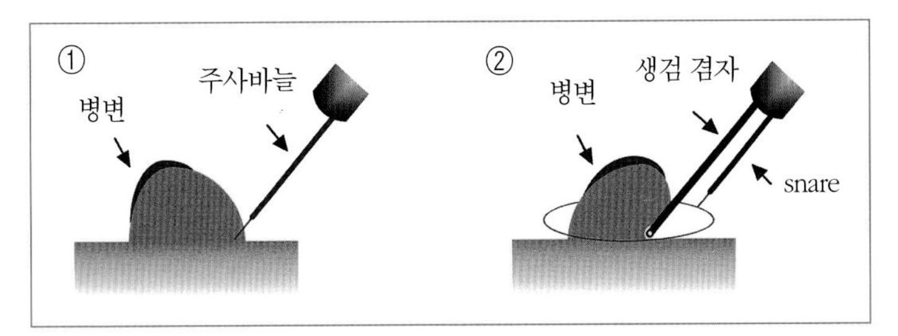

그림 2. Two channel 내시경을 사용한 EMR 예 [문헌 3을 개편해서 인용]
병변이 제대로 융기되지 않고 근위부를 향하고 있어서 병변 전체가 시야에 들어오지 않는 상태이다(①). 겸자공으로 생검 겸자 등을 넣어서 융기된 병변주변 점막을 눌러서 병변 전체가 시야로 들어오는 상태로 만들면 EMR을 할 수 있다(②).

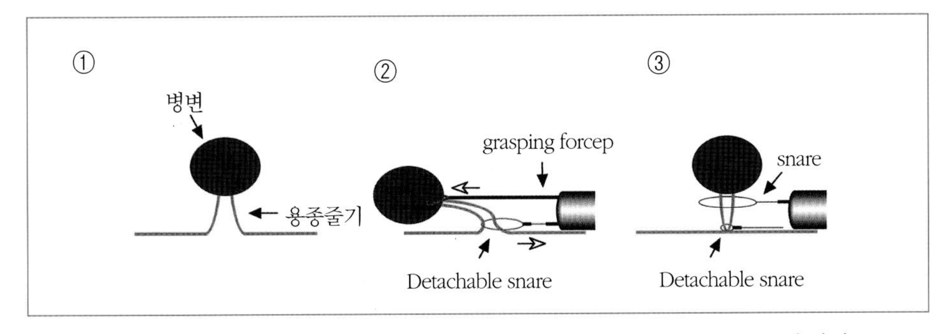

그림 3. Two channel scope과 detachable snare를 사용한 polypectomy의 방법
유경성 병변(①)에 detachable snare를 사용하여 용종절제술을 하는 경우에는 가능한 용종줄기의 근원(용종이 점막과 닿은 부분) 부위 가까이에 detachable snare를 걸 필요가 있지만, one channel scope으로는 잘 안되는 경우도 있다. Two channel scope을 사용한다면 grasping forcep으로 병변을 근위부를 향해서 누르고(←화살표 방향), detachable snare를 원위부로 당기면(→ 화살표 방향) 적당한 위치에서 묶을 수 있고(②), 정확히 용종절제를 할 수 있다(③). 이 조작은 순서를 거꾸로 하는 경우도 있다.

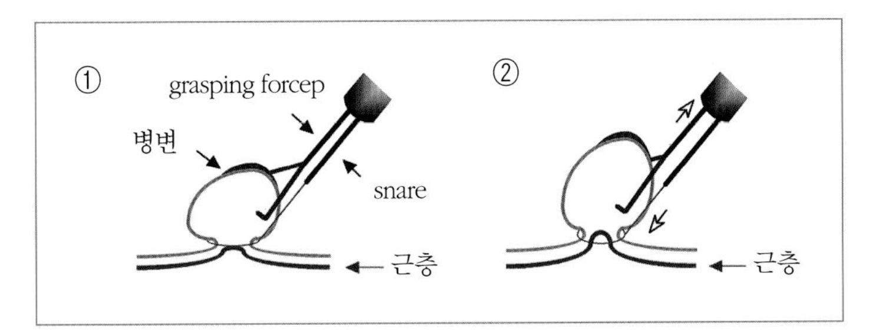

그림 4. Two channel method에 의한 장천공의 위험성
EMR은 snare로 인한 근층의 교찰을 회피할 수 있어서(①), 안전하게 할 수 있는 수기이지만, grasping forcep을 너무 세게 당기거나(↗ 방향), snare를 지나치게 장 점막에 대고 누르면(↙ 방향) 근층이 같이 묶여서 장 천공이 야기되므로(②), 충분히 배려를 해야 한다.

그림 5. CF-2TQ240ZI의 겉모양 (Olympus사) [문헌 1에서 인용]
① 조작부는 확대관찰용의 노브가 장착된 것 이외에 종래 기종과 차이는 없다.
② 선단부

표 1. CF-2TQ240ZI, 2T200, Q240 (Olympus)의 사양(仕樣)과 성능

	CF-2TQ240ZI	CF-2T200	CF-Q240
선단부의 외경	13.8 mm	15.4 mm	13.2 mm
삽입부의 외경	13.7 mm	14.2 mm	12.9 mm
굴곡각도	UP · DOWN 각 180도, RIGHT · LEFT 각 160도		
겸자공의 내경	우 3.2 mm 좌 3.2 mm	우 3.2 mm 좌 2.8 mm	3.7 mm

[문헌 1을 개편해서 인용]

Two channel method의 주의점

- Grasping forcep으로 병변 또는 종양의 주변부를 깊게 잡고 들어올려서 snare를 묶으면 근층이 같이 들어가서 장관 천공이 유발될 수 있으므로 주의해야 한다(그림 4).
- 병변과 그 주변을 snare로 묶는 도중에 grasping forcep을 열고, 공기에 의한 장관의 팽창과 snare를 묶는 조작을 조절하여 근층을 같이 묶지 않는 것이 장 천공을 예방하는 한가지 방법이다.

Two channel 대장내시경(CF-2TQ240ZI)[3]

- Olympus사에서 CF-2TQ240ZI (그림 5)가 개발되어 판매되고 있다.

표 2. Grasping forcep (Olympus사)

종류	열린 폭(mm)
V type	4.7
Alligator type	7.5
V type alligator	14.7
(특수주문품)	19.4

[문헌 3을 개편해서 인용]

- CF-2TQ240ZI는 이전 기종인 CF-2T200를 개량해서 제작된 것이다(표 1에 CF-2TQ240ZI, CF-2T200과 범용 기종인 CF-Q240을 간단하게 비교했다).
- CF-2TQ240ZI의 내시경 선단부의 외경, 삽입부의 외경은 각각 13.8 ㎜, 13.7 ㎜로 CF-2T200에 비해서 가늘어졌으며, 나머지는 범용 기종의 CF-Q240과 비슷하므로 비슷한 느낌으로 내시경을 조작할 수 있다.
- CF-2T200에서는 차이가 있었던 좌우 두개의 겸자공의 지름이 3.2 ㎜로 보정되므로, 좌우 어느 채널

중요포인트

☞ 국소주입과 snare의 사용에 있어서는 두 채널을 효과적으로 선택하여 이용하고, 나아가서 grasping forcep을 적절하게 선택하면 효과적인 점막절제술을 할 수 있다.
☞ Grasping forcep으로 병변을 잡고 들어올려서 snare로 묶는 과정뿐만 아니라, 병변 이외의 장소를 잡거나 눌러서 적절하게 점막절제술을 하는 것이 중요하다.
☞ Grasping forcep으로 병변을 너무 들어올리거나 snare로 병변과 그 주변 점막을 너무 깊게 잡으면 장이 천공될 수 있으므로 충분히 주의해야 한다.

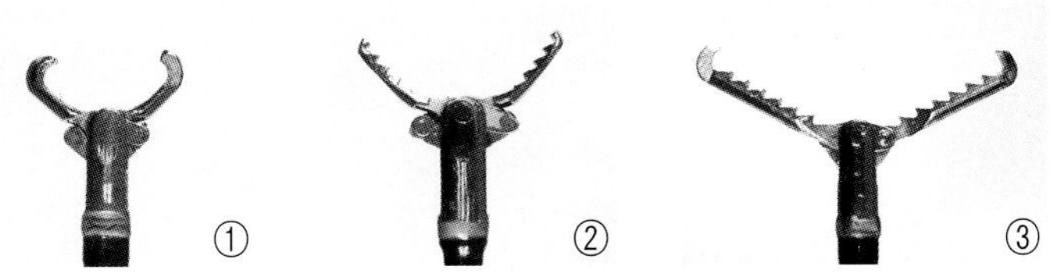

그림 6. Two channel method로 사용가능한 grasping forcep
(Olympus사)[문헌 2에서 인용]
① V type grasping forcep. 열린 폭 4.7 ㎜
② Alligator type grasping forcep. 열린 폭7.5 ㎜
③ V type alligator grasping forcep. 열린 폭 14.7 ㎜와 19.4 ㎜의 두 종류가 있다.

을 사용해도 처치기구를 부드럽게 다룰 수 있고 two channel을 자유롭게 선택할 수 있다.

Grasping forcep[3]

- EMR의 성공과 실패는 병변을 잡는 grasping forcep에 의해서 좌우된다.
- 작은 grasping forcep으로는 큰 병변과 그 주변의 정상점막을 잡고 적출하기가 어렵다. 또한 작은 병변에서는 큰 grasping forcep이 필요하지 않다.
- Grasping forcep의 선단부 모양이 병변과 그 주변의 정상점막을 제대로 잡을 수 있는 구조가 아니라면 겸자를 들어올렸을 때 미끄러지는 상황이 된다.
- 현재 Olympus에서 판매하고 있는 grasping forcep 중에서 대장의 EMR에 사용가능한 grasping forcep의 종류와 열리는 폭(겸자를 열었을 때의 벌어진 길이)을 표 2에 요약했다.
- 열린 폭이 4.7 ㎜인 V type forcep (그림 6①), 열린 폭이 7.5 ㎜인 alligator type forcep (그림 6②)에 덧붙여, 이 둘의 장점을 조합한 V type alligator forcep (그림 6③)이 개발되었다. V type alligator forcep은 열린 폭이 14.7 ㎜인 것과 19.4 ㎜인 것의 두 종류가 있다.
- 모두 잡을 수 있는 힘은 충분히 있다. 병변의 크기에 따라서 선택하면 효과적인 EMR을 시행할 수 있다.

참고문헌

1) 津田純郎. 확대기능이 있는 two channel 대장내시경(CF-2TQ240ZI). 조기대장암 2001;5:615-7.
2) 鶴田 修, 迅雄一郎, 河野弘志, 등. 대장 용종절제술에 있어서의 유치 스텐트의 사용방법- two channel scope를 사용하여. 소화기내시경 2000;12:898-9.
3) 津田純郎. 하부소화관 3. 내시경치료- two channel scope를 사용한 EMR. 소화기내시경 2002;14:1493-4.

Snare 구분해서 사용하기

독자 여러분은 여러 회사에서 판매되고 있는 많은 종류의 snare를 어떻게 분류해서 사용하고 있는가? 특히 EMR을 할 때는 병변의 위치와 크기뿐만 아니라, 국소주입에 의한 융기 정도가 영향을 미쳐서 snare가 잘 걸리지 않거나 자주 미끄러질 것이다. 따라서 snare를 어떻게 구분해서 사용할지에 대해 고민해 본 적이 있을 것이다.

점막절제술을 하기에 적당한 snare란 일반적으로는 점막에 잘 걸리고, 대고 눌렀을 경우 "꺾임" 이 있는 것이 좋다고 생각한다. 현재는 Kudo (工藤進英, 요코하마대학 북부병원 소화기센터 교수) 선생이 제안한 타원형의 needle attached snare (SD-16,17)가 일반적으로 사용되고 있다.

확실히 needle이 달려 있으면 점막에서 잘 미끄러지지는 않지만, 실제로 병변이 크거나 굴곡이 있는 부위에서는 snare로 잡은 부위를 잘 떼어낼 수 없는 현상이 발생하기도 한다. 이에 저자들은 snare의 꺾임과 미끄러짐을 방지하는 것은 snare에

표 1. 하부소화관용 snare

		지름
타원형의 needle attached snare	SD-16U-1	25
	SD-17U-1	15
타원형의 disposable snare	SD-210U-15	15
(snare master)	SD-210U-10	10
Spiral snare	SD-230U-20	20

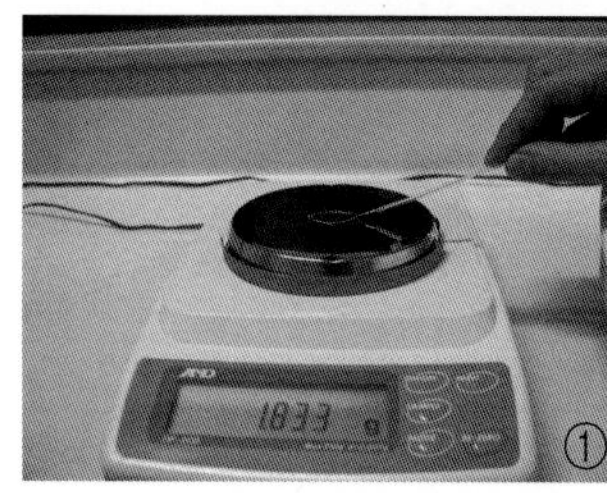

그림. Snare 가중(加重)의 실험

① 전자정밀계량기(1/1,000 g)에 snare를 대고 그 무게를 측정한다.
② 수평으로 대고 눌렀을 때의 무게 측정. Snare의 면이 모두 닿은 상태에서 측정한다.
③ 휘어졌을 때의 무게 측정. 가장자리 지점에 무게를 가해서 snare 선단이 휘어 올라간 상태에서 측정한다.

표 2. 수평으로 대고 눌렀을 때의 무게의 비교

		가중 (g)	
타원형의 needle	SD-16U-1(25)	0.78 ± 0.18	
attached snare	SD-17U-1(15)	1.44 ± 0.09	
타원형의 disposable snare	SD-210U-15	2.18 ± 0.15	**
(snare master)	SD-210U-10	2.56 ± 0.16	*
Spiral snare	SD-230U-20	3.00 ± 0.18	* / **

Mann-Whitney's U test
*: p=0.0062 **: p=0.0283

표 3. Snare가 휘어졌을 때의 무게

		가중 (g)	
타원형의 needle	SD-16U-1(25)	1.75 ± 0.03	
attached snare	SD-17U-1(15)	2.93 ± 0.16	
타원형의 disposable snare	SD-210U-15	4.57 ± 0.49	*
(snare master)	SD-210U-10	5.63 ± 0.24	NS
Spiral snare	SD-230U-20	5.95 ± 0.44	NS / *

Mann-Whitney's U test
*: p=0.0074

수직방향으로 걸린 힘의 크기가 아닐까라는 생각에 다음과 같은 실험을 했다. 대상은 표1에 나열된 다섯 종류의 snare다. 방법은 그림에 나타난 것처럼 snare를 1/1,000 g 까지 측정 가능한 전자정밀계량기에 대고, 이 수치가 수직방향에 걸리는 힘(가중; 加重)이라고 가정하였다. Snare loop가 하나의 면으로 수평이 된 상태와 snare의 선단이 휘어져 올라가는(시술 중에 자주 경험하는) 상태를 재현하고 snare마다 무게를 측량해서 비교했다. 결과는 표 2, 3과 같이 결론적으로는 snare의 지름이 클수록 가중이 저하되기 때문에 미끄러지기 쉽고, 위로 휘어지는 현상이 발생하여 snare로 잡은 부위가 쉽게 절제되지 않는다는 사실이 증명되었다. 이러한 관점에서 볼 때, 큰 병변을 절제하는 경우에는 spiral snare가 우수하다는 것을 알 수 있었다.

이상으로부터 snare의 선택은 큰 병변용으로는 spiral snare, 작은 병변용으로는 타원형의 needle attached snare SD-17U-1, 그리고 중간 크기의 병변용으로는 snare master SD-210U-15로 구분해서 사용하는 것이 좋다고 생각한다.

(위 내용은 제 64회 일본소화기내시경학회 총회 VTR workshop에서 발표한 내용임.)

칼럼

절제표본 다루기(하부소화관)

내시경 절제표본의 취급은 조직 진단에 큰 영향을 미치기 때문에 매우 중요하다.

1. 용종절제술 표본

용종절제술을 한 표본인 경우, 수직 절단면이 포함되어 있지 않으면 심달도(深達度) 판정에 지장을 주어서 치료내시경의 근치도 판정이 불가능한 경우도 있다. 표본의 절단면을 아주 적은 양의 검은 물감으로 표시를 해 두는 등의 노력이 필요하다. 정상 점막을 약간 포함해서 용종절제술을 하는 것도 절단면을 쉽게 파악하는데 유용하지만, 절제할 때는 근층이 함께 잘리지 않도록 주의한다.

2. EMR 표본

점막절제술 후의 표본은 반드시 잡아당겨서 평면으로 고정한다. 그렇게 하지 않으면 점막근층에 수직인 절단면이 얻어지지 않고, 심달도 진단에 지장을 준다. 고정용 판으로는 고무판, 코르크판, 스티로폼판 등이 통상적으로 사용되고 있다. 바늘은 아주 가는 스테인레스제(재봉용)가 좋다. 고정할 때 충분히 당겨야 하지만 너무 늘리는 것도 좋지 않다. 포르말린으로 고정하면 병변이 쭈글쭈글해진다는 사실을 고려하여 병변이 부자연스럽게 잡아당겨지지 않도록 충분한 수의 바늘을 사용한다(그림).

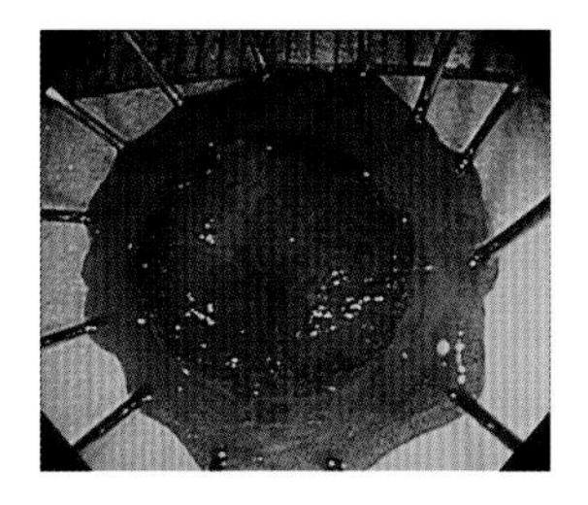

가능하다면 현미경으로 관찰하여 pit pattern을 기준으로 가장 이형성이 높은 부분과 sm 침투 가능성이 높은 부분에서 절단면이 얻어지도록 자른다.

"대장암 취급 규약"에 의하면 약 2 ㎜ 간격으로 병변을 자르도록 되어 있다. 이는 올바른 병리진단을 하기 위해서 반드시 필요한 과정이다. 또한 잘라낸 병변으로 H&E 표본을 만드는 경우, paraffin block 속의 표본을 꺼내서 절단면으로부터 최소한 0.5~1 ㎜ 정도 떨어진 조직으로 만든다. 특히 작은 병변일 경우에는 더욱더 표본 제작에 주의를 한다. 내시경을 시행한 의사는 절제표본에서 H&E 표본이 완성되기까지의 과정을 적어도 한번 견학하고 체험하여 전 과정을 파악하고 있어야 한다.

3 대장의 내시경적 점막절제술
(3) Snare 선단 자입법(刺入法)

- 표면형 대장 종양에 있어서 내시경으로 일괄절제를 할 수 있는 기술적 한계는 약 20 ㎜이다.
- Snare와 절단부의 고정이 불충분한 경우에는 snare가 묶이면서 병변이 snare 속을 빠져나가 분할절제가 되기 쉽다.
- 보다 확실하게 병변을 묶기 위해서 snare 선단으로 병변 근위부의 정상점막에 점상(點狀)으로 고주파 전류를 통해 절개한다. 다음에 이 부위를 snare 선단으로 찔러서 고정하고, snare와 절제부위를 보존시킨 상태에서 점막절제술을 하는 것이 snare 선단 자입법[1),2)] (이하, 자입법)이다.
- 자입법으로 20 ㎜ 이상의 표면형, 결절형(nodular) 종양의 일괄절제율이 향상되었다.[2)]

적응증

- Snare 속에서 병변이 빠져 나가기 쉬운 병변(20 ㎜ 이상의 병변, 굴곡부의 휘어진 병변, 국소주입에 의한 융기가 반구(半球; hemisphere)형으로 되지 않고 납작하게 부풀어 오르는 병변).

처치기구

- 일반적인 점막절제술에서 사용하는 기구와 마찬가지로 injection needle, 고주파 snare, 고주파 ablation 전원장치가 필요하다.
- 고주파 snare는 타원형으로 묶었을 때, snare 옆을 고정할 수 있는 Olympus사 제품의 needle attached snare SD -16U-1 (그림 1)을 사용하고 있다. 이 snare는 loop를 열었을 때의 넓이가 25 ㎜이다.
- 선단 끝이나 선단의 양쪽 옆에 바늘이 달린 snare도 유용하지만 현재 시판되고 있지 않다.

자입법의 실제

1. 병변의 위치 책정과 자입점의 결정

- 조작하기가 쉽도록 병변을 6시 방향에 오도록 한다.

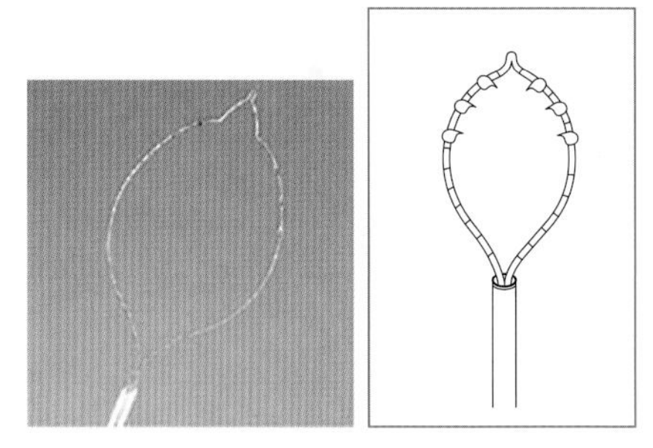

그림 1. 바늘이 달린 고주파 snare (Olympus사 제품)

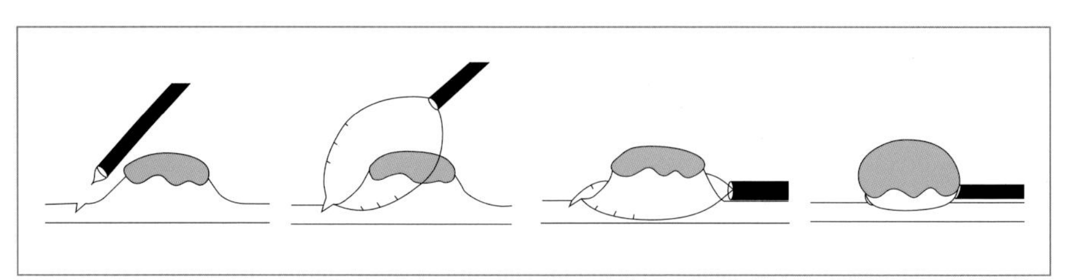

그림 2. Snare 선단 자입에 의한 EMR의 모식도

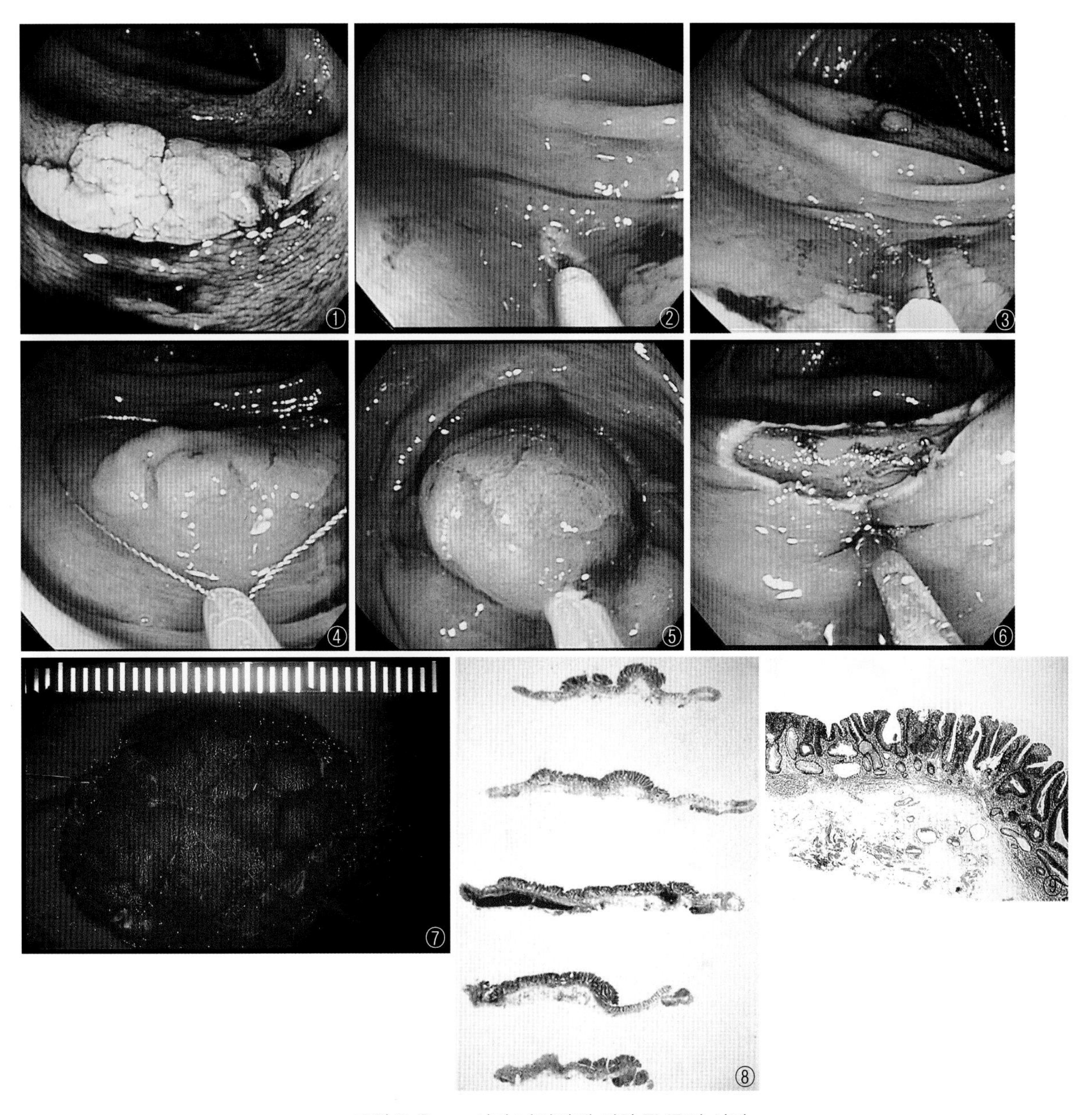

그림 3. Snare 선단 자입법에 의한 EMR의 실제

① 상행결장의 주름에 걸쳐진 결절성 병변이 있다.
② Snare의 선단으로 고정점을 만든다. 생리식염수를 주사한 뒤 snare 선단을 이용하여 병변 근위부의 정상점막을 고주파전류(25-30W)로 점상으로 절개한다.
③ 절개부에 snare의 선단을 찔러서 고정한다.
④ 병변의 형태에 맞추어 snare를 연다.
⑤ 병변을 묶는다.
⑥ 절제. Indigo carmine을 뿌리고 EMR 후의 잔재 병변의 유무를 확인한다.
⑦ 실체(實體) 현미경 소견. 종양의 지름은 24x16 ㎜였다.
⑧⑨ 병리조직 소견. 병리조직학적으로는 선관 선종으로 lateral resection margin, deep resection margin 모두 음성이었다.

중요포인트

☞ Snaring하기에 가장 적당한 자입점을 선택한다.
☞ 찔러서 고정한 snare 선단 지점에서 병변의 형태에 맞추어 snare를 연다.
☞ Snare 선단이 자입부에서 빠지지 않도록 snare를 가볍게 누르면서 장내 공기를 흡인하고 묶는다.
☞ 선단 자입부는 저출력(低出力)으로 절개하고, 점막에서 점막하층 표층 사이에 고정시켜서 합병증을 예방한다.

- 통상적으로 snare가 대칭적으로 열린다는 가정 하에 병변 근위부의 정상점막에 snare를 대는 것이 바람직하다.
- 주름에 걸쳐진 병변에서 시야가 충분히 확보되지 않는 경우나 장관의 단축 방향이 넓은 병변에서는 자입점을 병변좌우의 장관 단축단(短軸端)근처로 하면 snaring이 쉬워진다.

2. 국소주입

- 큰 병변이나 주름에 걸쳐진 병변에서는 병변을 정면으로 바라볼 수 있도록 근위부에 주사하고, 상황에 따라서 병변의 좌우나 원위부에도 소량 추가 주입한다.
- 생리식염수는 빨리 퍼지고 또한 찌른 부위에서 새기 쉬우므로 빠르게 융기를 만든다.

3. Snaring (그림 2,3)

- Snare의 선단부를 snare 바깥쪽으로 아주 조금(1~2 ㎜) 꺼낸다.
- Snare 자입점으로 판단한 병변 근처의 정상점막을 고주파 전류(25~30W의 혼합전류)를 사용해서 점상으로 절개한다.
- 같은 부위에 snare 선단을 찔러서 고정하고, 그 곳에서 snare를 연다.
- 고정시킨 선단에 힘을 가하면 snare 모양은 전후방향에서 좌우방향으로의 타원으로도 변하고, 병변의 형태에 맞추어 snare를 열 수 있다.
- 선단의 삽입부가 빠지지 않도록 snare를 가볍게 누르면서 조이기 시작한다.
- Snare 속으로 들어간 병변이 모자라는 경우에는 장속의 공기를 흡인하고 묶는다.

4. 절제

- Snare를 조인 뒤에 snare를 움직여서 고유근층이 들어있지 않은지를 확인하고, 절개전류(30-40W)로 단번에 절제한다.
- 절단 후에 생긴 궤양(artificial ulcer)에 색소를 뿌리고, 내시경으로 잔재병변의 유무를 확인한 뒤 표본을 회수하고 조직 평가를 한다.
- 분할절제를 했을 경우에도 나중에 표본의 재구성을 고려하여 병변을 가능한 크게 절제하고 분할횟수를 줄이도록 노력한다.

합병증의 예방

- 선단 자입부의 깊이 및 고주파 전류의 출력에 주의를 한다.
- Snare 선단을 고정하는 것이 목적이므로 선단 자입부는 저출력으로 절개하고, 점막에서 점막하층 표층 사이에 고정시키는 것이 중요하다.

◘ 참고문헌

1) 野村美樹子, 松永厚生, 內海 潔, 등. Snare 선단 자입법에 의한 대장종양의 내시경적 점막절제술. 조기대장암 2000;4:577-579.
2) 野村美樹子, 藤田直孝, 松永厚生, 등. 대장종양의 내시경적 점막절제술에 있어서 snare 선단 자입법의 유용성. Gastroenterol Endosc 2001;43:1821-1827.

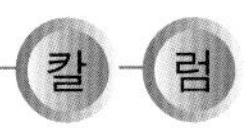

Non-lifting sign

Non-lifting sign이라는 표현은 Uno 등[1]에 의해서 만들어진 것으로, 점막절제술을 할 때 생리식염수를 병변의 점막하층에 주입했는데도 병변이 부풀어 오르지 않는 현상을 말한다. 대개 암이 점막하층(sm) 이하의 깊은 부위로 침투한 경우(그림 1,2)나 점막하층에 섬유화가 있는 경우가 원인이다. 어느 쪽이든 간에 non-lifting sign이 양성이면 통상적인 single snare로 하는 일괄절제는 불가능하므로 non-lifting sign은 점막절제술이 가능한지 여부를 최종 확인하는 방법으로 사용되기도 한다.

종양성 병변에서 non-lifting sign을 보인 경우에는 일반적으로 점막하층 이하로 암이 침윤되었다고 간주해야 하지만, 드물게는 점막내암 또는 선종에서도 non-lifting sign이 나타나는 경우가 있다. 점막이 벗겨지거나 연동운동 등 기타 원인에 의해서 점막하층에 섬유화가 생긴 경우들이다. 따라서 non-lifting sign만으로 치료방침을 정할 것이 아니라, 어디까지나 병변 자체의 임상소견이 중요하다. 또한 생리식염수 주입 시에 찌르는 각도나 깊이에 의해서도 non-lifting sign이 위양성으로 나오는 경우가 있다. 따라서 점막하층에 생리식염수를 국소주입하는 방법에 대해서는 충분히 연습해 둘 필요가 있다.

또한 표면형 종양에서 조직검사를 하면, 그것이 원인이 되어 근판(筋板)이 파열되고 점막하층에 섬유화가 생겨서 non-lifting sign이 양성으로 된다. 이런 경우, 생리식염수를 국소주입하여 다소 병변이 부풀어 올라도 snaring을 할 때 섬유화된 부분이 가라앉아 버려서 snaring이 안 되는 경우가 많다. 이 때문에 표면형 종양을 조직 검사할 때는 점막표면을 얇게 잡는 등의 별도의 배려를 해야 한다. 그러나 만약 점막절제술을 할 예정이라면 표면형 종양에서의 조직검사는 금기로 생각해야 할 것이다.

참고문헌

1) Uno Y, Munakata A. The non-lifting sign of invasive colon cancer. Gastrointest Endosc 1994;40:485-9.

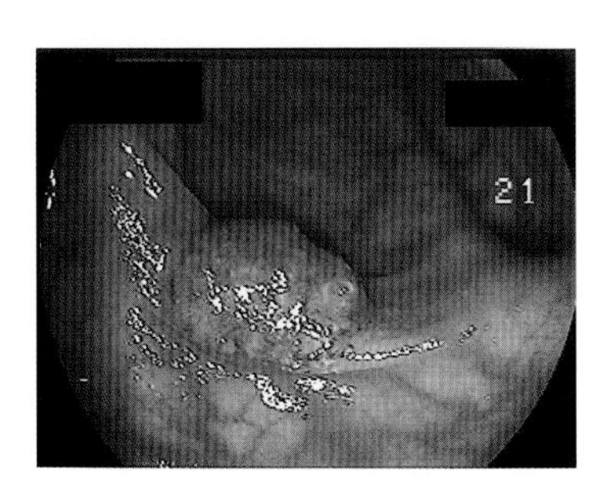

그림 1. 국소주입 전

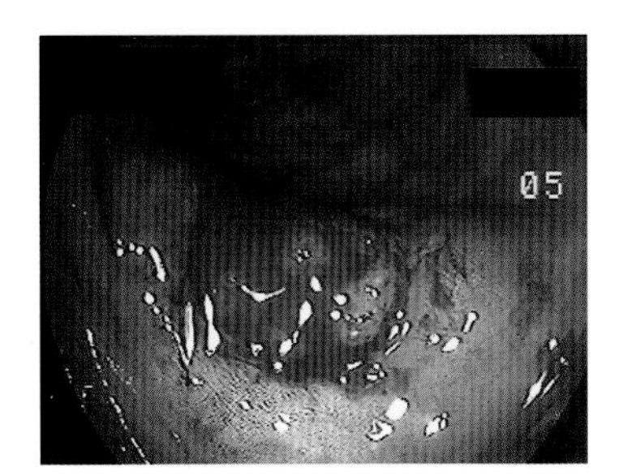

그림 2. 국소주입 후

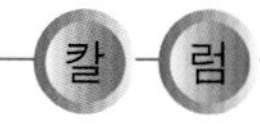

현미경관찰법(하부위장관)

현미경관찰을 하기 전에 먼저 적절한 표본 제작이 필요하다. 표본을 회수한 후에는 세포의 자가용해(autolysis)를 예방하기 위해서 재빨리 20% 포르말린 용액에 넣고 24시간 이상 고정을 해야 한다.

다음은 실제 수기에 대한 설명이다.

1) 일반적으로 EMR 후의 절제표본은 둥글게 말려 있으므로 buscopan 주사액을 떨어트린 후에 적당한 정도로 당겨서 늘린다. 그 다음에는 스티로폼이나 코르크 판에 붙인 후 고정한다. 이 때 표본에 흠집이 나지 않도록 스테인레스제의 가느다란 핀을 사용하고, 표본에 균등하게 tension이 걸리도록 대각선으로 잡아당겨서 붙인다. 종양이 있는 부분은 부서지기 쉬우므로 정상점막인 부위를 핀으로 찌른다.
2) 고정 후의 표본은 먼저 주사기를 사용해서 표면을 물로 잘 씻고 점액을 충분히 제거하는 것이 중요하다.
3) 3% hematoxylin 용액으로 염색을 한다. 이 때 주

그림. 표본 다루기와 수기의 설명

① 점막절제술이 끝나면 절제한 조직을 회수한다.
② 회수한 후 바로 절단면(점막하층 측)에 buscopan을 1~2 ml을 떨어트린다.
③ 조직이 손상되지 않도록 치과용 핀셋의 배면(背面)을 사용하여 조심스럽게 절단면을 펴고 근층이 부착되어 있지는 않은지를 확인한다.
④ 확실하게 정상점막 쪽을 잡고 스테인레스 핀으로 첫 고정을 한다.
⑤ 대각선에 있는 정상점막도 차례대로 고정을 해나간다.
⑥ 적당한 정도의 tension을 가해서 조직 전체를 조금씩 펴 나간다. 핀이 장력에 의해 흐트러지지 않도록 기울여서 찌르는 것이 요령이다. 그 후에는 20% 포르말린 용액 속에 넣는다.

의해야 할 것은 한번 염색할 때 짧은 시간(병변의 크기에 따라 10~30초)으로 하는 것이다.

4) 농분(膿盆)이 담긴 많은 양의 물로 씻은 후, 주사기로 다시 점액을 씻는 작업을 반복한다.

5) 3),4)를 반복해서 3~5회 이 작업을 반복하여 적절하게 염색을 한다. 그 이유는 너무 염색된 표본은 오히려 관찰하기가 곤란하기 때문이다.

6) 염색된 표본을 물에 가라앉히고 관찰을 한다. 이때 기포의 영향을 없애기 위해서 생리식염수(탈기수; 脫氣水)를 사용하면 좋다. 또한 수면이 흔들려서 초점이 흐려지는 경우에는 세제를 몇 방울 떨어트리면 액면이 안정된다.

7) 현미경을 관찰할 때는 먼저 표면구조인 pit pattern을 주로 관찰한다. 이 경우 일반내시경으로는 관찰하기 어려운 소형 pit (IIIs 등), irregular pit, nonstructural region을 주의 깊게 관찰한다.

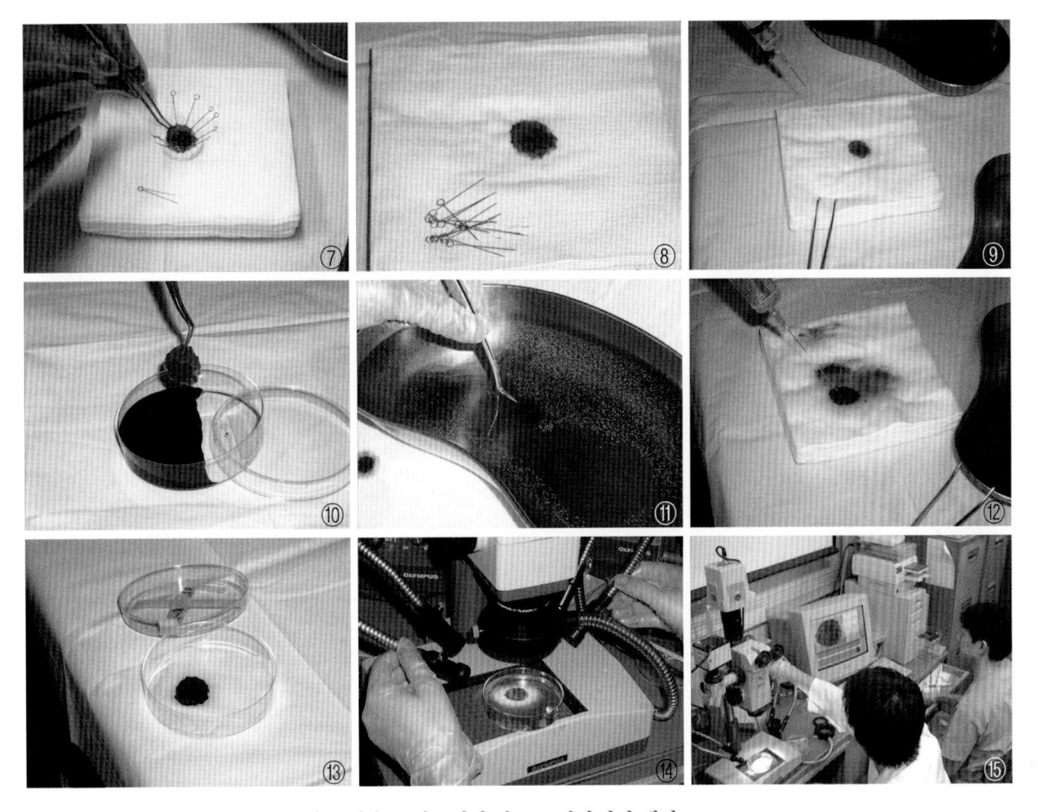

⑦⑧고정 후 스테인레스 핀을 조심스럽게 빼고 고정판에서 뗀다.
⑨ 23 G 바늘이 달린 주사기를 통해 물로 씻고 점액 등의 부착물을 제거한다.
⑩ Hematoxylin으로 단시간 염색을 한다.
⑪ 농분(膿盆)이 담긴 물 속에 씻고 여분의 염색액을 씻어낸다.
⑫ 다시 주사기 물로 씻고, 점액 등의 부착물을 제거한다(①~⑫번의 조작을 여러 번 반복한다).
⑬ 염색이 완료되면 20% 포르말린 용액이 들어있는 샤래에 다시 넣는다.
⑭⑮ 생리식염수로 채워진 샤래에 표본을 넣고 현미경으로 관찰을 한다.

다음에는 병변의 넓이, 완전절제 여부(절단면에 정상점막이 포함되어 있는지의 여부)를 관찰한다.

8) 마지막으로 중요한 것은 현미경을 보면서 표본에 "incision line"을 넣는 것이다. 즉, pit pattern에 따라서 악성도가 높은 부분, 혹은 더욱 심달도가 깊다고 추측되는 부분을 병리 절편상에 나타내는 것이다. 구체적으로는 얻고 싶은 병리조직상의 선상보다 약간 떨어져서(0.5~1 ㎜ 정도) 자른다. 이유는 preparat (현미경 표본) 제작 시에 블록의 거친 절단면이나 마이크로톰(microtome)으로 자르면 절단면 조직의 일부가 소실되기 때문이다.

이처럼 표본 다루기 및 관찰에 신경을 쓰면 각 절제표본을 정확하게 진단할 수 있고, 관찰했던 pit pattern과 병리조직을 정확하게 비교할 수 있다.

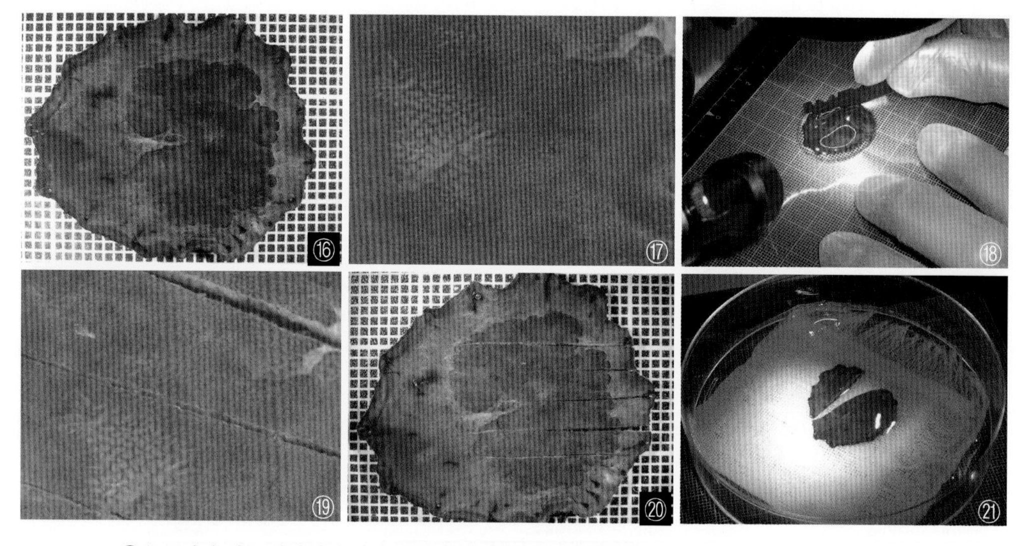

⑯ 눈금자가 있는 원판에서 전체 사진을 촬영하고 관찰한다.
⑰ Pit pattern의 평가와 병변 내부의 차이점 등에 유념하여 관찰한다. 또한 내시경 사진과 맞추어 보아서 병리학적으로 중요하다고 생각되거나 흥미가 있는 부분을 특별히 따로 정한다.
⑱ 현미경으로 pit를 확인하면서 필요한 부분을 스테인레스 칼로 자르고, 그것을 중심으로 2 ㎜ 간격으로 여러 번 자른다. 요령은 가장자리를 갈기갈기 찢지 않는 것이다.
⑲ 절단선(incision line)이 들어간 부분을 다시 확인하고 촬영한다.
⑳ 전체 모양으로 절단면의 위치나 수, landmark를 알 수 있도록 촬영하고 기록한다.
㉑ 병리검사 기사가 쉽게 지시를 이해할 수 있도록 특별히 중요한 부분은 따로 잘라내서 20% 포르말린 용액이 들어있는 샤래에 넣고 병리과에 의뢰한다.

칼 럼

점막하 tattooing

Tattooing이란 대장벽에 극소량의 검은 물감을 주입하여 marking하는 방법으로, 대장내시경 검사로 특정부위를 표시하는 경우와 외과적 수술(개복술, 복강경하 절제)을 하는 경우에 병변 부위를 표시하기 위해서 사용된다. 특히 외과적 절제의 경우, clipping에 의한 marking에서는 장벽 바깥쪽에서 인식하기 곤란한 경우도 많아서 tattooing이 보다 확실하다.

단, 많은 양을 주입하면 대장점막 전체가 시꺼멓게 되거나 병변까지 스며들거나, 심한 경우에는 복강안이 전부 검어져서 수술에 지장을 주기 쉽다. 중요한 것은 정확히 극소량의 염색을 국소 주입하는 것이다. 여기서는 점막하층으로 국소주입하는 요령에 대해서 설명한다.

먼저 검은 잉크는 문구점에서 판매하는 것으로 충분하지만, 체내에 주입하기 때문에 autoclave 등으로 멸균하여 청결하게 해야 한다. 국소 주사바늘은 얇은 것이 좋고, 최소한 21G needle인 것을 사용한다. 끝이 뾰족한 주사바늘을 준비한다. 바늘의 끝이 무디면 점막하층에 바늘이 제대로 들어가지 않는 경우가 있다. 현재는 대부분 disposable needle을 사용하므로 실제로 크게 문제가 되는 일은 없다. 실제로 점막하층에 국소 주입하는 검은 잉크는 0.1-0.2 ml이므로 주사기는 극소량 조정이 가능한 1 ml의 피내반응용을 사용한다.

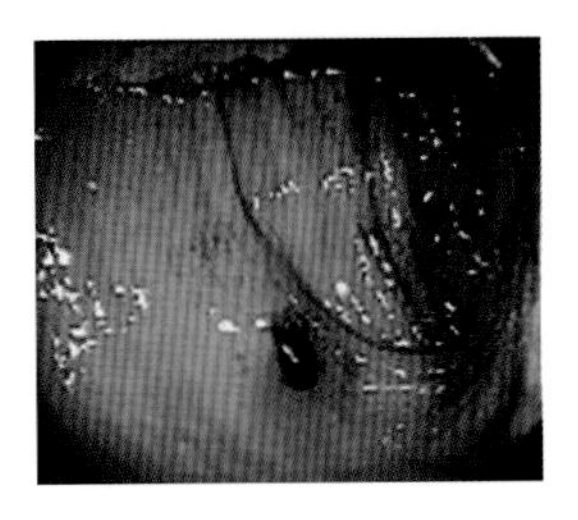

실제 수기로 먼저 국소주사바늘 속에 검은 잉크를 채운다. 이때 공기가 들어가지 않도록 주의한다. 그리고 잉크를 채운 주사기를 연결한다. 이대로 점막하층에 국소주입을 시행하면 때로는 바늘이 잘 들어가지 않아서 물감이 번지고, 대부분 국소주입이 되지 않거나, 어느 정도 국소주입이 되었는지 확인하지 못하고 국소주입을 추가하여 오히려 주입량이 많아지는 일이 있다. 이와 같은 실패를 막는 방법으로 먼저 다른 국소주사 바늘로 생리식염수를 0.5-1 ml 로 점막하층에 국소주입해서 작은 융기를 만든다. 그리고 그 융기의 선단에 검은 잉크가 채워진(국소주입 전에 반드시 flushing을 한다) 바늘로 찌르고, 0.05-0.1 ml의 검은 잉크를 정확하게 주입한다. 이와 같이 하면 확실히 점막하층에 필요한 용량의 검은 잉크를 주입할 수 있다(그림). 국소주입 후의 검은 잉크의 파급을 생각하여 찌르는 부위는 병변에서 최소한 5 cm 정도는 떨어질 필요가 있다. Tattooing의 목적에 따라서 한 부위나 근위부-원위부의 양측에 tattooing을 시행한다.

4 대장 출혈에 대한 처치

하혈을 주 증상으로 내원하는 환자는 응급질환에서 일반 질환까지 광범위하며 대장에 국한된 것은 아니다. 응급인지 아닌지 가리는 것부터 검사 선택까지 판단이 필요한 경우도 많고, 그 중에서도 응급내시경 검사는 진단에서 치료까지 중요하다고 생각된다. 여기서는 대장 질환을 중심으로 "하혈"을 주 증상으로 한 경우의 대응법과 응급내시경에 대해서 설명한다.

하혈을 일으키는 질환

- 표 1에 나타난 것처럼 다양하며 상세하게 검사를 해도 원인이 명확하지 않은 경우도 있다. 이런 경우는 아마도 혈관성 병변일 것으로 생각된다.
- 임상적으로 질환을 다룰 때의 중요한 점은 본인 혹은 주변 사람들로부터의 세밀하게 병력을 청취하는 것이다.

표 1. "하혈"을 일으키는 질환

종양성 질환	의인성 출혈
대장 용종	내시경적 절제술 후의 출혈
대장암	복부 대동맥류 수술 후
점막하 종양 (지방종 등)	약제로 인한 장염
소장 종양	방사성(radiation induced) 장염
악성 림프종	관장 등에 의한 외상성 출혈
염증성 질환	**게실출혈**
궤양성 대장염	대장게실출혈
크론병	Meckel 게실출혈
베체트병	**항문 질환**
허혈성 대장염	치질
비특이성 장염	열창
감염성 장염	**상부위장관 출혈, 기타**
아프타성 대장염	위궤양 (Dieulafoy' s ulcer를 포함)
급성 출혈성 직장궤양	위암
점막탈(粘膜脫) 증후군	십이지장 궤양
혈관성 질환	식도 혹은 위정맥류
혈관이형성증	Mallory Weiss syndrome
동정맥기형	유두부암
Cirsoid aneurysm	췌장염
모세혈관확장증	만성췌장염
장혈관종양	DIC

표 2. 출혈성 쇼크의 중증도

중증도	출혈량	수축기혈압	맥박	요량
경증	15~25% (750~1,250 ml)	약간 저하	약간 빈맥	핍뇨 경향
중등도	25~35% (1,250~1,750 ml)	90~100 mmHg 이하	100~120/min	핍뇨
중증	50%이상 (2,500 ml 이상)	60 mmHg 이하	120/min 이상	무뇨

발병시간, 하혈의 색조와 증상, 경과, 기왕력, 여행력, 약제의 유무, 전신질환의 유무, 복통 등의 증상의 유무 등을 묻는다.

전신상태의 파악과 초기대응

- 활력징후(vital sign)의 측정과 함께 monitor를 장착한다.
- 의식상태, 안검결막, 복부 소견 등으로 전신상태를 파악한다.
- 혈관을 확보한다.
- 쇼크인 경우에는 머리를 낮게 하고 하지를 든다. 이는 다른 의료진과 협력하여 동시에 시행한다.
- 혈액검사(혈구수, 생화학, 응고기능, 혈액형, 수혈용 cross matching)를 시행한다.
- 출혈량을 가늠하여(표 2 참조), 중등도 이상에서 수혈을 검토한다.[1)]
- 쉽게 지혈제를 투여하지 않는다. 허혈성 장염 등에서는 지혈제 사용이 금기이기 때문이다.
- 인력을 확보한다. 시술할 때뿐만이 아니라 정신적으로도 한사람보다는 두 사람이 있는 것이 마음이 든든하다.

하혈에 대한 진료체계

- 다음은 활력징후가 유지된다는 전제하에서이다. 쇼크 등에서는 먼저 수혈 등으로 순환계를 개선시키는 데 노력하는 등 응급처치를 시행한다.
- 출혈원인이 상부인지 하부인지 알기 위하여 앞에서 서술한 병력청취로 얻은 정보를 분석한다.

1) 토혈, 심와부 통증, 상복부 압통, 흑색변 등이 확인된 경우에는 상부소화관 출혈을 의심한다.
   → 이런 경우에는 위관을 삽입하고, 혈액의 저류를 확인한 후 상부소화관내시경 검사로 바로 진행한다.
2) 신선혈(fresh blood)이 보인 경우는 항문에서 가까운 범위의 출혈을 의심한다.
   → 이런 경우에는 직장수지검사 및 직장 항문경으로 항문질환의 유무를 점검한다. 대량의 출혈을 일으키는 항문질환인 경우, enema 검사 시 사용하는 double balloon tube를 삽입하고 balloon으로 압박지혈을 하면 효과가 있다. 그리고 외과의사에게 연락한다.
3) 1주 이내에 내시경 치료 등의 의료행위를 받은 경험이 있는 경우에는 의인성 출혈을 의심한다.
   → 응급대장내시경 검사를 한다. 단, 복부 동맥류 수술 후에는 CT 검사를 한다.
4) 1)~3) 이외에는 소장을 포함한 하부소화관 출혈을 생각해 본다.
   → 응급 CT 검사(단순, 조영)로 혈액이 저류된 위치, 종양의 존재, 장관벽의 비후와 그 범위, 게실의 존재(free air 참조) 등이 확인되므로, 출혈 원인을 알아내는데 도움이 될 뿐만 아니라, 조영 시에 출혈부위를 지적할 수 있고, 진단가치가 높으면서 침습성이 적은 검사이므로 일부 시설에서는 가장 먼저 검사하는 제1선택방법으로 되어 있다.
   → 이런 경우에 제2선택은 응급하부내시경 검사이다. 핵의학 검사 및 혈관조영술 중 어떤 것을 선택할지는 시설과 개인적 견해에 따라서 다르므로 일

괄적으로 정할 수 없다. 다만 혈관조영술은 어느 정도 이상의 활동성 출혈(0.5 ml/min 이상)[2] 소견을 보이는 경우에는 extravasation이 나타나서 gel이나 coil체 의한 색전술(transarterial embolization; TAE)을 시행할 때는 유용하지만,[3] extravasation이 나타나지 않는 경우에는 출혈부위나 기타 혈관 이상 부위를 지적하기가 어렵다. 따라서 본 시설에서는 내시경검사로 출혈부위 혹은 그 근처에 marking clip으로 표시를 해 놓거나, 핵의학 검사로 출혈부위(hot spot)를 찾은 뒤에 혈관조영술을 시행하므로 제 3선택 검사법으로 되어 있다.

응급하부내시경 검사

1. 적응증

- 위 진료체계에서 3),4)인 경우
- 핵의학 검사나 CT 등에서 하부소화관 출혈이 의심되는 경우
- 검사시기를 2일 이내로 하라는 문헌[4]도 있지만 되도록 빨리 검사하는 것이 좋다.
- 다만 순환상태가 안정되어 있지 않은 쇼크 상태나 장막자극(peritoneal irritation) 증상이 나타난 경우에는 금기이다.

2. 검사를 시작하기 전에

- 환자나 보호자에게 치료방침을 설명하고, 검사 및 치료에 대한 동의를 얻는다.
- 환자의 활력징후가 안정되어 있고 지속적으로 측정할 수 있어야 한다.
- 혈관이 확보되고 응급소생술 등이 가능해야 한다.
- 하부내시경 및 내시경 지혈술에 충분한 경험이 있는 숙달된 의사가 한다. 혹은 상급자(上級者)의 감독 하에 중급자(中級者) 이상의 경험이 있는 의사가 시행한다.
- 수기의 흐름이나 처치기구 조작에 익숙한 보조자가 있어야 한다.
- 시술자 및 보조자를 포함해서 3명 이상이 있을 때 시행하는 것이 바람직하다.
- 많은 양의 혈액을 다루므로 감염에 주의하며 검사를 한다.

3. 준비물

- Disposable needle (23G, 선단길이 4 ㎜)
- Disposable syringe 10 ml, 50 ml
- Hypertonic saline epinephrine (HSE) 용액
- Clip device, snare, hot biopsy forcep, biopsy forcep, alligator forcep
- 세정 tube (색소 산포용 튜브 등)
- 회수 기구(5각형 grasping forcep, 3각형 grasping forcep)
- 고주파 장치, argon plasma coagulation (APC), heat probe 등
- 투명 hood, sliding tube
- disposable paper sheath, flat type paper diaper
- 기타 국소세정하기 위해 수압, 수량을 측정할 수 있는 원예용 분무기를 개량하여 세정기로 사용하고 있다는 보고도 있다.[5),6)]

4. 전처치

- Blood clot과 저류된 혈액이 내시경 시야를 가리면 관찰이 불가능할 뿐만 아니라 suction channel이 막히거나 불필요하게 많은 양의 공기를 넣게 되어 검사시간이 길어진다. 이런 경우, 환자에게 고통을 주고 내시경을 삽입하기가 곤란해지므로 가능한 전처치를 해야 한다.
- 본 시설에서는 전처치를 다음과 같이 한다.
  *Glycerin enema 120 ml
  *미지근한 물 관장 300 ml x 2~3회
- 좌측 결장 이내의 출혈이 예측되는 경우에는 위의 두 가지 관장만 하지만 상황에 따라서는 추가 조치

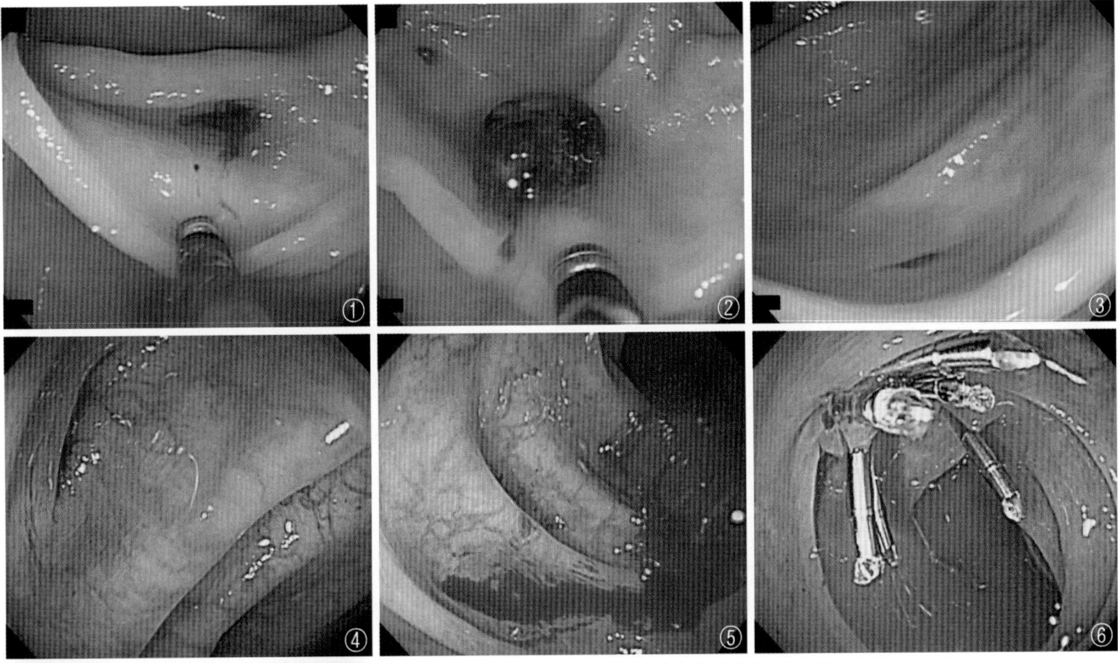

그림 1. 대장출혈 증례

55세 남성. 갑자기 많은 양의 하혈(fresh blood 양상)을 해서 응급실로 내원하였다. 응급 CT상 상행결장에서 게실이 보였고, 장관내 저류액 소견으로 보아 게실출혈이 의심되었기에 응급 하부소화관 내시경을 실시하였다.

①~③ 상행결장의 게실 속에서 blood clot이 보여서 산포 튜브를 사용하여 게실을 물로 씻었다. 게실 속의 내용물을 배출시켜 출혈부위를 찾고자 했다.

④~⑤ 같은 조작을 반복해서 관찰하던 중, 한 개의 게실에서 활동성 출혈이 있는 것을 발견했다.

⑥ 이 부위에 clipping을 시행한 뒤, 지혈에 성공한 것처럼 보였지만 다음날 다시 출혈이 있어서 내시경 처치만으로 지혈하는 것은 어렵다고 판단하였다.

⑦ 우결장 동맥의 조영술 검사에서 클립으로 묶은 부위에서 extravasation (pooling)이 보였다. 그것이 출혈을 일으킨 원인혈관이라고 생각되어 coil로 색전술을 시행한 결과 성공적으로 지혈이 되었다.

가 필요한 경우도 있으므로 유연하게 대응해야 한다. 다만 미지근한 물로 관장한다면 고여 있던 피가 근위부로 밀려 들어갈 가능성도 있으므로[7] 출혈원인을 검색할 때는 주의를 한다.

5. 수기(그림 1)

1) 내시경 삽입

- 신중하게 내시경을 직장 속으로 삽입한다. Blood clot이 고여 있는 경우가 많은데, 흡인만으로 해결할 수 없는 경우에는 투명 hood를 장착하고 나서 다시 삽입한 뒤에 hood 속으로 blood clot을 흡인해서 체외로 배출하면 시야가 확보된다.
- 기본적으로는 통상적인 내시경 삽입과 비슷하지만, disposable syringe (50 *ml*)를 통해서 가스콘이 소량 섞여 있는 물로 씻으면서 목적부위를 향해서 신중하게 삽입해 간다.
- 시야가 확보되지 않아서 공기와 물을 많이 넣게 되는 경향이 있는데, 과도하게 주입하여 장을 너무 팽

중요포인트

- ☞ 항상 환자의 상태를 파악한다.
- ☞ 환자 및 보호자에게는 치료방침과 예측되는 상황에 대해서 사전에 설명해 둔다.
- ☞ 방사선과, 소화기외과 등에 사전에 상황을 알려두어, 언제라도 치료방침을 변경할 수 있도록 한다.
- ☞ 시술자는 냉정, 정확, 유연, 신속하게 상황을 판단하고 최선의 행동을 한다.

창시키지 않도록 한다.

- 이 단계에서는 염증성 질환 등이 판별되는 정도로 장관속이 잘 보일 정도의 자세한 관찰은 내시경을 빼면서 한다.
- Blood clot과 고인 피의 색상에 주의한다. 신선혈이거나 선홍색의 혈액이라면 출혈부위가 근처에 있다는 것을 시사한다.
- 점막에 blood clot이 부착되어 있지 않거나, 남아 있는 대변에 피가 묻어있지 않으면 출혈부위는 항문쪽에 가깝다고 판단하고 깊게 삽입하지 않는다.

2) 출혈부위의 특징

- 물로 씻어도 떨어지지 않는 단단한 blood clot이 부착되어 있다.
- 급성 출혈인 경우에는 투명한 fibrin clot이 부착되어 있다.
- 염증성 장질환에서는 점막 전체의 연속적인 부종, 미란, 국소궤양 등 각 질환의 특징을 볼 수 있다.

3) 출혈부위를 찾을 수 없을 때

- 활동성 출혈인 경우에는 출혈부위로 의심되는 곳에 HSE를 2-3 *ml* 국소주입하거나 APC으로 응고한다. 지혈 또는 출혈량의 경감을 측정하여 출혈부위를 확인하고 clipping 등으로 확실한 지혈을 시도한다.
- 장 속을 물로 채우면 혈액이 스며 나오는 것이 보여서 출혈부위를 확인할 수 있다.
- 대장 게실증에서는 게실로부터의 출혈인지 단순히 혈액이 고여 있는 것인지 판단되지 않는 경우가 있다. 이런 경우에 본 시설에서는 세정 tube를 사용해서 각각의 게실을 물로 씻는다. 만약 출혈이 되는 부위가 있으면 활동성 출혈인지를 판단한다.

4) 출혈부위가 판명된 경우

- 출혈부위가 확인된 경우에는 물로 씻고 biopsy forcep이나 alligator forcep을 사용해서 blood clot을 제거한다.
- 출혈부위가 보이는 경우에는 클립으로 지혈하는 것이 가장 효과적이고 직접적인 방법이라고 생각된다.
- 클립으로 잡기가 곤란한 경우에는 APC 등 기타 방법을 고려하여 클립을 고집하지 않는다.
- 용종에서 출혈이 되는 경우에는 detachable snare를 병용해서 용종제거술을 한다. 다만 그 전에 전신적인 출혈성 경향(전립선암, 혈액질환 등 악성질환을 기반으로 한 DIC를 비롯한 합병증)이 있는지를 검토해 본다.
- 대장게실에서 발생한 출혈인 경우, 클립을 사용해서 게실을 막는 방법도 있지만 투명 hood를 사용해서 흡인하여 게실 자체를 뒤집어서 clipping하는 방법이 효과가 있다는 보고도 있다.[8)]

5) 내시경으로 지혈하기가 곤란한 경우

- 출혈부위의 근처를 marking clip으로 묶은 뒤 X선 촬영, 응급 혈관 조영술을 시행한다. Marking clip을 기준으로 원인 혈관을 확실히 찾은 뒤 TAE를 한다.
- 내시경적 치료와 내과적 치료만 고집하지 말고 외과적 처치를 함께 검토한다.

대량출혈에 대한 처치를 나열했는데, 시술자에게 있어서 가장 중요한 것은 냉정, 정확, 유연 및 신속하게 상황을 판단하고, 최선의 행동과 지시를 하는 것이다.

참고문헌

1) 倉本 秋, 味村俊樹, 大原 毅. 대장 게실증(게실 출혈). 임상소화기내과 1997;12:59-65.
2) Rosch J, et al. Unusual sources of gastrointestinal bleeding. Semin Intervent Radiol 1998;5:64.
3) Okazaki M, et al. Emergent embolotherapy of small intestinal hemorrhage. Gastrointest Radiol 1992;17:223-8.
4) 多田正大, 森 靖夫, 藤田直子, 등. 응급내시경 검사. 임상소화기내과 1997;12:9-15.
5) 多賀須幸男. Panendoscopy- 상부소하관의 검사, 진단, 치료. 동경: 의학서원; 1994:55.
6) 五十嵐正廣, 小林清典, 藤又佇桀. 출혈시의 응급내시경 검사. 丹憂寬文 편집. 대장내시경 handbook. 동경: 일본 메디칼센터; 1999:117-120.
7) 酒井義淏.대량 출혈 예의 사전처치. 소화기내시경 2000;12:882-3.
8) 浦上尙之, 高橋 寬, 藤田力也, 등. 게실 출혈에 대한 hood method의 유효성. 제 73회 일본소화기내시경학회 관동지방회 초록집. Progress of Digestive Endoscopy 2001;60:47.

대장 점막절제술 후의 클립 봉합술

Endoscopic mucosal resection (EMR) 후에는 충분히 공기를 넣고 장관벽을 펴서, 절제한 궤양저(EMR-induced ulcer)를 잘 관찰하지 않으면 안 된다. 완전한 천공이 아니더라도 snaring으로 내륜근(internal circular muscle layer)을 손상시키거나 과다한 통전으로 근층까지 응고된 경우에는 국소적으로 강한 염증이 일어나서 천공으로 진행하는 경우도 있다. 이런 경우에는 궤양을 클립(그림 1)으로 봉합해 주는 것이 효과적으로, 국소 염증과 천공을 예방할 수 있다. 궤양 전체를 봉합하지 않고, 근층의 단열부위만을 봉합하는 경우에는 클립 또는 내시경의 회전을 이용해서 내륜근과 수직이 되도록 clipping하는 것이 중요한 요점이다.

EMR 직후에 찍은 사진(그림 2)에서는 장관 장축을 따라 횡주하는 궤양기저부의 근육층의 단열로 인해서, 입체단위 X선 사진상 저명한 free air가 보였다. 내시경 검사를 한 후라면 장관내 공기가 더 많이 누출되므로 free air가 한층 더 분명하게 보인다. 하지만 clipping으로 인한 증상 및 염증반응이 없었고 단기간 금식으로 치유되었다.

완전하게 장벽 전층을 절제한 경우에도 시야와 조건이 좋다면 클립 봉합술로 천공된 부위를 폐쇄하고 금식하면서 수혈, 항생제 투여 등의 보존적인 치료만 하는 경우도 있다. 단, 외과의사에게 미리 연락을 해 두어야 하고, 반드시 외과의사와 상담하고 나서 치료방침을 결정하여야 한다. 실제적으로 큰 궤양을 클립으로 막는 경우에는 공기를 빼고 궤양을 작게 해서 clip 선단의 날을 궤양의 가장자리에 걸고 내시경의 선단을 조작하여 반대 측의 점막

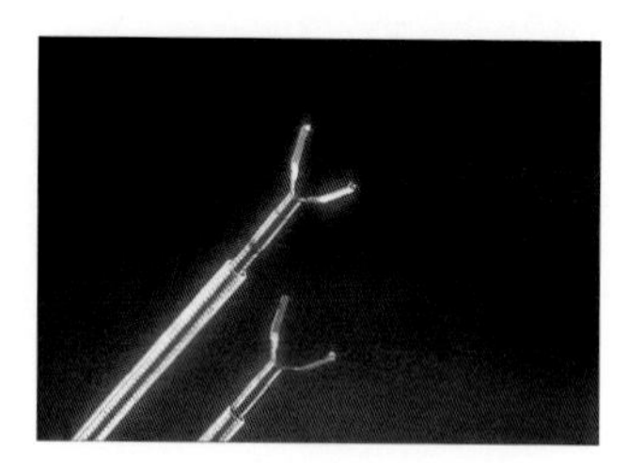

그림 1

과 함께 봉합한다.

최근 EMR 후에 발생한 인공궤양의 치유를 촉진시킬 목적으로 궤양을 봉합하기도 한다. 저자는 보통 EMR을 하는 경우, 출혈과 근층의 손상이 없는 경우에는 clipping에 의한 궤양 봉합은 필요하지 않다고 생각한다. 만약 EMR 후의 궤양을 봉합, 폐쇄할 것이라면 반드시 궤양 변연에 종양의 잔재병변이 없다는 것을 충분히 확인해야 한다. 왜냐하면 봉합하면서 잔재병변이 점막하층까지 들어갈 가능성이 있기 때문이다. 이런 일은 불가능하다는 의견도 있지만 그것을 객관적으로 증명해낸 보고는 아직까지 없다. 참고로 궤양 변연의 잔재병변의 진단에는 확대관찰이 도움이 된다.

마지막으로 클립을 국소적으로 너무 세게 대고 누르면 클립 자체가 너무 벌어져 못쓰게 되고(과신전), 봉합할 수 없는 경우가 있다. 너무 강하지도 않고, 너무 약하지도 않게 적당히 대고 누른다. 또한 내시경이 일자로 되어 있지 않은 경우에는 스프링이 잘 작동하지 않고, 클립이 열렸다가 도중에 닫히게 된다. 이런 상황을 피하기 위해서는 클립을 여는 보조자는 80% 정도 연다는 생각으로 조작하는 것이 좋다.

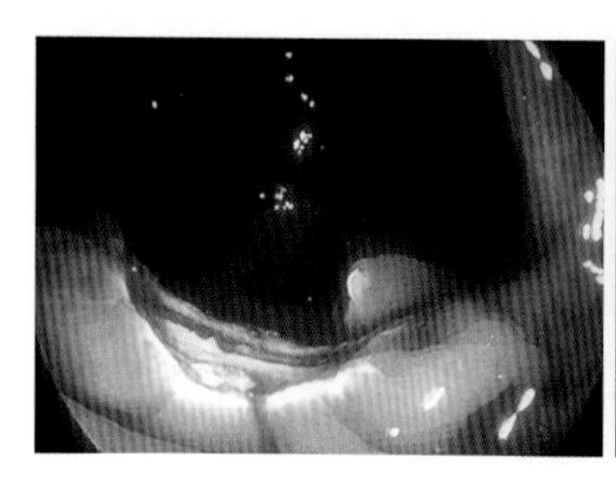

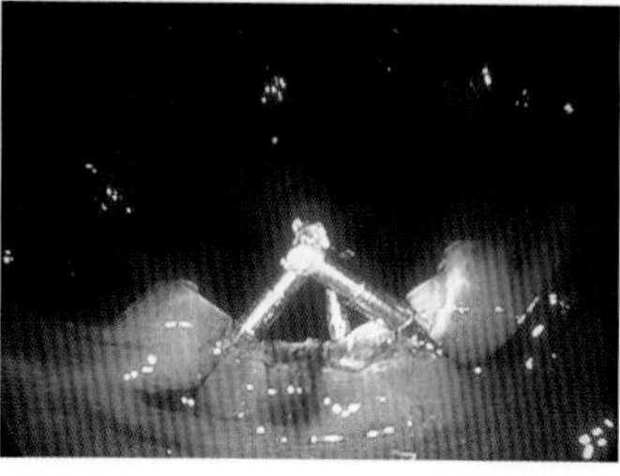

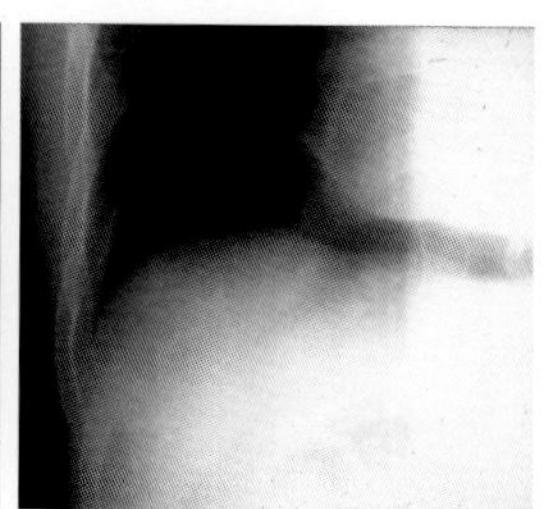

그림 2

5 대장 천공에 대한 처치

- 천공은 hot biopsy, snare polypectomy, EMR 등 어떤 수기에서도 발생할 수 있다(표 1, 그림).
- 천공은 전류를 가한 직후뿐만이 아니라 시술이 끝난 며칠 후에도 발생할 수 있다.
- 천공을 예방하기 위해서는 기본조작을 게을리 하지 않는 것이 중요하다.

표 1. 치료내시경 합병증의 빈도

수기	증례수	출혈	천공
Hot biopsy	11,096	11 (0.10%)	2 (0.02%)
Snare polypectomy	8,802	511 (0.58%)	1 (0.01%)
EMR	2,370	23 (0.97%)	2 (0.08%)
계	22,268	85 (0.38%)	5 (0.02%)

北里大學 東病院 (1986~2001년)

원인과 대책

1. Hot biopsy

- 용종을 잡은 뒤에 충분히 들어올리는 기본 조작을 하지 않으면 천공이 유발된다.
- 겸자가 점막에 닿은 상태에서는 전류를 가하지 않는다.
- 시야가 확보되지 않는 경우에는 전류를 가하지 않는다.
- 용종의 기저부에 생리식염수를 주입한 후에 전류를 가하면 천공을 예방할 수 있다.

2. Snare polypectomy

- 아경성, 무경성 병변에서는 주의한다.

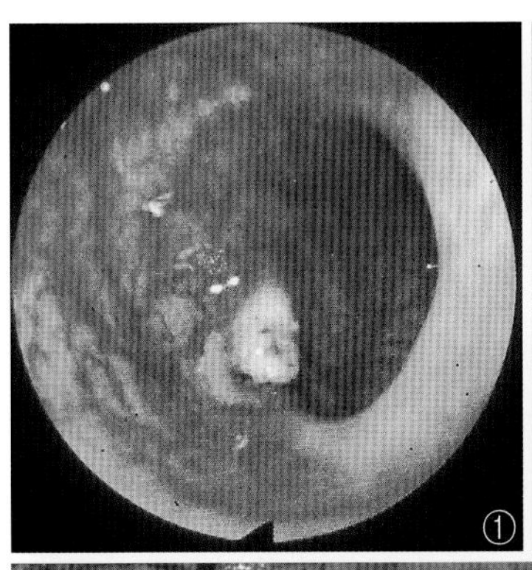

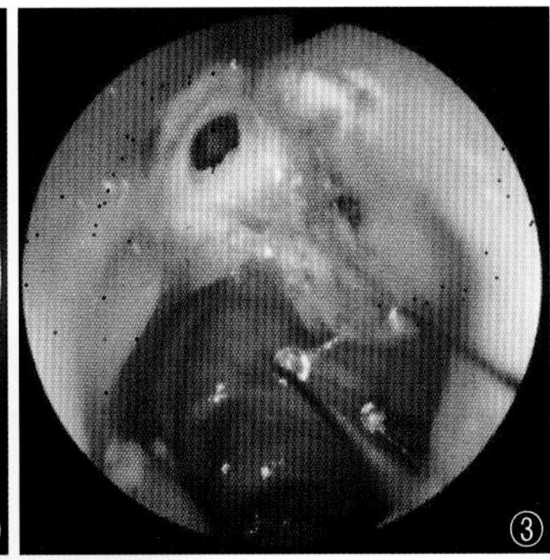

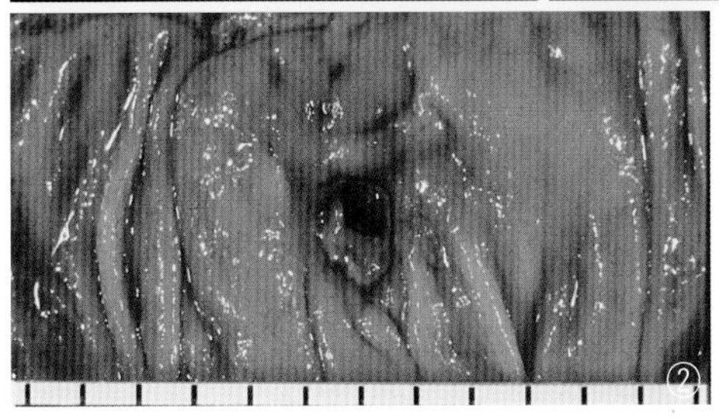

그림

① Hot biopsy에 의한 천공 예. 수 시간 후에 복통이 증가해서 수술을 했다.
② 천공 부위의 육안적 소견. Hot biopsy를 한 부위에서 천공이 보였다.
③ EMR에 의한 천공 예. EMR 직후에 천공이 확인되어 수술을 했다.

중요포인트

☞ Hot biopsy를 할 때는 병변을 충분히 들어 올리고 전류를 가하는 것이 천공을 예방하는 방법이다.
☞ Snare polypectomy나 EMR을 할 때는 snare로 묶은 뒤에 일단 느슨하게 풀었다가 다시 묶는 것이 천공을 예방하는 처치로 중요하다.
☞ EMR을 할 때는 천공을 예방하기 위해서 충분한 양의 국소주입을 해야 한다.
☞ 천공이 되면 클립 봉합술을 시도한다. 효과가 없으면 수술 적정시기를 외과의사와 상의한다.

- 주름이 겹친 부위에서는 snare를 걸 때 주의한다.
- Snare를 건 후, 전후로 snare를 움직이면서 느슨하게 했다가 다시 묶는다. 이는 근육층을 묶지 않기 위한 예방 조작이다.
- 분할절제를 할 경우, 전류를 과도하게 가하지 않도록 주의한다.
- 융기형 병변에서도 기저부에 생리식염수를 주입하면 천공을 예방할 수 있다.
- 적응증을 넘어서는 크기의 병변에는 시도하지 않는다.
- 전류를 가하는 도중에 통증을 호소하면 시술을 중단하는 것이 좋다.

3. EMR

1) 불충분한 국소주입량

- 병변이 충분히 융기되는 정도가 적당한 양이다.
- 생리식염수가 확산, 흡수되면 추가주입이 필요하다. 국소주입 후에는 빨리 snare를 건다.

2) 고유근층

- 고유근층까지 묶으면 천공이 발생한다.
- Snare를 건 후에 공기를 넣고, 장관을 부풀려서 snare를 느슨하게 했다가 다시 묶는다(고유근층을 안 묶기 위한 예방적 방법이다).
- 분할절제 시 시간이 지나서 주사한 국소주입액이 가라앉으면 다시 주입한다. 국소주입액을 아끼면 안 된다.

3) 클립 및 회수보조기구로 인한 손상

- 병변을 절제한 후에 봉합할 때나 회수용 처치기구 삽입 시 기구의 선단으로 궤양 부위를 손상시키지 않도록 주의한다.
- 어떤 조작에서든 기구의 선단을 겸자공에서 뺄 때는 신중하게 다룬다.

천공시의 대응

1. 전류를 가한 직후에 천공이 확인된 경우

- 클립으로 천공된 부위를 봉합한다.
- 봉합되지 않는 경우나 환자상태가 악화되는 경우에는 바로 외과적 치료를 한다.

2. 시술 후에 천공이 의심되는 경우

- 바로 복부단순촬영과 CT로 천공인지 아닌지를 진단한다.
- 복통 등을 호소하는 경우, 천공이 감별되기 전까지 귀가시키지 않는다.

치료 후

- 클립으로 봉합한 증례에서는 금식 및 항생제를 투여하면서 경과관찰을 한다. 증상이 가라앉은 경우에는 경과관찰이 가능하다.[1),2)] 그러나 복막자극증상 출현 등 환자상태가 악화된다면 수술을 고려한다.
- 천공한 경우 중, retroperitoneal perforation이나 micro perforation인 경우에는 금식과 항생제 투여를 하면서 경과를 관찰할 수 있다.

- 천공한 예에서는 항상 수술을 먼저 검토해야 한다는 사실을 잊지 않는다.

참고문헌

1) 池靖 敦, 小野 滿. 내시경 수기의 비결- 대장내시경시의 천공에 대한 증례에서의 대응. 소화기내시경 2000;12:902-3.

2) 松永厚生, 野村美樹子, 膽田直孝. 대장 EMR에서의 천공. 당황해서 개복하지 말라. 소화기내시경 2001;13:632-3.

대장의 내시경적 점막절제술 보조요법으로서의 argon plasma coagulation

Argon plasma coagulation (APC)은 고주파 전류를 이온화시켜서 전기전도성을 갖는 argon gas (argon plasma)로 만든 뒤 국소적으로 열을 발생시키는 것이다. 이 과정으로 지혈 및 조직의 열변성에 의한 응고가 가능하다. Forcep type probe를 통해서 argon plasma를 매개하므로 접촉시키지 않아도 국소적인 응고효과를 얻을 수가 있다.

1. 종양파괴효과

종양의 치료는 절제하는 것이 원칙이다. 왜냐하면 절제표본을 병리조직학적으로 검토하지 않으면 근치도를 판정할 수 없기 때문이다. 시술 전 진단에 따라서 endoscopic mucosal resection (EMR)을 하면서 절제단면이 갈기갈기 찢어진 경우나 절제 후 궤양변연에 명확한 점막 내 잔재병변이 있는 경우 등에서는 APC 파괴요법(ablation therapy)이 효과가 있다. EMR 절제 후 궤양변연의 작은 부위를 trimming할 때는 APC 이외에도 hot biopsy, heat probe, snare 선단으로 태우는 방법도 효과가 있다. Snare 선단에 의한 파괴요법은 비스듬히 (tangential direction) 접할때는 좋지만, snare가 수직으로 접하고 있는 경우에는 천공될 위험성이 있다. APC는 heat probe나 snare 선단에 의한 ablation therapy 등과 비교할 때 조직파괴효과가 확실하다.

APC를 사용할 경우, probe가 다소 점막에 닿아 있어도 상관없지만 너무 대고 누르면 argon gas가 벽 내로 들어갈 수 있으므로 주의한다.

2. 지혈효과

EMR 후의 궤양 기저부에 있는 노출혈관, oozing, 출혈 등을 처리할 때 매우 유용하다. APC는 비접촉성으로 작용하므로 피가 묻어 있어도 확실한 조직응고효과를 얻을 수 있고, heat probe 등의 접촉성 기기에 비해서 지혈효과가 높다.

치료내시경을 하는 시설에서는 필수품이라고 할 수 있을 것이다. APC는 모든 면에서 종래의 YAG laser보다 간편하고 사용하기 쉽다.

표. 내시경 처치시의 APC의 일반적 설정

증례	Preset 수치	출력	가스 유출량	probe
위	Step 3	50~70W	1.5 L/min	2.5∅ probe
식도	Step 3	50W	1.5 L/min	2.5∅ probe
우측 결장	Step 2	35W	1.0 L/min	2.5∅ probe
대장	Step 3	35~50W	1~1.5 L/min	2.5∅ probe
기관지	Step 2	35W	1.0 L/min	1.6∅ probe
스텐트	Step 3	50W	1.5 L/min	2.5∅ probe
비교적 큰 종양	Step 4~5	70~90W	2.0 L/min	2.5∅ probe
작은 종양	Step 2~3	50~70W	1.5~2.0 L/min	2.5∅ probe

[index]

ㅍ

ㅎ

A

B

C

D

E

F

G

H

I

L

M

N

O

P

R

S

T

V